the Joy of Sex

Guía ilustrada del amor

grijalbo

ALEX COMFORT, M.B., Ph. D.

THE JOY OF SEX

Guía ilustrada del amor

Ilustraciones de
CHARLES RAYMOND y CHRISTOPHER FOSS

COLECCIÓN
«RELACIONES HUMANAS Y SEXOLOGÍA»

EDITORIAL GRIJALBO, S. A.
MEXICO, D. F. BARCELONA BUENOS AIRES

GUÍA ILUSTRADA DEL AMOR

Título original en inglés: *The Joy Of Sex*
Traducción: Antoni Pigrau

© 1981, Ediciones Grijalbo, S.A.
          Aragón 385, Barcelona 08013

D.R. © 1983. por EDITORIAL GRIJALBO, S.A.
          Calz, San Bartolo Naucalpan Núm. 282
          Argentina Poniente 11230
          Miguel Hidalgo, México, D.F.

Este libro no puede ser reproducido,
total o parcialmente
sin autorización escrita del editor.

ISBN 968-419-331-9

IMPRESO EN MEXICO

ÍNDICE

Salsas y picantes

Problemas

PRÓLOGO

Cuando se es biólogo a la vez que escritor y uno se interesa por el comportamiento sexual humano, no son raras las veces que recibe el encargo de leer libros informativos sobre tal tema, e incluso de redactarlos. Estos libros pueden ser admonitorios, fantásticos, religiosos, ingenuos, convencionales o, simplemente, poco fiables, y van desde los más teóricos hasta los manuales de tipo "práctico". Suelen tener en común la característica de estar escritos por árbitros que no toman parte en el juego, aunque vayan destinados al lector corriente. Por esto no debe extrañar que el lector de esa clase de obras esté convencido de que sus autores no hicieron el amor con mucha frecuencia, de que no disfrutaron en la práctica sexual o de que no hablaron siquiera lo bastante con personas que se hubiesen entregado de veras a ella y que hubieran gozado plenamente.

Este libro es un intento de hacer algo distinto. En primer lugar, debe de ser el primer libro de divulgación sexual adecuadamente documentado (trata de la sexualidad tal como la practican las personas que, sin pecar de excesiva ansiedad, se hallan al día al respecto). Es el primer libro que se basa en los conocimientos actuales más bien que en los de fines del siglo pasado —en las investigaciones de Maslow, por ejemplo, y no en las opiniones de Krafft-Ebing—, así como en la biología y la etología de la conducta. En segundo lugar, trata del placer sexual, como su título original indica. En el hombre, el fin perseguido por la sexualidad sólo es la reproducción en

11

un *diez por ciento de los casos; las nueve décimas partes restantes son juego, lazos de unión afectiva entre amantes serios dispuestos a una larga convivencia, una relación mediante la cual expresamos nuestra afinidad, nos exploramos a nosotros mismos y el uno al otro, al tiempo que exorcizamos preocupaciones esenciales de nuestra condición de seres humanos y de mamíferos mediante un retozo tierno y libre de temores. Lástima que la religión y la psiquiatría no hayan interpretado siempre correctamente esta función y se dediquen a convertir en represiones lo que la naturaleza programó como recursos positivos... La capacidad de juego del ser humano, lo mismo que el cariño, es algo que nuestra cultura ha subvalorado.*

Lo que presentamos aquí es una descripción serena de cuanto comprende la sexualidad humana: recursos, novedades, bromas y problemas. Las personas sexualmente maduras reconocerán en este libro sus propias experiencias y sus propias dudas: lo que debe hacerse en caso de impotencia o de eyaculación precoz, cómo practicar el sexo oral, cómo entregarse a juegos simbólicamente agresivos aunque tiernos en realidad, cómo reaccionar ante los fetiches, cómo usar las ropas en cuanto estímulos sexuales, qué hacer con un compañero aficionado a la flagelación y cómo reconciliar hábitos de sueño incompatibles. Muchos asesores profesionales reaccionan ante tales preguntas —cuando el cliente se atreve a hacerlas—, si no con típica preocupación psiquiátrica y moral, por lo menos con insuficiencia de conocimientos prácticos sobre la materia. Si el estilo de este libro resulta más bien ameno, es porque así debe ser: el amor es un asunto demasiado seriamente placentero como para abandonarlo a las solemnidades de los teóricos, de las autoridades morales y de los comerciantes en pornografía, todos ellos personas básicamente ansiosas desde su particular punto de vista. Cuando se necesitan explicaciones (y las explicaciones siempre ayudan cuando se trata de materias provocadoras de ansiedad), el libro lleva al lector por los caminos de la biología y de la psicología profunda sin tecnicismos y de forma fácilmente comprensible. Éste es el modo correcto de abordar el tema en un momento en que el estudio de los primates y la psicodinámica clásica humana parecen haberse unido, y aun cuando pueda tachárseme de algún exceso en cuanto a la biología, me siento orgulloso por haber sido invitado a solemnizar tal matrimonio.

Por lo general, los autores no se sienten inclinados a escribir dedicatorias, pero esta obra necesita ser dedicada a las docenas de amantes que contribuyeron con sus experiencias, gustos personales y comentarios a su proyecto original, así como a cuantos trabajaron en el texto y las ilustraciones. Todos ellos pusieron al servicio del libro sus conocimientos e imaginación para darle algo de su propio sentido del goce y la diversión. Es bastante difícil producir algo realmente nuevo en el campo de la educación sexual, pues las sociedades tolerantes lo han permitido todo, desde las admoniciones más severas hasta la más grotesca pornografía. En la mayor parte de las librerías pueden encontrarse aún en nuestros días una serie de libros escritos en "lenguaje directo", pero muy parcos en respuestas, así como algunas revistas de "consejos" basadas en fantasías nada prácticas, cuando no patológicas. Ya era hora de que los lectores adultos recibieran un trato humano y experimentado. Espero que este libro sea tan útil a los asesores profesionales como a las parejas (en los Estados Unidos y el Canadá, donde apareció por primera vez, mis colegas médicos lo dejan en la sala de espera o lo recomiendan a sus pacientes), pero será sin duda el lector común, sexualmente activo —deseoso de disfrutar de la sexualidad y de mostrarse a la vez tierno y responsable ante ella—, quien resultará más beneficiado.

Alex Comfort

CONSIDERACIONES SOBRE LA SEXUALIDAD ACTUAL

Todos nosotros, excepto los inválidos y los mudos, podemos bailar y cantar después de practicar lo indispensable. Tal ejemplo, por poco que se piense en él, justifica nuestra necesidad de aprender a hacer el amor. El amor, como el canto, es algo a lo que hay que entregarse espontáneamente. Por otra parte, la diferencia entre la Pavlova y el Palais de Danse, o entre la ópera y el canto de un barbero, es mucho menor que la existente entre la sexualidad tal como la aceptó la anterior generación y la sexualidad como puede llegar a ser.

Al menos, esto es lo que reconocemos hoy, momento en que, por lo visto, la gente ha dejado de preguntarse si la sexualidad es pecaminosa para pasar a preocuparse de si se obtiene toda la satisfacción deseada. Además, está probado que uno puede preocuparse por cualquier cosa si pone en ello suficiente empeño. Existen en la actualidad los libros necesarios sobre los puntos básicos: sirven, sobre todo, para liberarse de las preocupaciones sobre la normalidad, posibilidad y variedad de la experiencia sexual. La gente que consulta a Masters y Johnson vence neurosis tan básicas que en otro tiempo las habría recogido la tradición folklórica. Por lo menos la sociedad "tolerante" ha eliminado gran parte de esas tapaderas en cuanto a publicaciones se refiere. Nuestro libro es ligeramente distinto, pues consideramos que son pocas las personas que hoy carecen de los conocimientos básicos y creemos que lo que en realidad se necesita es una información lo más completa posible en vez de simple tranquilización.

La alta cocina no es un hecho casual: empieza en el punto en que la gente ha aprendido a valorar la comida y a disfrutar con la misma, cuando siente curiosidad por ella y está dispuesta a tomarse la molestia de prepararla, a leer libros de recetas y a descubrir la ayuda que pueden prestar algunas técnicas bien explicadas y comprendidas. Es muy difícil, por ejemplo, dar con la fórmula de la mayonesa por el procedimiento del tanteo. La cocina para sibaritas presenta una situación muy parecida: lo más sabroso se consigue comparando notas, haciendo trabajar un poco la imaginación, intentando experiencias nuevas o poco comunes... cuando uno ya hace el amor satisfactoriamente, pero siente deseos de progresar.

Es siempre deprimente observar que una relación amorosa se está echando a perder por falta de comunicación, por temor de ser rechazado al querer poner en práctica alguna necesidad fantástica, por no hallarse en condiciones de satisfacer determinadas necesidades agresivas debido a una idea errónea de la ternura o a la incapacidad de aceptar la sexualidad como un juego. Estas aprensiones, unidas a la monotonía, son las causantes de gran parte de los fracasos sexuales, ya se trate de enlaces recientes o de parejas desde hace tiempo unidas. De todos modos, esos obstáculos son evitables entre personas enamoradas y tolerantes.

Vamos a tener cuatro clases de lectores. En primer lugar, los que no simpatizarán con el libro, que lo considerarán inoportuno y preferirán repetir indefinidamente el mismo plato (lo mejor que podrán hacer será dejar de leerlo, aceptar nuestras disculpas y seguir comiendo lo mismo de siempre). Luego habrá quienes juzgarán buena nuestra idea fundamental, pero que no encontrarán de su gusto nuestra selección de técnicas (éstos deberán recordar que se trata de un menú, no de un reglamento). Hemos intentado conservar en todo momento la máxima amplitud de miras, pero siempre resulta difícil escribir sobre cosas con las que uno no disfruta, por lo que, después de pensarlo bien, hemos excluido cuanto pueda considerarse muy especializado —por ejemplo, el uso sexual de los trajes de buceador y los impermeables—, además de cosas como el sadismo y el masoquismo, que no son verdadero amor, ni siquiera sexualidad, según el sentido que nosotros damos a estos términos. Las personas que gusten de estas "especialidades" ya saben en qué consisten. Uno de los objetivos de este libro es precisamente acabar con la idea, nacida de la falta de un adecuado examen del tema, de que algunas de las necesidades sexuales más comunes son extrañas y aberrantes. En cuanto al repertorio general, el pleno goce del sexo con amor se basa en la inexistencia de reglas, siempre que todo redunde en deleite, y nadie podrá negar que en este caso las posibilidades de elección son prácticamente ilimitadas. Así es cómo usarán nuestras notas la mayoría de nuestros lectores: como una guía personal de la pareja que les proporcionará nuevas ideas. Y no olvidemos a los experimentadores que destacan por su osadía, aquellos que no quieren dejar nada sin probar. Lo mejor que éstos podrán hacer será leer también estas notas como si fuesen un libro de cocina (con la ventaja de que la práctica de la sexualidad entre amantes es mucho más sana que el goce gastronómico, pues nunca producirá obesidad, arterioesclerosis o úlcera de estómago). En el peor de los casos, eso sí, uno podrá encontrarse escocido, ansioso o desilusionado. La práctica sexual debe ser, físicamente, la más segura de todas las actividades humanas (dejando aparte sus repercusiones sociales). Ofrece una variedad infinita capaz de satisfacer todos los gustos. Pero seguir esta experimentación requiere sujetarse a una dieta básica fija de apacibles relaciones matrimoniales, día tras día, noche tras noche, sólo porque, al contrario de la creencia popular al respecto, cuanto mayor es la regularidad con que una pareja se entrega a la práctica sexual, más goza en los momentos culminantes previa y deliberadamente planeados, del mismo modo que cuanto más monótona es la comida de que uno se alimenta, más preparado se halla para disfrutar de los mejores y más excepcionales banquetes.

Por último, nos dirigimos a aquellos lectores que podríamos llamar audaces y sin inhibiciones, los empeñados en descubrir los límites de su capacidad de disfrutar la sexualidad. Esto quiere decir que damos ciertas cosas por descontadas: hacer el amor desnudos sin limitación de tiempo; ser capaces y estar deseosos de hacer durar la sesión toda una tarde, si así se tercia; contar con el aislamiento necesario y disponer de comodidades higiénicas; no asustarse de cosas como los besos genitales; no estar obsesionado por determinado juego sexual con exclusión de los demás y, por supuesto, que exista el amor mutuo. Este libro trata tanto del amor como de la sexualidad, puesto que no puede lograrse un goce sexual de alta calidad si no existe la base del amor, tanto si sus participantes se amaban ya antes de desear aquel placer como si llegan a amarse como consecuencia del mismo (o ambas cosas a la vez). No tengo intención de insistir sobre este punto, pero lo cierto es que, del mismo modo que no se puede cocinar sin calor, no puede hacerse el amor sin lo que podríamos llamar "realimentación amorosa" (y quizá por esto decimos "hacer el amor" en vez de "hacer la sexualidad"). La práctica sexual es el único terreno donde podemos aprender hoy día a tratar a las personas como personas. La realimentación amorosa consiste en una mezcla adecuada de actividad y pausas, de dureza y ternura, de esfuerzo y afecto. Esto se consigue mediante la empatía y gracias a un largo y mutuo conocimiento. Quienquiera que pretenda obtener esa armonía y ese ritmo al primer intento con una persona desconocida es un optimista o un neurótico. Si lo logra, se trata de lo que suele llamarse "amor a primera vista", cosa poco corriente: ni la "habilidad" ni la variedad pueden sustituir con éxito a la realimentación amorosa. También hay algo que no puede enseñarse ni aprenderse: la ternura.

Este libro trata de los comportamientos sexuales válidos, además de dedicar cierto espacio a explicar cómo y por qué éstos funcionan. No es un diccionario: hemos evitado en especial gran parte de la nomenclatura empleada a principios de siglo para designar ciertas prácticas sexuales, pues la consideramos ya muy anticuada. En vez de insistir en tópicos como el narcisismo y el sadomasoquismo, los biólogos y psiquiatras tienden hoy a observar comportamientos reales y a sacar conclusiones sobre su utilidad y significado. Las denominaciones y definiciones manidas son una taquigrafía de fácil manejo, pero resultan a menudo desorientadoras, especialmente cuando se pone una etiqueta a determinados comportamientos humanos generales que les da un carácter de enfermedad; además, animan a los coleccionistas de frases hechas inexactas o carentes de sentido a aducir falsos razonamientos (como el de que "las mujeres son masoquistas por naturaleza" porque son penetradas, en vez de ser ellas quienes efectúan la penetración).

No ha sido nuestro propósito comenzar este libro con una breve lección sobre la biología y la psicología de la sexualidad humana: hemos optado por hablar un poco de estas materias en varias de las secciones en que se divide el texto. La mayoría de la gente sabe hoy día que la "sexualidad" del hombre se pone en marcha al nacer y que progresa desde entonces sin cesar desde las relaciones madre-hijo hasta las relaciones hombre-mujer; que este proceso incluye algunos períodos de ansiedad programada sobre los órganos genitales ("temores de castración") que probablemente sirvieron hace mucho tiempo para evitar que los monos jóvenes quisieran competir con sus padres en el terreno sexual y chocarán con ellos, pero que, en el

18

hombre, son la base de muchas formas adultas de comportamiento; y que la larga serie de necesidades sexuales humanas de todo tipo está controlada por este conjunto de etapas evolutivas: una larga infancia; un contacto íntimo madre-hijo o padre-hija; una relación íntima de la pareja centrada en el juego sexual, del mismo modo que en las aves la formación de parejas se centra en la construcción del nido (fenómeno, éste, definido a menudo como amor), y así sucesivamente. Sin entrar en detalles, a lo largo del libro nos referimos a cómo las distintas formas en que disfrutan sexualmente los humanos se ajustan a esos antecedentes personales. Muchos comportamientos sexuales humanos "significan" un amplio conjunto de cosas diferentes (actualmente está de moda decir que están "predeterminados". Podrán hallarse ejemplos de lo que esto implica en la práctica en el epígrafe dedicado a *vestimenta*, por ejemplo).

Un poco de teoría hace la sexualidad más interesante, más comprensible y menos intimidante; un exceso de técnica tiene efectos negativos, sobre todo considerando que uno corre el peligro de sacar la sexualidad de su verdadera perspectiva y convertirse en espectador de su propia actuación. Si nota usted que tiene aprensiones o se descubre reacciones neuróticas, deje de observarse a sí mismo; necesita un experto que lo haga en su lugar y desentrañe lo que tales síntomas significan. La autoaplicación de etiquetas suele ser de poca utilidad, por no decir perjudicial. Todos los humanos pueden tacharse de sádicos, narcisistas, masoquistas, bisexuales y algunas cosas más. Por lo tanto, si se pega usted todas las etiquetas que cree merecer, pronto parecerá la cabina de un camión. Lo que importa es si hay algún aspecto de su comportamiento que resulta molesto para usted u otras personas. En caso afirmativo, esa comprobación le ayudará a localizar su problema, pero nada más.

Todo el amor sexual parte de un íntimo contacto corporal. El amor ha sido definido como la armonía de dos almas y el contacto de dos epidermis. El contacto corporal íntimo es también, desde nuestra infancia, el punto de partida de las relaciones y apetencias humanas. Nuestra cultura, después de varios siglos de severos tabúes sobre la mayoría de tales contactos —entre amigos, entre hombres—, que son corrientes en otros ámbitos, ha limitado la "intimidad" basada en el contacto corporal a las relaciones padres-hijos y amante-amante. Hoy día estamos venciendo estos y otros prejuicios, al menos en lo relativo a la divulgación del desarrollo de un nuevo ser y al acto sexual explícito, aunque todavía con la rémora de ciertas reservas culturales, según las cuales el juego y el ejercicio de la fantasía sólo son saludables entre los niños, idea que nos ha prestado un mal servicio en el logro de nuestra plena realización sexual. Nuestro concepto de sexualidad resultaría extrañísimo a otras culturas, aun siendo nuestras posibilidades de elección más amplias que nunca. Para empezar, la miramos como si se tratara de una cuestión extragenital: para nuestra cultura, "sexualidad" no significa otra cosa que la introducción del pene en la vagina. Sin embargo, toda la piel humana es un órgano genital. Respecto al hecho de tocar, a la proximidad y otras cosas por el estilo, véase la brillante compilación de Desmond Morris en su obra *Comportamiento íntimo,* con listas de nuestras aprensiones y reacciones neuróticas a la hora de hacer el amor. Puede decirse que una buena práctica sexual es el único remedio de que dispone el ser humano adulto para superar estas anomalías.

De poco sirve llorar sobre la leche cultural derramada. *Nuestro* repertorio sexual tiene que encajar con nuestra idiosincrasia, no con el modo de ser de los habitantes de las islas Trobiand (que tienen al respecto sus propios problemas, diferentes de los nuestros). Nosotros necesitamos un extenso juego sexual centrado en el coito, pero sin olvidar los otros platos. Por eso será oportuno, entretanto, planear nuestro menú de modo que podamos aprender a usar el resto de nuestro equipo sexual. Éste incluye toda la superficie de nuestra piel, nuestros sentimientos de identidad y de agresión, entre otros, así como todas nuestras necesidades de fantasía. Por suerte, el comportamiento sexual de los humanos es enormemente elástico (tuvo que serlo porque, si no, no estaríamos aquí), y también tiene la virtud de ayudarnos a expresar la mayor parte de las necesidades a las que la sociedad y nuestra educación no nos permitían dar salida. El perfeccionamiento de la práctica sexual es algo que necesitamos en gran manera (no somos el único tipo de sociedad que lo busca). Tiene la ventaja de que, si lo aplicamos adecuadamente, nos hace más —no menos— receptivos entre nosotros como seres humanos. Ésta es la respuesta a quien piense que el esfuerzo consciente para aumentar nuestra capacidad sexual equivale a someterse a una "mecanización" con la que se pretende sustituir las relaciones normales entre personas sensibles. Quizá tengamos esta impresión al principio, pero no hay duda de que el uso de ese "sustitutivo" es un excelente punto de partida hacia el conocimiento de que somos personas, y tal vez el único medio utilizable a dicho fin en este momento por nuestro tipo de sociedad. Puede haber otras maneras de aprender a expresarnos con plenitud y a hacerlo mutuamente, pero en realidad son muy escasas.

Éstas son nuestras conclusiones. Contando con la realimentación amorosa que hemos descrito y con una mutua exploración, podemos añadir que hay dos clases de sexualidad: el *dúo* y el *solo*, además de un buen concierto que alterna tales actuaciones. El dúo es un esfuerzo en cooperación cuyo objetivo es el orgasmo simultáneo, o al menos un orgasmo no coincidente para cada partícipe, totalmente espontáneo y sin previos planes técnicos. Esa simultaneidad requiere cierta destreza, pero puede conseguirse con un juego amoroso más calculado, hasta que la realización de lo más adecuado durante el mismo se haga completamente automática. Ése es el plato básico de la práctica sexual. El solo, en cambio, se da cuando un miembro de la pareja es el ejecutante y el otro el instrumento; en este caso, el objetivo del ejecutante es producir en la experiencia placentera de su compañero unos resultados tan intensos, inesperados y enloquecedores como lo permita la habilidad de él o de ella. Es decir, algo que los lance fuera de ellos mismos. El ejecutante no debe perder nunca el control de la situación, aunque —tanto si se trata de él como de ella— puede sentirse tremendamente excitado por lo que esté experimentando su pareja. El instrumento sí que puede, y debe, perder el control —de hecho ésta es la situación que yo llamo concierto, siempre que el ejecutante sea una persona habilidosa y el instrumento no carezca de sensibilidad—, y si la actuación termina con un "descontrol" general, tanto mejor. En esta escena intervienen todos los elementos de la música y de la danza: el ritmo, una tensión creciente, una gran dosis de exasperación e incluso la agresión. "Puedo compararme al verdugo —dice la dama del poema persa—, pero en vez de ejecutarte, como él, con intolerable dolor, te mataré de placer." Ciertamente, hay en esa modalidad sexual del solo un elemento agresivo mortificante, razón por la que desagrada a algunos amantes y enloquece a otros, pero la experiencia nos dice que una sesión de verdadero amor sexual jamás podrá considerarse completa si no se incluye algún solo en su programa.

El antiguo convencimiento de que la mujer era pasiva y el hombre activo hizo que éste considerara que siempre debía ser él quien practicara el solo con su compañera, por lo que algunos manuales sobre la vida de matrimonio han perpetuado esta creencia. Ya en un ambiente más liberalizado, la solista por excelencia es la mujer, tanto si se trata de excitar al hombre para empezar como de impresionarlo mostrándole todas sus habilidades. De hecho, sólo hay una situación realmente no musical en todo esto: es lo contrario del verdadero solo, situación en la que uno de los participantes usa al otro para obtener satisfacción para sí, sin preocuparse de que el goce sea mutuo. Claro que uno puede decir: "Esta vez, arréglate solo". Para el "instrumento" resulta una manera de terminar con rapidez, pero no es nada más que eso.

En el Viejo Mundo, las técnicas solistas, con todas sus variantes, siempre subsistieron con una habilidad puramente masculina: hubo en Europa una época en que se creía que la habilidad solista femenina empleada con cálculo y refinamiento sólo era cosa de las prostitutas (la mayoría de las cuales carecían en realidad de tal destreza por falta de identificación con sus clientes). Ahora esas prácticas vuelven a estar en boga. Se retomaron tímidamente con el "acariciarse hasta el clímax", pero en la actualidad se considera como un logro nada reprobable: es posible que no tardemos en tener a nuestra disposición cursos de perfeccionamiento sobre el tema. Probablemente esto, como sucede en otras cosas, vaya demasiado lejos y se convierta en un sustitutivo de las relaciones sexuales plenas y no reprimidas, cuando en realidad sólo es una preparación, un suplemento, una obertura, un enlace, un apéndice, un interludio. Sin embargo, el orgasmo obtenido mediante el solo es algo único (ni más ni menos intenso en ninguno de los dos sexos, pero diferente). Hemos oído decir a personas de ambos sexos que es "más agudo, pero no tan redondo", y la mayoría de quienes han experimentado los dos tipos de clímax gustan de alternarlos; también es algo muy distinto de la autoestimulación, que casi todo el mundo prueba alguna vez con agrado. Tratar de decir en qué consiste esta diferencia es algo así como querer comparar y describir el sabor de dos vinos. De todos modos, es un hecho que los dos tipos de orgasmo difieren entre sí, y que su calidad depende mucho del modo cómo se cultiven y alternen.

Los artificios solistas, por supuesto, no tienen por qué ir necesariamente separados de la cópula. Además de conducir a ella, hay muchos solos coitales —para la mujer a horcajadas, por ejemplo—, mientras que la masturbación mutua o los besos genitales recíprocos pueden ser dúos perfectos. Tampoco hay aquí nada que tenga que ver con las discusiones comparativas del orgasmo "clitórico" y el orgasmo "vaginal" (es sólo una crasa manera de expresar anatómicamente una diferencia real), puesto que el hombre siente la misma distinción entre solo y dúo. Por otra parte, puede provocarse un tremendo orgasmo de solista mediante la excitación de las yemas de los dedos, de los pechos, de las plantas de los pies o del lóbulo de las orejas de una mujer receptiva (zonas que no suelen ser agenitales en el hombre). La gente que habla de "orgasmo clitórico" pretende dar forma verbal al coito que debiera ser mutuo e idéntico en cuanto a sensibilidad, pero que da la sensación de un solo a la mujer. La respuesta al solo puede ser extremadamente intensa, incluso en las personas menos excitables. Ejecutado hábilmente por alguien que no se detenga ante los gritos más desgarradores, pero que a la vez sepa detenerse en el momento oportuno, puede producir orgasmo tras orgasmo en una mujer, y mantener a un hombre al borde del clímax, en el límite de lo humanamente soportable.

Aunque el rígido apego a una sola técnica sexual suele acarrear ansiedad, los procedimientos para la obtención de un goce de máximo nivel no deben variarse necesariamente. En este libro, por ejemplo, no nos hemos extendido demasiado en cosas como las posturas coitales. Las que no pecan de extravagantes son hoy conocidas por casi todo el mundo gracias a lo que se haya podido leer sobre el tema o a la observación de ilustraciones al respecto, cuando no mediante el aprendizaje directo. En cuanto a las extravagantes, no son algo en lo que uno no pueda pensar espontáneamente, pero pocas de ellas han presentado alguna ventaja (excepto como deporte para espectadores). Además, la técnica del coito directo, que sólo es necesario describir a los estudiantes elementales, y que exige la suspensión de la autoobservación, no se presta a ser tratada por escrito. Esto explica el evidente énfasis que se pone en nuestro libro sobre los suplementos: las "salsas y picantes".

Muchos de estos aditamentos tienen las características psicológicas y biológicas adecuadas para llenar necesidades humanas específicas, a menudo olvidadas a causa de una infancia "civilizada". Los individuos que, a consecuencia de un trastorno psíquico, se ven obligados a vivir de "salsas y picantes" tienen la desgracia de verse privados de la parte más sustancial de las comidas: los caprichos y las obsesiones exclusivas en la sexualidad equivalen, en cierto modo, a alimentarse solamente con salsa de rábanos picantes por tener alergia a la carne de buey. Claro que también hay quien tiene miedo a probar la salsa de rábanos picantes por considerarla indigesta, innecesaria y sólo propia de personas inmaduras: es un tipo de neurosis conocida por puritanismo. En cuanto a la selección de necesidades y problemas sexuales que incluimos en este libro, nos hemos basado en la experiencia recogida después de muchos años de observar y escuchar a la gente.

Al escribir sobre sexualidad es difícil no ser solemne, por desprovistos de solemnidad que estén nuestros juegos en la cama. De hecho, una de las cosas todavía ausente de la "nueva libertad sexual" es la aceptación de la práctica sexual como un juego, sin reparos ni vergüenzas. En lo que a esto se refiere, las ideas psicoanalíticas sobre la falta de madurez son casi tan censurables como las sentencias moralizadoras al viejo estilo sobre lo que es normal o lo que es perverso. En cierto modo todos somos inmaduros, todos padecemos ansiedades y nos comportamos agresivamente. El juego sexual, como nuestra vida onírica, es probablemente el procedimiento programado con que cuenta el hombre para enfrentarse de modo aceptable con esas deficiencias, del mismo modo que los niños expresan en sus juegos sus temores y sus tendencias agresivas. Si juegan a suplicios indios, a causa de los celos que sienten por un hermano menor o alguien del sexo opuesto, no llamamos sadismo a su comportamiento: por desgracia, a los adultos les asusta entregarse a juegos de esta clase, así como el vestirse de manera caprichosa o fingir comportamientos

25

distintos del habitual. Los haría autoconscientes: podría revelarse algo horrendo.

La cama es el lugar donde uno puede entregarse a todos los juegos que quiso practicar a verdadero nivel de juego. Si los adultos pudieran hacerse menos autoconscientes respecto a tales necesidades "inmaduras", tendríamos muchos menos fetichistas profundamente ansiosos y deseosos de crear un sentido comunitario que les permita practicar sus peculiaridades sin sentirse aislados. Hemos oído hablar de un hombre-rana que hacía dormir a su esposa con sábanas de goma; además, había tenido la necesidad de llegar a ser un hombre-rana porque le resultaba embarazoso ponerse un traje de buceador para practicar sus juegos sexuales y se sentía extraño vestido con él sin otra justificación. Si pudiéramos transmitir el sentido de juego esencial para una visión atrevida e inmadura de la sexualidad entre las personas que no lo poseen, estamos seguros de que habríamos hecho una buena obra: las personas que se entregan a juegos de flagelación y se excitan con ellos no molestan a nadie, siempre y cuando tengan un compañero al que no le horroricen semejantes prácticas. Las personas que cometen agresiones de ese tipo fuera de la cama son idóneas para acabar en lugares tan espantosos como My Lai o Bergen Belsen. El objetivo de este libro es el placer, no la psiquiatría, aunque sospechamos que ambas cosas coinciden. El juego es una de las funciones del perfeccionamiento de la práctica sexual: el sentido del juego es una parte del amor que podría muy bien ser la mayor aportación de la revolución de los hombres de Acuario a la felicidad humana. De ahí su relación con los inmaduros y pregenitales "salsas y picantes".

Sin embargo, el plato principal sigue siendo el acto sexual llevado a cabo con amor y sin autoconciencia, una cópula larga, frecuente, variada, que termine con satisfacción para ambos participantes, pero no tan completa como para no poder enfrentarse seguidamente con otro plato más ligero, y con otro banquete al cabo de algunas horas. La *pièce de resistance* es la buena y antigua postura matrimonial, la más aconsejable para terminar con un mutuo orgasmo un día o una noche lleno de demostraciones de ternura habituales. Hay otras maneras de hacer el amor que pueden considerarse especiales por varios motivos; sus cambios de tono son infinitamente variados: las complicadas son para las ocasiones excepcionales, o para ponerlas en práctica con fines específicos (como la evitación de la eyaculación precoz masculina), o constituyen aún fuertes especialidades culinarias, como el bistec con pimienta, que pueden paladearse de vez en cuando, pero que no pueden formar parte de la dieta diaria.

Si no le gusta a usted nuestro repertorio o no cuadra con el suyo, no se preocupe. El objetivo principal de la presente obra es estimular su imaginación creativa. Puede poner usted al conjunto de sus propias ideas sobre el tema el título de "Así es cómo *nosotros* lo hacemos", y continuar practicándolo a su manera. En tal caso, suponiendo que hayan probado todas sus fantasías creativas sexuales, usted y su pareja ya no necesitarán libros. Los libros que tratan de la sexualidad sólo sugieren técnicas para amimar a sus lectores a experimentarlas.

Al fin y al cabo, sólo hay dos "reglas" de oro para una buena práctica sexual, aparte de la recomendación obvia de no hacer locuras ni tonterías antisociales o peligrosas. La primera de estas reglas dice: "No hagas nada que no te dé verdadero placer", y la segunda: "Descubre las necesidades de tu compañero y no las frustres por poco que puedas satisfacerlas". En otras palabras, una buena relación basada en dar y recibir depende siempre de un compromiso (como cuando se piensa asistir a un espectáculo: si a ambos les gusta lo mismo, estupendo; si no, alternen sus preferencias, sin permitir que sea siempre el mismo participante quien imponga sus gustos). Esto puede ser más fácil de lo que parece, porque a menos que uno de los miembros de la pareja desee algo que el otro considere absolutamente irrealizable, los verdaderos amantes resultan recompensados no sólo al recibir su propia satisfacción, sino también al observar que el otro responde y queda satisfecho. La mayoría de las esposas no aficionadas a la comida china no se negarán a probarla de vez en cuando, sólo por el placer de ver cómo un marido sinófilo disfruta comiéndola, y viceversa. Las parejas que no siguen este ejemplo por lo que respecta a las necesidades específicas de la sexualidad se sienten a menudo frustradas, no porque lo hayan intentado y no les haya gustado (muchos platos experimentales resultan ser más buenos y agradables de lo que se creía), sino, simplemente, por ignorar hasta dónde llegan las necesidades humanas, y además por sentirse aterradas en los casos en que tales prácticas incluyen, por ejemplo, la agresión, la experiencia de las sensaciones extragenitales, el hacer de actor improvisado o el empleo de disfraces, cosas que la mitología social de la última mitad de siglo consideraba como inexistentes. Posiblemente hay quien cree que la lectura de una lista completa de los comportamientos sexuales secundarios no catalogados que muchas personas normales encuentran útiles, podría ser necesaria como preliminar de una relación sexual extensa, especialmente en la vida matrimonial o cualquier otra unión que se prevea duradera, pero está demostrado que hasta ahora los libros han ayudado muy poco a este respecto. Si han conseguido algo, ha sido asustar a la gente en vez de ayudarla.

Las parejas debieran de adecuar mutuamente sus necesidades y preferencias (aunque la gente tarda algún tiempo en descubrir cuáles son). Algunas de nuestras sugerencias no podrán ser comprendidas o practicadas hasta que quien las siga haya aprendido a responder a ellas. Es una equivocación ponerse a correr cuando el simple andar es una experiencia tan nueva y encantadora, con la posibilidad de que la pareja de peatones sea feliz con una mutua adaptación casi automática. La mayoría de personas que se casan con todas las de la ley prefieren renunciar a ciertos aspectos de su personalidad para adaptarse a la nueva vida. Resulta útil reconsiderar la situación de la vida en común en el momento en que se advierte que los cónyuges se han acostumbrado demasiado el uno al otro (las necesidades sexuales no son las únicas que necesitan reajustes entre las parejas que viven juntas) y que es necesario volver a "pulir" la superficie. Si cree usted que suele darse demasiada importancia a las relaciones sexuales, le conviene ponerlas al día en su casa y reconocer que no ha prestado suficiente atención al amplio uso que puede hacer de su equipo sexual como medio de comunicación total. La solución a que se recurre tradicionalmente en ciertos países avanzados cuando se llega a un punto en que la monotonía está ganando la partida, es la de liquidar las relaciones y empezar totalmente de nuevo con otra persona, en un intento tan poco meditado como el anterior, aunque es poco probable que se consiga un mejor apareamiento con el nuevo compañero elegido al azar. Este procedimiento supone un gran desgaste emocional, y suele conducir a la repetición indefinida de los mismos errores. Valdría la pena hacer lo posible para llegar a un mutuo conocimiento de los gustos sexuales antes de comenzar. Cuando se desea cuidar de un jardín que debe mantenerse largo tiempo lozano, es preciso tener algunos conocimientos de botánica. Un amor previsto como duradero y que deba expresarse mediante la actividad sexual implica que sus participantes sepan algo sobre la biología de los seres humanos. No es aconsejable entregarse a un mutuo psicoanálisis de aficionado, pues la experiencia podría ser perjudicial para ambos miembros de la pareja. Todos tenemos necesidades pregenitales, sea cual sea el modo en que hayamos sido destetados, alimentados y educados, del mismo modo que tenemos ombligo y huellas dactilares.

Descubrir las necesidades sexuales de otra persona al mismo tiempo que las propias, así como la manera de expresarlas en la cama, no es sólo interesante y educativo, sino también remunerador e ilustrativo sobre lo que es en realidad el amor sexual.

Aconsejamos a la pareja que lea este libro de cabo a rabo o que se sumerja en el mismo a ratos, tanto juntos como por separado. Las técnicas que en él se describen son las que necesitan ciertas personas normales para acabar de llenar su vida sexual o, simplemente, para disfrutar de ella como juego y práctica relajante. No pierda el tiempo en cosas inadecuadas para usted. Las ideas que ofrece este libro supondrán sin duda un gran estímulo para algunas personas, pero también puede afirmarse que ninguna de ellas será útil para todos y cada uno de los lectores. Guíese según sus necesidades y las de su compañero. Tome nota de cuanto haga decir a uno de ustedes, o a los dos: "Me gustaría probar esto". Si les da vergüenza hablar de sus necesidades sexuales, hagan cada uno una lista de los números de las páginas que desearían que el otro leyera y después intercambien los papeles en que los hayan anotado (esto no es un truco para hacerles comprar dos ejemplares del libro: pueden turnarse en su lectura). Descubrirán cosas del otro que no sabían, con un resultado verdaderamente gratificante.

Entrantes
los ingredientes principales

Amor

Usamos la misma palabra, "amor", para expresar las relaciones hombre-mujer, madre-hijo, padre-hija o yo-humanidad, porque forman un espectro continuo. Hablando de relaciones sexuales, parece correcto aplicar ese término a toda relación en que exista ternura, consideración y respeto mutuos, desde una interdependencia total en que la muerte de un miembro de la pareja deje desconcertado al otro durante años hasta la efímera unión de una noche de placer. Todas las gradaciones entre estos dos extremos son amor, todas son valiosas, todas forman parte de la experiencia humana. Algunas llenan las necesidades de una persona, otras las de otra (o de la misma persona en ocasiones distintas). En realidad ése es el problema más importante de la ética sexual; un problema, básicamente, de autocomprensión y comunicación. Nadie puede afirmar que sus "condiciones amorosas" son aplicables a cualquier otra persona o aceptables por ella; nadie puede contar con que no cambiarán de manera imprevista en uno de los dos componentes de la pareja o en ambos; nadie se halla en condiciones de conocer su propia mente a la perfección. Quien se entrega al amor debe correr esos riesgos, y no depender simplemente de si se han tenido relaciones sexuales con la persona elegida, aunque ésta es una experiencia tan abrumadora que nadie debe extrañarse de que la tradición le haya concedido tanta importancia. A veces, dos personas creen conocerse muy bien, o se han identificado mutuamente gracias a un buen intercambio de ideas, y es posible que tengan razón. Pero

AMOR
El amor sexual puede
darnos nuestros mejores y
nuestros peores momentos.

aun así, no debe descartarse, en nombre del amor, la posibilidad de una experiencia que admita variaciones. La tradición ha intentado reducir el número de fracasos estableciendo normas morales de todas clases, pero éstas nunca dan buen resultado en el ciento por ciento de los casos. Ni tampoco sirven de gran cosa para sopesar el valor de las diferentes clases de relaciones. El sentimentalismo romántico hizo que una generación entera considerara el "amor" como una especie de mutua toma de posesión. Algunos amantes modernos que, como Casanova, se rebelan contra esa idea, están tan obsesionados por el propósito de no mantener ninguna unión duradera que no aceptan la experiencia abierta a las variaciones que requiere toda relación sexual auténtica.

Si damos al amor sexual —y puede dársele— la categoría de experiencia humana suprema, su práctica debe considerarse también un poco arriesgada. Puede proporcionarnos nuestros mejores y nuestros peores momentos. A este respecto es como el alpinismo: las personas excesivamente timoratas se pierden la totalidad de la experiencia; las personas valerosas y al mismo tiempo razonablemente equilibradas aceptan los riesgos a cambio de supuestas recompensas, pero son conscientes de que existe una notable diferencia entre este comportamiento y el conducirse con sana temeridad. En el amor, además, no se arriesga usted solo, sino también otra persona. Asegúrese, pues, por lo menos, de que no engaña ni perjudica a nadie en su empresa (no es cosa de arrastrar a un novato a una escalada y abandonarlo a medio camino si las cosas se ponen difíciles). Hacer firmar al novato, antes de salir, un documento por el que se haga responsable de cuanto pueda ocurrirle tampoco es una buena solución. Habría mucho que decir sobre la idea victoriana inglesa de no ser lo que ellos llamaban cad ("persona desprovista de finura o sentimientos de caballerosidad"). El cad puede ser de ambos sexos.

Un matrimonio entre dos comediantes pagados de sí

mismos que intenten despreciarse mutua y continuamente no es amor. En cambio, las relaciones entre una prostituta y un cliente casual pueden convertirse, por razones que ellos quizá no lleguen a captar, en ternura y respeto verdaderos.

Camas

La cama sigue siendo el elemento más importante del equipo sexual doméstico. La sexualidad practicada con auténtico entusiasmo comprende, en un momento u otro, el uso de casi todos los muebles de la casa, al menos de modo experimental, pero la cama es su escenario más común. La mayor parte de las camas existentes en el mercado han sido diseñadas por personas que creen que sólo sirven para dormir. De ahí deriva el problema más importante que suelen presentar: la superficie ideal para casi todas las prácticas sexuales necesita ser más dura que la requerida para dormir cómodamente toda la noche. Una solución podría ser la de tener dos camas, una para los juegos amorosos y otra para dormir, pero se trata de un consejo basado en un exceso de lujo, y, además, la necesidad de cambiar de lecho interrumpiría la mejor parte de la noche: la relajación que sigue a las expresiones de amor completo.

Quizás el mejor consejo sea el de ponerse de acuerdo y tener también preparado un colchón en el suelo. Las camas enormes o circulares parecen sugestivas, pero no ofrecen en realidad mayores ventajas que una cama doble de buen tamaño. Sin embargo, debiéramos considerar algunos puntos antes de poner nuestro sello de aprobación a esta sugerencia. En primer lugar, puesto que se usa tanto la superficie de la cama como sus lados, la altura del mueble tiene que ser la adecuada. La parte superior del colchón debe quedar exactamente al mismo nivel que el pubis del hombre; de este modo, si uno coloca a su

compañera sobre el lecho, con o sin contacto con él, la tendrá a la altura conveniente, tanto si debe entrar en contacto con ella por delante como por detrás. Para algunas operaciones especiales, como las escenas de esclavitud o servidumbre, suponiendo que les gusten a ustedes, la cama con pilares —de preferencia altos, como los que sostenían el dosel de las antiguas camas europeas— es esencial, pero es mejor que no tenga ninguna tabla a los pies, pues a uno puede gustarle empezar por ese extremo para ir avanzando hacia la cabecera. Las antiguas camas de armazón maciza tienen grandes ventajas, pues no se traquetean ni se derrumban. Es necesario que el colchón tenga la mayor dureza posible (toda la que permita un descanso cómodo). De no darse estas condiciones indispensables, puede echarse a perder el principal placer sexual, que es el de vivir y dormir juntos: la posibilidad de que uno de los dos tome la iniciativa de hacer el amor a cualquier hora de la noche —contándose con que ambos lo deseen— y relajarse juntos inmediatamente después. Si disponen de espacio suficiente, tengan también una cama individual por si se presenta el caso de que un miembro de la pareja se sienta enfermo y se encuentre más cómodo durmiendo solo. Las camas gemelas no tienen lugar en unas relaciones sexuales plenas.

Además de la cama propiamente dicha, no deben faltar cuatro almohadas (dos, muy duras, para colocarlas debajo de las nalgas en el momento oportuno, y dos, blandas, para dormir). La habitación debe estar caldeada en cualquier época del año, lo suficiente para poder descansar sin sentir frío y sin ropas de cama, si así se desea. Esto evita la necesidad de usar mantas eléctricas; las que suelen emplearse manteniéndolas bajo el cuerpo no resistirían demasiadas sesiones de amor sexual. A menos que sea usted muy rico y se sienta entusiasmado por la idea de instalar una habitación especial para la práctica sexual, las sillas, sillones y taburetes del dormitorio pueden elegirse entre los no demasiado ostentosos, completando con ellos el equipo necesario para cualquier eventualidad (véase *Equipo*). Tampoco debiera olvidarse una alfombra suave, que pueda recibir cómodamente a la pareja en caso necesario, así como algunos espejos. También se aconseja guardar en los cajones de las mesitas de noche todo lo que se pueda precisar en un momento dado; así se tendrán a mano sin que sea necesario levantarse para buscarlo (lubricantes, anticonceptivos, vibradores, etcétera). Un dormitorio bien proyectado puede ser un gimnasio sexual sin que resulte embarazoso dejar entrar en él, por ejemplo, a los ancianos de la familia para que dejen allí sus abrigos.

Las camas de agua son una innovación relativa. Es cierto que pueden producir sensaciones extraordinarias, y que tienen un período natural de resonancia decreciente: uno debe moverse a su ritmo, pero eso, aun cuando es un estímulo en ciertos casos, representa también una restricción en otros. Además, son demasiado caras. Es mejor esperar a usarlas en alguna ocasión especial fuera de casa, como la de revivir la luna de miel en la habitación de un hotel provista de uno de esos lechos. Es muy posible que la creciente difusión de la tapicería hinchable nos proporcione a no tardar un extenso surtido de nuevas superficies sexualmente aprovechables.

Canto de los pájaros por la mañana

Lo que su pareja diga durante el orgasmo no deberá serle mencionado, tanto si se trata de él como de ella (puede repetirse cuando ambos se hallen en un estado de ánimo adecuado, pero sólo entonces). El orgasmo es el momento en que las personas se encuentran más desnudas espiritualmente. Hay una sorprendente coincidencia, por encima de épocas y continentes, respecto a lo que las mujeres dicen durante el orgasmo. Las japonesas, las indias, las francesas y las inglesas balbucean sobre la muerte ("Algunas de ellas —dijo el abate Brantôme— gritan: «¡Me muero!», pero

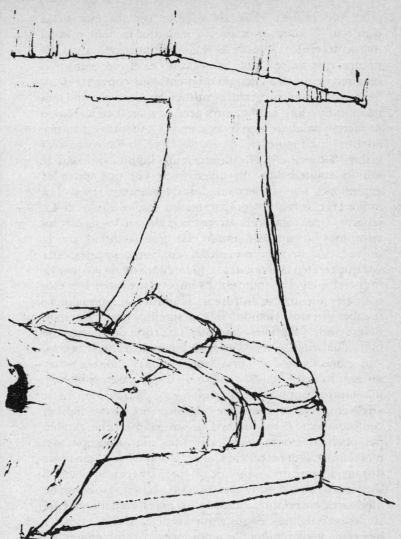

CAMAS
La cama sigue siendo el
elemento más importante del
equipo sexual.

creo que es una clase de muerte con la que todas disfrutan"), sobre su madre (a menudo, la llaman en el momento crítico) y sobre la religión aun siendo ateas. Es natural que así sea, pues el orgasmo es el momento más religioso de nuestra vida, un momento que convierte todos los demás instantes de placer místico en algo así como una mala traducción. Los hombres gruñen a veces como osos, o profieren palabras agresivas como: "¡Adentro, adentro, adentro!". La mujer del *Gatopardo,* la célebre novela, solía gritar: "*Gesumaria!*". Hay también una infinita variedad de sonidos ininteligibles. Es difícil decir por qué todas las expresiones son tan encantadoras en ambos sexos. Los indios las clasificaron comparándolas con los cantos de los pájaros, y nos legaron la advertencia de que los loros y los estorninos las captan e imitan con gran facilidad, con la provocación de comprometidas situaciones sociales cada vez que repiten la lección. Por lo tanto, nada de pajarracos indiscretos en el dormitorio. Es importante saber leer esos mensajes mientras se disfruta de su música, y especialmente saber discernir cuándo "Basta" significa basta y cuándo quiere decir: "Por Dios, continúa". Se trata de un lenguaje individual. Sólo se necesita ser un buen observador directo.

Algunas de las "palabras" son comunes a ambos sexos: un suspiro entrecortado cuando un toque da en el blanco; un suspiro continuo pero tembloroso, cuando uno sigue adelante. Las mujeres, y algunos hombres, hablan continuamente como lo haría un susurrante bebé, repiten palabras de cuatro letras del tipo más impropio del momento: algunos pueden oírse a varias manzanas de distancia, mientras que otros permanecen quietos y silenciosos como si estuvieran muertos, o ríen, o sollozan de modo desconcertante. Entre las mujeres verdaderamente ruidosas, a algunas les gusta que las dejen gritar, mientras que otras prefieren que las amordacen, y también hay las que se meten el pelo en la boca al estilo de ciertas estampas japonesas (recuérdese que los tabiques de muchas casas del Japón son de papel). Los hombres pueden ser igualmente ruidosos, pero no suelen verborrear de manera tan seguida.

Los puntos más importantes sobre el tema son éstos: en una cópula sin restricciones, hágase cuanto ruido se desee. Es curioso que tengamos que poner esto por escrito, pero es que los diseñadores de casas parecen no haberse dado cuenta de lo que sucede en realidad: diríase que todos están casados con personas silenciosas y que no tienen hijos pequeños; de otro modo no emplearían tanto cartón-yeso en sus construcciones. Una sesión de amor sexual totalmente silenciosa, con la mano del uno tapando la boca del otro, sólo puede ser divertida en el caso de que la pareja corra el peligro de ser escuchada. Otra variación es la de copular de dos maneras distintas a la vez: entregarse a un coito discreto mientras cada uno de los participantes se imagina otro mucho más salvaje, quizá para la próxima vez. La fantasía puede ser tan brutal como se quiera. Durante el coito pueden experimentarse cosas que no podrían vivirse en otro momento, al tiempo que uno se entera de las necesidades de la fantasía de su pareja. Estas fantasías pueden ser heterosexuales, homosexuales, incestuosas, tiernas, salvajes o sanguinarias: no se reprima, no se deje asustar por las fantasías de su compañero; se trata de un sueño en el que ambos están inmersos. Pero procure que esos sueños no queden demasiado grabados en su mente; podrían ser molestos a la luz del día. Despréndase de ellos con el desahogo del orgasmo.

Los amantes que se conozcan bien nunca se asustarán de tales sueños ni se aprovecharán de los mismos. Si esa doble desnudez les resulta perturbadora, establezcan reglas: entregarse sólo a fantasías felices o realizables; no referirse nunca, nunca, en un momento de cólera posterior, a esas charlas de almohada ("Siempre supe que eras una lesbiana", y otras cosas semejantes). Sería una vileza. Fantasías aparte, la única manifestación de la "música amorosa" realmente perturbadora se da cuando la mujer ríe descontroladamente: algunas lo hacen. Si alguna vez se encuentra en este caso, no se preocupe ni se enfade. Seguro que la causa de su risa no será usted.

Control de natalidad

Este descubrimiento, más que cualquier otro, ha hecho posible la práctica de la sexualidad sin temor alguno. Cuando aún no existía esa ventaja, se tenía que ser estéril para disfrutar de los juegos sexuales con la facilidad con que ahora puede realizarlos toda persona razonablemente sensata (cosa que no tardará en estar al alcance de todo el mundo junto con el control de fertilidad). Al no existir otro método en el que poder confiar plenamente, las mujeres que han experimentado una vez la seguridad de la píldora y que han descubierto la importancia del juego en la práctica sexual, jamás volverán a la antigua inseguridad. La píldora es todavía el método mejor y más seguro, y resulta más inofensivo que la aspirina. Los anticonceptivos mecánicos intrauterinos que impiden la fecundación no se adaptan a todo el mundo, pero por lo general dan buenos resultados. Algunas de las mujeres que no pueden usar esos sistemas y no tienen otro remedio que emplear antes del coito las jaleas vaginales, cápsulas y otros espermicidas, se quejan de que les quitan ánimos, de que se pierden la mitad de las sensaciones y de que su hombre se resiste a hacerle ciertas caricias. (Si éste es el caso de su compañera, caballero, no le dé al percance demasiada importancia; con sus reproches y lamentaciones sólo conseguiría hacerla más aprensiva.) A otras de estas mujeres no les importan tales inconvenientes, siempre que puedan contar con el lugar adecuado para lavarse y con la intimidad suficiente para hacerlo. De todos modos, tanto las jaleas como las cápsulas y otros espermicidas pueden echar a perder la sensibilidad de la vagina y alterar el olor genital, aunque no seriamente. Como parte del juego amoroso, en el caso de la cápsula, el hombre debiera comprobar con el dedo si

CONTROL DE NATALIDAD
Este descubrimiento, más
que cualquier otro, ha
hecho posible la práctica de
la sexualidad sin temor
alguno.

ésta se halla realmente en el cuello uterino. Algo que es preciso tener en cuenta respecto a la píldora es que modifica la secreción normal de la vagina, lo que la expone a un más fácil contagio de las enfermedades venéreas y de las provocadas por ciertos hongos, incluso con un ligero contacto genital u oral.

Los preservativos siguen siendo útiles. Para empezar, la misma manipulación que supone el dejar que la mujer se lo ponga a su hombre excita a algunos: los preservativos finos pueden retrasar el orgasmo de algunos eyaculadores precoces. Los hombres no circuncidados, así como los que tienen el glande puntiagudo en vez de redondeado, no pueden usar en general los preservativos terminados en forma de tetilla. Los provistos de protuberancias u otras irregularidades en su superficie exterior para variar las sensaciones vaginales, no son dignos de confianza en cuanto a su total impermeabilidad y, por lo tanto, tampoco como anticonceptivos (véase *Artefactos y chismes diversos*); no se fíe, pues, de ellos. Además, a muchas personas les desagrada no sentir el contacto directo.

Por último, le aconsejamos que nunca corra riesgos. Los niños cuyo nacimiento fue deseado pueden limitar los juegos sexuales de sus padres con su presencia en la casa; es un pequeño precio que hay que pagar si uno quiso tenerlos de verdad, y el problema de la intimidad suele tener solución. En cambio, los hijos no deseados son una falta moral —y ecológica— que nada puede disculpar hoy día. En caso de emergencia, la mujer deberá practicarse en seguida un lavado general de la vagina con agua jabonosa e introducirse luego en ella espuma o jalea espermicida procurando que ésta alcance el cuello del útero, cuyas paredes se frotarán con el producto. Además, deberá consultar a un médico comprensivo al día siguiente.

El llamado método cíclico ("la ruleta vaticana") no merece ninguna consideración seria. No sólo es muy poco fiable, sino que puede achacársele también la incidencia algo más elevada, respecto a la media corriente, de niños subnormales entre los católicos que se sirven de tal sistema. La causa de esta anomalía está en la fecundación a destiempo de óvulos ya rancios.

Desnudez

Es el estado normal para los amantes que toman su trabajo en serio, o por lo menos un requisito básico para ello... sujeto a las reservas que podrá encontrar usted bajo *Vestimenta*. La pareja comienza tanto vestida, para irse quitando lo que estime necesario, como desnuda, para ponerse lo que crea luego oportuno.

La desnudez no implica ausencia de ornamentos. La dama oriental se quita toda la ropa, pero se pone todas sus joyas: lo único que debe recomendarse es no enganchar o arañar con ellas —o con el reloj de pulsera— al compañero de juegos sexuales. Nos referimos al amor diurno, pues resulta difícil dormir con semejantes impedimentos. Por lo que respecta a la noche, es muy posible que el mayor valor de las relaciones sexuales que se experimenta entonces resida en la razón fundamental de que hoy día buena parte de la gente duerme desnuda. La única excepción al respecto puede presentarse después del coito: los cuerpos calientes tienden a pegarse, y si uno de los dos lleva puesta alguna prenda podrá evitarse esa incomodidad. En realidad, las parejas cada vez pasan más horas de su vida en común completamente desvestidas o con el mínimo de ropa encima, lo que hace destacar aún más su desnudez. No hay que negar que ello influye en la selección de nuestras ropas, y también, por ejemplo, de sillas y sillones que no se peguen a la piel.

Los desnudistas, dicho sea de paso, han estado en desventaja sobre el particular: no hay pantalones más evidentes que los pantalones invisibles. En la actualidad, por fortuna, los aficionados a los cambios de pareja y, más aún, los jóvenes progresistas sin inhibiciones aceptan más

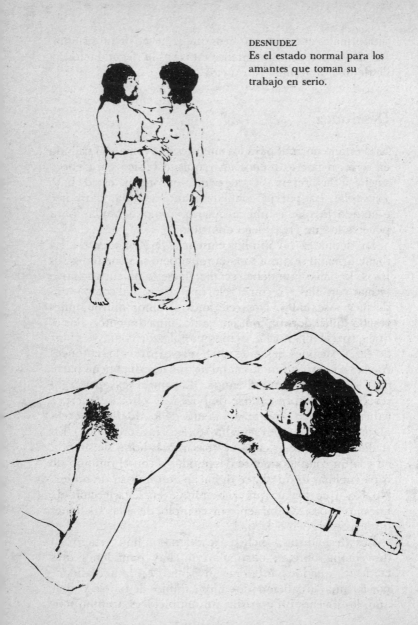

DESNUDEZ
Es el estado normal para los
amantes que toman su
trabajo en serio.

cada día el desnudismo como cosa natural y no como un rito, algo natural en que se incluyen la práctica sexual en vez —o además— de la gimnasia rítmica o el baloncesto.

En la mayoría de los países el "desnudismo" organizado es una cuestión familiar. Puede ser una buena idea. Por razones biológicas a las que nos referimos en otros pasajes de este libro (véase *Pene* y *Vulva*), la desnudez de los padres puede ser motivo de preocupación para los hijos de corta edad, por lo que no conviene abusar de ella. No es raro el caso de hijos de militantes progresistas que dan muestras de una desconcertante modestia, sentimiento que debiera respetarse aun cuando en esos hogares la desnudez sea cosa natural. Hay, pues, mucho que hablar sobre la necesidad de que esas criaturas pudieran mirar a los hombres y mujeres en general bajo condiciones de completa espontaneidad, y sin complejos incestuosos o ansiedades dominantes. No se trata de decir: "Mi padre es más grande que yo", sino: "Todos los hombres son más grandes que yo, y llegará un día en que yo también seré un hombre". Es la descarga de ansiedades adultas de este tipo, como el nivel de aceptabilidad y competitividad, lo que hace de la desnudez en grupo algo tan relajante —y no sólo una oportunidad para dejarse quemar por el sol— y explica por qué el desnudismo actúa como una especie de sacramento laico. En principio, los desnudistas tienen la misma amplitud de miras que los hippies o los cuáqueros, si bien disienten mucho más sobre el dogma. No es una mala idea ingresar en un club de desnudistas a la antigua o en un grupo de gente "liberada" que no le dé importancia al intercambio de parejas: al menos dan facilidades para la desnudez prolongada al aire libre, cosa difícil de organizar en casa.

Desodorantes

Absolutamente prohibidos: los únicos desodorantes permi-

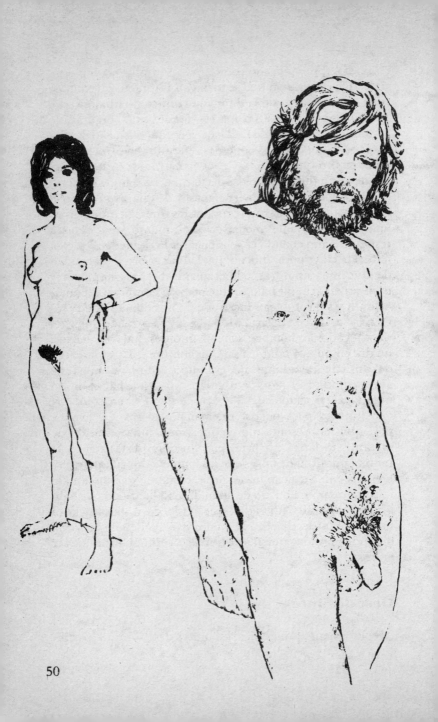

tidos son el agua y el jabón, aunque los desafortunados que sudan con profusión pueden tener problemas. Una vaharada de cloruro de aluminio proveniente de la axila de una muchacha es uno de los peores contratiempos que le pueden ocurrir a un hombre en la cama; y una mujer completamente desodorizada sería otro desastre (algo así como un clavel sin perfume). La limpieza es otra cuestión. Por lo tanto, no hagan ustedes caso de la publicidad, a no ser que encuentren uno de los llamados "desodorantes íntimos" que destaque los alicientes olfativos más de su gusto. Con todo, lo mejor es lavarse, y nada más. Más de una mujer dice: "Hay hombres que *debieran* usar desodorantes ya que no aprendieron a lavarse como es debido". (Véase *Cassolette* y *Música bucal*.)

Despertar

Ella dice: "Los hábitos relacionados con el dormir son muy importantes, pero hay que contar con que el hombre despierta a menudo con una erección. No puede negarse que es estupendo que a una la despierte con una penetración, pero no cuando aún está cansada del día anterior y la esperan tareas a una hora fija de la mañana siguiente; el hombre tiene que hacer uso de su sentido común y comprender también que hay cosas que no son apropiadas para empezarlas a la mitad de un sueño que una debe terminar en paz". El despertar de algunas mujeres dura minutos, e incluso horas, y aunque les agrade hacerlo entregadas a suaves juegos amorosos —cosa que suele ser mucho más agradable que un reloj despertador—, no debe esperarse de ellas demasiadas demostraciones atléticas en tales ocasiones. El problema está en que es precisamente a esa hora cuando muchos hombres se sienten más en forma, por lo que esperan ser cabalgados, masturbados, chupados y cuanto se les antoje. Guárdense, pues, todos esos ejercicios para los domingos y otros días festivos, no olvidándose de preparar primero café, tanto si hay erección como si no. Algunas parejas tienen la suerte de coincidir, poco más o menos, en sus horas de sueño. Pero cuando el uno es un madrugador y el otro un ave nocturna, los problemas que suelen surgir son importantes. En tal caso, lo mejor es hablar de ellos y procurar resolverlos. Cierto que algunas personas recurren al pretexto del sueño para no tener que hacer el amor, pero entre amantes cuyas horas de descanso se rigen por horarios distintos, lo que parece una excusa puede ser verdad y no debe tomarse por un rechazo.

Los que tengan niños deberán hacerse a la idea de que, a menudo, serán ellos quienes los despierten, por lo que se verán obligados a restringir sus juegos amorosos matinales. No encierren a los pequeños. Será mejor que reorganicen el horario de su vida sexual de modo que puedan disfrutar de la necesaria intimidad en otros momentos. Si aun así fallan sus planes, contraten a una niñera eventual y pasen de vez en cuando una noche entera en un motel. El ruido y la furia de una "escena primitiva" en marcha podría causar problemas de mucha gravedad en cualquier criatura, por lo que más vale no correr riesgos. El tipo de sexualidad de que hablamos en este libro casi excluye la fertilidad: las decisiones que se tomen a este respecto deberán ir precedidas de una profunda reflexión..., al menos mientras la estructura de nuestra familia y de nuestras casas continúe como hasta ahora.

Frecuencia

La frecuencia correcta de la práctica sexual será mayor o menor según los deseos de practicarla que sientan ambos miembros de la pareja y el placer que encuentren en ella. No se puede hacer "demasiado" el amor por la misma razón que no se puede vaciar un depósito hasta más allá de su capacidad. Es posible que la fertilidad llegue a agotarse a causa de un exceso de eyaculaciones, pero es de suponer que no se tomará usted el asunto con tanta ansiedad como para entregarse a varias cópulas diarias. Dos o tres veces por semana es un promedio normal. Mucha gente hace el amor mucho más a menudo. Algunas parejas se sujetan a un programa más bien regular, mientras que otras viven unos fines de semana de intensa actividad sexual sin otro contacto de este tipo durante los demás días. Un promedio muy inferior a las dos cópulas por semana hace suponer que podría sacar usted mayor partido de sus posibilidades sexuales, a menos que sepa por experiencia que la baja frecuencia elegida es la óptima para sus necesidades. Las personas que se limitan a los orgasmos coitales no suelen gozar de tantos clímax como las que combinan el coito con los juegos orales, manuales o de otro tipo, porque éstos aumentan hasta el máximo posible los momentos de sumo deleite. Cada pareja debiera planear el modo de mezclar esos platos según la respuesta observada en cada uno de sus miembros: si las necesidades de uno de ellos es mayor, los métodos accesorios podrán ser útiles para llenarlas y acomodarlas a las del otro. La frecuencia del apetito sexual suele disminuir con la edad, pero en ciertas ocasiones especiales no hay edad para las sorpresas. No debe convertirse la cuestión de la frecuencia en una manía (o una seria preocupación si sus amigos le dicen que la de usted es más baja que la de ellos). No se trata de una competición. Debe tener en cuenta, y comprenderlo, que habrá momentos en que uno de los dos esté desganado —a causa de la fatiga, las preocupaciones, etcétera—, por lo que sería una insensatez querer imponer determinados menús a horas o días fijos.

Hora de jugar

Ya lo hemos dicho, pero lo repetimos: la práctica sexual es el juego más importante de los adultos. Quien no pueda

HORA DE JUGAR

La práctica sexual es el juego más importante de los adultos. Quien no pueda relajarse con ella, nunca podrá hacerlo por otros medios.

relajarse con ella, nunca podrá hacerlo por otros medios. No hay por qué asustarse del psicodrama. Es algo que da mejor resultado en la cama que en un lugar improvisado: sean ustedes el sultán y su concubina favorita, el ladrón y la doncella, incluso el perro y el pastel de grosella, cualquier cosa que les guste o deseen de veras.

Algunas parejas se exitan de modo notable haciendo el amor con la colaboración del elemento dramático más antiguo: la máscara. Es algo que lo "borra" a uno y lo convierte en otra persona. La mayoría de nosotros puede aprender a hacer lo mismo sin ese recurso y, cuando esto ocurre, la completa desnudez mental lograda entre ustedes dos equivale a la forma de desnudismo más divertida; y es tan absoluta que al principio uno se asusta saludablemente de ella. La eliminación del miedo es con toda probabilidad la lección más importante que ofrece la sexualidad. Un "martini" ayuda; dos pueden echar a perder cuanto se pretende. La verdadera sexualidad nos relaja por completo, sobre todo cuando nos damos cuenta de que el alcohol, la marihuana, etc., son meros y malos sustitutivos de ella.

Por lo tanto, deje usted que su hombre se convierta en un romano, en una mujer o en un gángster, y que su mujer se transforme en una virgen, en una esclava, en una sultana, en una Lolita, en alguien a quien intenta violar o en cualquier otra cosa que pueda excitarlos. Cuando tenían ustedes tres o cuatro años no podían hacerse idea de la importancia de los juegos: entréguense ahora a ellos de nuevo volviendo al pasado en un contexto adulto. Las reglas siguen siendo las de los juegos infantiles: si se hacen desagradables o aburridos deben interrumpirse. Sin embargo, si son excitantes y llenos de fuerza llegan a un clímax que nunca podrá llamarse juego de niños: ése es el privilegio del juego entre adultos.

Monos desnudos

Hemos incluido mucha biología en este libro; y quizás

hemos dedicado demasiado espacio a los simbolismos del comportamiento sexual humano. Esto se debe probablemente a la gran importancia que desde el punto de vista psicoanalítico tienen tales signos, los cuales sugieren, como la moralidad a la antigua, que sólo hay una manera de hacer el amor y que ésta debiera expresar siempre una sola cosa. Los experimentos llevados a cabo con monos indican que, en el hombre, la posibilidad de una sexualidad prolongada y sensual —es decir, una "actividad de

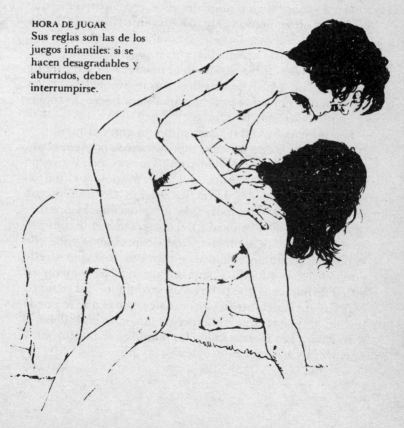

HORA DE JUGAR
Sus reglas son las de los juegos infantiles: si se hacen desagradables y aburridos, deben interrumpirse.

sustitución" que permitiera descargar toda clase de agresiones y ansiedades, así como compensar la falta de sensaciones cutáneas infantiles, mediante juegos realizados en el contexto de un afecto mutuo— es algo muy especial. La mayoría de la gente tiene, como mínimo, una forma preferida de disfrutar de la sexualidad que un juez imparcial encontraría extraña. Si observáramos el mismo o parecido comportamiento en los peces o las aves no nos haríamos preguntas sobre la normalidad o anormalidad de su manera de actuar, sino respecto al objeto de la misma. Ningún escritor que hubiera observado a los monos dijo nunca lo que afirmó uno de ellos recientemente: que cualquier movimiento voluntario durante la cópula es una prueba de sadismo latente. Si así fuera, ese "sadismo latente" nos daría a entender que la práctica sexual sirve, entre otras cosas, para desviar la agresión natural mediante el juego. Sin embargo, pueden surgir problemas en los casos en que el juego resulte ineficaz para hacer desaparecer ansiedades más profundas.

Las principales diferencias existentes entre el hombre y la mayoría de los monos son la formación de parejas, el uso abundante de la sexualidad como vínculo social y como juego, el desplazamiento del interés por las nalgas vivamente coloreadas hacia los pechos (lo que sucede también con los babuinos) y la imaginación. El hombre tiene vestigios bien conocidos del comportamiento simiesco en su capacidad de sonrojarse (todo lo que queda visible de la piel del rostro del mandril se enrojece, cosa que sucede también en la superficie cutánea de muchas mujeres en forma de manchas que parecen un sarpullido), así como en la persistencia del interés por las nalgas, en el que se puede incluir el placer que se experimenta enrojeciéndolas a manotazos. Los monos, como los hombres, se masturban y se entregan a juegos bisexuales.

Normalidad

Cualquier libro del siglo XIX sobre la sexualidad, a menos que estuviera destinado a lectores clandestinos (entonces gente rica), debía comenzar al menos con una genuflexión ante lo que era pecado y lo que no lo era. La generación de libros médicos que siguió después, así como la abundante literatura destinada al asesoramiento sexual, que se publicó al mismo tiempo, desplazó su interés hacia la fijación de pautas sobre lo que era o no normal al respecto.

Basta que se tache de "anormal" determinada preferencia de tipo sexual para hacerla preocupante. En cambio, calificarla de "normal" implica que se trata de algo que debe incluirse en las normas de una práctica sexual generalmente aceptada. Así es cómo sucede en realidad. Sin embargo, la sexualidad debiera ser, etiquetas aparte, un vínculo plenamente satisfactorio entre dos personas atraídas por un mutuo sentimiento de afecto, un intenso contacto del que ambos salieran aliviados de sus ansiedades, gratificados y dispuestos a volver a empezar. Esta definición incluye la certidumbre de que las personas difieren mucho en cuanto a sus necesidades y a su capacidad de sentirse satisfechas; de que, estadísticamente, difieren más sobre el particular que respecto a cualquier otra cosa mensurable. Puesto que la sexualidad se basa en la cooperación, pueden tenderse puentes de placer de uno a otro componente de la pareja allí donde existan "vacíos de satisfacción". A esto debe añadirse el hecho de que, por motivos inherentes a determinadas características de nuestra especie, la sexualidad nos hace notablemente ansiosos en comparación con otros aspectos de nuestras preferencias y necesidades, pero nuestra cultura está saliendo de una época de pánico moral para llegar a la certeza de que no hay nada que temer. Sin embargo, son todavía muchas las personas que, en lo tocante al sexo, viven como los niños de la época victoriana, a los que se educaba en la creencia de que ciertos dulces eran venenosos y de que el budín de arroz era bueno para la salud porque no sabía a nada: necesitan tener más confianza en sí mismas.

Un problema importante de la última generación fue que, a causa de la censura familiar, muchas buenas técnicas sexuales llegaron a ser casi desconocidas y, por la misma razón, consideradas como molestas o repugnantes. No hace aún mucho tiempo que Krafft-Ebing escribió un libro de texto en el que describía todas las prácticas sexuales con las que él no disfrutaba y las llamaba "enfermedades", aderezando el relato con ejemplos sacados de la vida de gente perturbada. Incluso Freud, que reconoció que todos nosotros tenemos muchas e importantes motivaciones sexuales —tantas que casi todo lo que despierta nuestro interés tiene algún fundamento sexual—, se refería a la madurez en unos términos increíblemente rígidos. A fin de cuentas, nadie podía escapar a un examen de "madurez".

Por lo tanto, "anormal" significa: 1) Insólito para el tiempo y el lugar. Hacer el amor diez veces al día como norma corriente no es nada usual, pero se dan algunos casos; si es usted capaz de conseguirlo, estupendo. Leonardo y Newton fueron estadísticamente insólitos. 2) Insólito y generalmente desaprobado. En Papuasia es anormal enterrar a los familiares muertos, y en California y otros muchos sitios es anormal comérselos. Sin embargo, a los amantes de todo el mundo les gustaría "comerse" el uno al otro, y la misma idea subyace en el más hermoso y conmovedor de nuestros ritos religiosos. De todos modos, para que un europeo o un norteamericano se comiera de veras a un pariente muerto, algo tendría que fallarle en la cabeza. Sin ir tan lejos, nuestra sociedad se asusta ante el cariño entre dos personas del mismo sexo. En la Grecia clásica era cosa corriente, e incluso de buen tono: todos hacían lo que podían con quien se les ponía a tiro. En nuestra cultura, sólo las personas que no se sienten atraídas por otra cosa muestran exclusivamente esa inclinación.

Insólito y perjudicial. Un tornillo flojo o una obsesión sexual profunda son anormales porque echan a perder la vida de la persona en cuestión y del hombre o la mujer que con ella se relaciona íntimamente.

Algunos comportamientos sexuales son obviamente extraños, y presentan además la desventaja de restringir el placer sexual de la pareja que no los necesita (por ejemplo, el hombre que sólo podía llegar al orgasmo en un baño de espaguetis cocidos). Sin embargo, él gozaba de esa manera. Hoy día, los psicólogos no suelen preguntarse: "¿Es esto normal?", sino: "¿Por qué esa persona en particular tiene precisamente esa necesidad?" "¿Impide esa conducta la posibilidad de que este individuo sea una persona cabal y es, ella misma, tolerable para la sociedad?" Por supuesto que algunas conductas, como la violación y seducción de niños, no lo son.

En suma, no existe una forma fija de comportamiento sexual a la que podamos llamar "normal", sino distintas respuestas a distintos estímulos, como sucede con los dedos de una mano. Algunas personas tienen un dedo más largo de lo común; otras tienen un dedo largo y los demás atrofiados. Sin embargo, existe en esto la diferencia de que la longitud de los dedos está más estrictamente programada y presenta menos diferencias que los comportamientos sexuales. Por lo tanto, si hay que hablar de "normalidad", puede decirse que es normal toda conducta sexual en que: 1) gocen ambos componentes de la pareja, 2) nadie salga perjudicado, 3) nada esté relacionado con la ansiedad y 4) nada ni nadie coarte los fines de placer y satisfacción que se buscan. Insistir en la realización de la cópula sólo en la oscuridad, en una sola posición y con el menor placer posible, según lo que solía ser el estereotipo de la normalidad predicada por los moralistas, conduce a una práctica sexual extremadamente limitada y llena de ansiedades. Los buenos amantes, los que hacen el amor sin preocupaciones, usan los cinco dedos de cada uno de los cuatro miembros.

Pene

Además de ser el elemento esencial del equipo sexual masculino, y a pesar de que a menudo es descrito simplemente como "herramienta", el pene posee más importancia simbólica que cualquier otro órgano humano, tanto por ser un signo de dominio como por tener generalmente una "personalidad" derivada del hecho de poseer voluntad propia. De nada serviría citar aquí todos sus simbolismos. Nos limitaremos a decir sobre el particular que los amantes los experimentan y que, inconscientemente, tratan el pene como si fuera una tercera persona del grupo. En cierto momento, es un arma o una amenaza; en otro, algo que comparten, como podrían hacerlo con una criatura. Sin meternos en teorías psicoanalíticas o biológicas, vale la pena comprobar que, aun cuando el pene es un atributo indiscutiblemente unido al hombre, en las relaciones sexuales pertenece a ambos componentes de la pareja. Esta serie de sensaciones programadas que los amantes experimentan son en realidad el resultado de una armoniosa conciliación entre toda clase de experiencias y sentimientos relacionados con el papel sexual de cada miembro de la pareja por una parte y, por otra, la identidad y el desarrollo personales. El aserto de Freud según el cual el hombre está programado para temer que la mujer o una madre o un padre celosos le castren, mientras que la mujer lo considera como algo que perdió, es biológicamente cierta, aunque demasiado simplista. Lo que sí resulta innegable es que en un buen ambiente sexual se convierte en el pene de ambos. Se mire como se mire, la textura del falo, su erectibilidad y otras cualidades lo hacen fascinante para los dos sexos, además de alarmante por su manifiesta autonomía, cosas que también están programadas. El hecho de que el pene humano sea en comparación mucho más grande que el de los otros primates se debe probablemente a las complejas funciones psicológicas que tiene entre los humanos.

PENE

Los amantes tratan el pene
como si fuese una tercera
persona del grupo.

Precisamente por las mismas razones atrae al folklore y origina muchas ansiedades, además de ser el foco de toda clase de manipulaciones de carácter mágico. Del mismo modo que la fuerza de Sansón se localizaba en su pelo, la autoestima y el sentido de identidad del hombre se centran en su pene. Si no funciona o, peor, si usted como mujer no consigue enderezarlo, las consecuencias pueden ser desastrosas. Eso explica la preocupación irracional que suele tener el hombre por el tamaño de su pene. El tamaño no tiene nada que ver con su utilidad física durante la cópula ni —puesto que el orgasmo femenino no depende de lo profunda que sea la penetración en la vagina— con la capacidad de satisfacer a la compañera, aunque muchas mujeres se exciten ante la idea de un pene grande, y algunas digan que con él gozan más. De todos modos, la vagina no lubricada sólo tiene unos diez centímetros de profundidad. De tener importancia alguna de las características del pene relacionadas con el tamaño, éste es el grosor. Y nada tienen que ver las dimensiones de un falo en estado de flaccidez con las que pueda alcanzar en erección: cuando un pene que es grande en estado de reposo se pone erecto, veremos que su aumento de tamaño es, simplemente, menor. Es imposible "agrandar" el pene. Su tamaño no difiere apreciablemente entre las distintas "razas", ni tampoco tiene correlación con la abundancia de músculos en otras partes del cuerpo. Es muy poco común el caso de un pene que sea demasiado grande para una mujer. No hay que olvidar que en la vagina debe caber, en el momento oportuno, una criatura presta a nacer. Si su pene, sea cual sea su longitud, alcanza un ovario o daña de cualquier otra manera a su pareja, no vaya usted tan lejos en la penetración. La mujer que dice que su vagina es "demasiado pequeña" o "demasiado estrecha", no hace más que expresar una preocupación casi siempre infundada, lo mismo que cuando un hombre tiene la obsesión de que su pene es de dimensiones demasiado reducidas. Esas personas, en vez de ejercicios o chismes "agrandadores del pene", sólo necesitan confianza en sí mismas y un cambio positivo de actitud ante la sexualidad. Su forma también varía: el glande puede ser romo o cónico. Esto no tiene otra importancia que el hecho de que los de forma cónica pueden quedar incómodamente aprisionados dentro de la tetilla en que terminan algunos preservativos. En cuanto a la conveniencia de que se practique o no la circuncisión, es una cuestión más bien religiosa que sexual (véase *Prepucio*). Ya es hora, por tanto, de que se libre usted de cualquier preocupación o prejuicio respecto al falo. Todo lo que acabamos de afirmar está basado en la más pura verdad.

Las mujeres que han aprendido a gozar realmente de la sexualidad suelen sentirse maravilladas por el pene de sus amantes, tamaño incluido —del mismo modo que a los hombres les embelesa la forma, el olor y el tacto de los pechos de las mujeres—, y se acostumbran a jugar con él a fondo y con habilidad. Circuncidado o no, el pene es un juguete fascinante. La ceremonia de unas manos femeninas que hacen bajar el prepucio para dejar el glande a la vista, que endurecen el pene, que lo hacen palpitar o eyacular, es uno de los momentos culminantes de la vida íntima de la pareja. Esto es también importante para el hombre en particular: no sólo da mayor fuerza a su propia personalidad, sino que ese hábil juego manual, que puede ir acompañado de un buen trabajo bucal, garantiza prácticamente las cualidades de una buena amante.

Cuidados y mantenimiento. Si no ha sido usted circuncidado, debe correr el prepucio hacia abajo para una limpieza perfecta del pene. En caso de que no consiga hacer bajar dicha piel hasta más allá del contorno inferior del glande excepto por su parte delantera, o cuando el prepucio queda demasiado tirante en tal posición, hágase examinar por un especialista (le practicarán una operación insignificante que se efectúa con una aguja roma y que no tiene la importancia de la circuncisión). Éstos son casi los únicos inconvenientes que suele presentar el pene. A veces, con el tiempo, se produce alguna leve asimetría, pero eso no causa ningún daño. Por otra parte, no debe torcerse nunca un pene recto, ni usarlo en una posición en la que pudiera doblarse de manera violenta por accidente. (Esto suele suceder con la mujer situada encima del hombre y cuando ella se descuida por hallarse cerca del orgasmo, o en el momento en que trata de lograr en él una erección aún no plenamente conseguida: hay que tener cuidado en ambos casos.) Es posible, aunque difícil, que se fracture uno de los dos conductos hidráulicos que contiene el miembro. Es una lesión muy molesta que puede hacer las subsiguientes erecciones dolorosas o incluso imposibles. Por la misma razón, evítense los juegos insensatos con tubos o con artificios de succión o chismes para "alargar" el pene. Un órgano normal es capaz de resistir un uso continuado extremadamente duro, pero no esas "sofisticaciones". Las llagas, los derrames, etc., son dolencias que requieren tratamiento médico. Dejando obviamente aparte las enfermedades venéreas, evítese el contacto bucogenital con quien tenga herpes en la boca: podrían contraerse herpes recidivantes en el pene o en la vulva, cosa muy molesta. Si el prepucio se halla seco a causa de la masturbación o una larga retracción, la saliva es el lubricante más apropiado, a no ser que usted también tenga herpes en la boca. En la actualidad, se venden cosméticos para el pene (algunos, desodorantes; otros, anestésicos locales destinados a hacer más lenta la respuesta; y muchos otros mejunjes). No los recomendamos.

Prepucio

Es probable que el cercenamiento de este repliegue cutáneo sea el más antiguo de los rituales sexuales humanos. Y todavía persiste, fundamentándolo ahora en la pretensión de que el cáncer de pene o de cuello uterino son más raros cuando se practica esta operación (probablemente, un buen lavado daría los mismos resultados), y también en el hecho (sin pruebas hasta ahora) de que retrasa el orgasmo. Estamos en contra de la circuncisión, aunque para algunos es ya demasiado tarde y de poco les podrá servir nuestro consejo al respecto. "La eliminación de la piel sobresaliente de las partes íntimas —dijo el doctor Bulwer— va directamente en contra de la honestidad de la naturaleza, y con ella se la hace víctima de una artimaña injuriosa e intolerable." El caso es que conservando usted su prepucio no pierde nada. Es probable que, con la ausencia del prepucio, no se note mucha diferencia, ni en la masturbación ni en la cópula, pero de todos modos existe alguna, y a nadie le gusta perder una estructura sensitiva. Claro que normalmente se echa atrás el prepucio en dichas prácticas, pero si uno ya no lo tiene jamás podrá recuperar toda una serie de sensaciones sólo posibles con el glande cubierto. Las mujeres que han experimentado con penes en ambas condiciones tienen opiniones contrapuestas en cuanto al placer que les produce, así como respecto a cuál de los dos les parece más sexy. Algunas encuentran los glandes circuncidados de perfil más "neto". E incluso se desaniman sexualmente ante un glande cubierto con el prepucio por su aspecto "femenino" (esto podría ser un vestigio del viril salvajismo que había detrás de la circuncisión tal como se practicaba en la Edad de Piedra), mientras que a otras les encanta la sensación de descubrimiento que implica la retracción de la ocultadora piel. Si usted no ha sido circuncidado y su pareja prefiere los glandes a la vista, échese el prepucio atrás desde el primer momento. Si a ella le agrada lo contrario, ya lo tiene usted. En cuanto a sus funciones, el prepucio es probablemente un órgano difusor de emanaciones olorosas.

Mantener la piel del pene echada hacia atrás con la mano (la de ella) durante la cópula acelera la eyaculación del hombre, circunciso o no, y le produce una sensación más intensa que de costumbre (véase *Estilo florentino*). El fin que se persigue con la mayoría de anillos de pene es el de mantener el prepucio echado hacia atrás, así como, casi

siempre, el de aumentar la tirantez de la piel del falo, lo
que aumenta el placer del hombre. Si, en cambio, cree
usted que su glande es demasiado sensible, intente
mantenerlo constantemente descubierto. Cuando lo haya
probado, verá lo fácil que es conservarlo así todo el tiempo
que desee. En suma, el hombre circunciso no se halla en
posición desventajosa (ni ventajosa) respecto a los que
perdieron el prepucio, por lo que cada cual es dueño de
hacer lo que guste sobre el particular.

Relajación

Es probablemente la experiencia más generalizada. Y

bueno será recordar en este punto que el máximo goce orgásmico va siempre acompañado de la máxima tensión muscular. Hay muchas técnicas (posturas, "esclavitud", etc.) destinadas a aumentar esa tensión. El orgasmo de relajación total es difícil de conseguir, especialmente porque no puede ser incrementado de modo artificial, pero cuando se logra se tiene en seguida la evidencia de una nueva —y abrumadora— sensación. Hay también algunas personas, sobre todo mujeres, en las que la tensión parece interferir activamente en la plenitud de su respuesta sexual.

Hemos leído escritos teóricos sobre esto en los que se llega a la conclusión, por ejemplo, de que los orgasmos de tensión suponen cierto grado de miedo a la relajación total, sadismo latente y cosas parecidas. Un escritor opinaba que los gritos, las muecas y las convulsiones denotan miedo y dolor más bien que amor y deleite, lo que nos hace suponer que nunca se había observado a sí mismo cuando hacía el amor, o que nunca había tenido un orgasmo que pudiera llamarse "salvaje". En realidad, la única generalización universal que puede hacerse sobre la sexualidad es la de que ninguna norma es buena para todo el mundo. No creemos que en la práctica tenga mucha importancia preguntarse hasta qué punto esas diferencias entre las personas dependen de la fisiología o de la agresividad latente en ellas. Lo que no puede negarse es que hay quien necesita una cosa y hay quien necesita otra. Nosotros creemos que, practicando lo suficiente, casi todo el mundo puede ampliar su repertorio aprendiendo a usar ambas técnicas (la del relajamiento y la de la tensión) y llegar a percibir las necesidades más adecuadas a cada momento para poder alternarlas según mejor convenga, con lo que se doblará por lo menos la gama de sensaciones físicas alcanzables y se logrará hacer aún más comunicativa la práctica sexual. Es indudable que la presencia de tensión indica siempre miedo a "abandonarse", a "dejarse ir", y no es raro encontrarse con personas que prefieren verse "forzadas" a aceptar el orgasmo. En este caso, al menos inicialmente, será prudente prestarse al uso de la respuesta que uno esté en condiciones de ofrecer. Sin embargo, al observar en usted cualquiera de esos dos tipos de reacción, no se olvide de usar la técnica que no haya empleado aún (la del relajamiento o la de la tensión, según el caso). Según parece, los mamíferos varían, según las especies, entre el acoplamiento mediante la lucha y la violación y otra versión del mismo acto en que la hembra se muestra casi indiferente: por lo tanto, poco es lo que podemos aprender de la zoología.

La cópula soñolienta, sin complicaciones, sin nada especial, de lado o en postura matrimonial, es relajada, pero no es a esto a lo que nos referimos. Siempre que se desee un orgasmo plenamente relajado, se procederá de cualquiera de estos dos modos: un miembro de la pareja se mantendrá totalmente pasivo y el otro actuará como solista; ambos tratarán de conseguir un estado exento de todo esfuerzo, en el cual todo estará a cargo de movimientos totalmente automáticos (internos en la mujer). Pruebe los dos sistemas: al principio, es más fácil familiarizarse con ellos alternándolos.

Puede decirse que el método inicial más fácil para el miembro de la pareja menos activo en una cópula ordinaria (esto se refiere, aunque no siempre, al que se encuentre debajo) es el de detener todo movimiento instantes antes de que se produzca el orgasmo y quedarse completamente quieto hasta que haya pasado el clímax (avise antes a su compañero). Algunas personas actúan así de modo natural y espontáneo. Si no es éste su caso, y suponiendo que haya practicado alguno de los métodos de relajación tan en boga hoy día, empléelos en tales ocasiones comenzando por dejar que un dedo adquiera pesadez y terminando por abandonar todo el cuerpo a la fuerza de la gravedad. Puede suceder que, en alguna de las primeras veces que se proponga seguir esta técnica, el solo hecho de intentarlo le cause cierta tensión, pero después de algunos ensayos las personas fáciles de estimular aprenderán a alcanzar el orgasmo de esta manera y descubrirán que éste —aunque tan agradable como los que se obtienen, por ejemplo, al posponer el clímax suprimiendo toda excitación antes de llegar al límite controlable—, tiene un sabor diferente. No retrase, pues, el orgasmo; de hecho, quédese completamente inactivo. Luego practique la misma clase de relajación mientras su pareja lo esté masturbando o succionando. Los movimientos que ella o él harán físicamente serán los mismos que en la "masturbación lenta" descrita en otro lugar de este libro, pero lo que el miembro activo de la pareja buscará será una "realimentación", algo completamente distinto: en su papel de "duro", tanto si su compañero está atado como libre, usted se encontrará conteniendo unas veces los movimientos que él (o ella) haga o forzándolo, otras, a proseguirlo (éstos son los únicos momentos en que no seguirá el ritmo de las reacciones de su pareja). En el papel de "blando" será necesario que prevea —cosa fácil— tales respuestas y se anticipe un poco a ellas con el fin de que su compañero no tenga que moverse o esforzarse demasiado. Las diferencias entre los resultados de estas técnicas pueden sentirse, pero no describirse. En la práctica, esta última consiste en un ritmo de estimulación más rápido y más fijo (sin oscilaciones importantes de intensidad). Simplemente, ustedes se entregan a la práctica sexual y del aguijoneo que ésta les causa hace que el juego continúe.

Cuando ustedes hayan conseguido esto de modo perfecto, tanto en la cópula como en otro tipo de estimulación, incluyendo los complementos que hemos mencionado, pueden seguir adelante hasta llegar al coito "inmóvil". Por supuesto, al principio no será completamente inmóvil, pero intenten ver qué ocurre, después de la primera tanda de movimientos, si dejan de pensar. Ciertos movimientos seguirán produciéndose, pero a su debido tiempo, después de practicar suficientemente, cada vez se harán menos voluntarios, sobre todo si la mujer posee un buen control de los músculos vaginales. Por último, algunas parejas aprenden a llevar a cabo la penetración sin otro movimiento ulterior y, sin embargo, alcanzan un orgasmo en el que quedan totalmente fundidos, gozando de la sensación de ser una sola persona: algo también imposible de describir, y probablemente no siempre realizable, pero fantástico cuando sucede. Insistimos en que esto no supone moverse con lentitud, ni retrasar el orgasmo, ni otra intención voluntaria. Si comprueban que el sistema no funciona, vuelvan a los movimientos ordinarios, pero sin pensar demasiado. A veces ambos sentirán la necesidad de cambiar de postura ante la inminencia del momento culminante; la fusión completa no es fácil de obtener, pero, en compensación, la sexualidad atlética tiene sus atractivos. Claro que si llegan a conseguir alguna vez esa maravillosa integración se sentirán deseosos de repetirla, y la repetirán.

La relajación perfecta, y la sensación casi espantosa de la pérdida de sí mismo que la acompaña, es lo que la mayoría de los yoguis sexuales han perseguido, con la diferencia, respecto a nuestra práctica sexual, de que ellos tratan de no eyacular. Algunos de estos místicos sexuales recomiendan una postura especialmente relajada (el hombre reposando sobre su flanco derecho, la mujer echada de espaldas en ángulo recto con él, con las rodillas levantadas, las piernas haciendo puente sobre las caderas de su compañero, y las plantas de los pies planas, sobre la cama). El hecho de que esta postura y este método den resultado puede muy bien depender de la constitución física de quienes los practiquen. Lo que sí vale la pena sugerir, incluso a las personas que no puedan relajarse totalmente, es que prueben todas las técnicas que hemos descrito, fijándose como objetivo la relajación en vez de la tensión máxima, y ajustando adecuadamente a ellas la realimentación. De modo similar, las personas que normalmente se relajan durante la cópula debieran practicarla de vez en cuando buscando la plena tensión; del mismo modo que las mujeres que no

saben estarse un momento quietas debieran imponerse voluntariamente momentos de completa inmovilidad, y viceversa. Este tipo de experimentación, contrario a las respuestas propias de cada persona, es más valioso, para ampliar la gama de goces sexuales, que los cambios mecánicos de postura o el empleo de artilugios o chismes estimulantes. Es una parte de la práctica sexual que requiere verdadero esfuerzo y no mera curiosidad, pero no hay que olvidar que es esencial para quien en la comunicación sexual desee ir tan lejos como le permitan sus facultades físicas y mentales.

Repetición

No todo el mundo puede lograrla, aunque estamos seguros de que son muchas las personas que podrían conseguir más de lo que consiguen realmente en este aspecto de la sexualidad, sobre todo los hombres.

Son muchas, si no todas, las mujeres que llegan fácilmente al orgasmo múltiple, siempre que sean lo bastante sensibles para responder con facilidad a los estímulos y hagan lo necesario para continuar, tanto después de los juegos iniciales como durante la cópula o después del primer orgasmo; es decir, que ese tipo de mujer sólo muy raramente cae en la categoría que podríamos llamar "sólo-una-vez-y-basta", tan común, en cambio, entre los hombres. Algunas mujeres son capaces de tener una serie continua de orgasmos sin ningún momento culminante de intensidad superior entre ellos. La capacidad de respuesta femenina es una mezcla, sutil e imposible de analizar, de fisiología, estado de ánimo, cultura y educación a la que hay que añadir el hecho de tener el hombre deseado. Por lo tanto, si usted, como mujer, puede alcanzar un clímax realmente intenso, podrá probablemente conseguir otros a continuación si insiste. Las principales excepciones se dan en las mujeres frágiles que se cansan fácilmente, así como en las que optan por saborear el período de intensa relajación que sigue a cada orgasmo en vez de pasar acto seguido a una nueva forma de estímulo.

Con los hombres, la cosa es todavía más complicada. Algunos pueden conseguir seis o más orgasmos plenos en el curso de unas cuantas horas, a condición de que no sean importunados con prisas o precipitaciones y no lo intenten todos los días. Aun así, algunos pueden hacerlo diariamente. En cambio, otros no pueden conseguir otra erección hasta después de un determinado lapso de tiempo. Vale la pena establecer cuál es la duración de ese lapso lo antes posible; puede ser más corto de lo que usted cree. Nadie sabe si ese período natural es alterable, del mismo modo que se desconoce si las diferencias individuales al respecto dependen de factores físicos o mentales, o de ambos a un tiempo. Lo que sí puede afirmarse es que muchos hombres, influidos por desorientadoras informaciones sobre la práctica sexual, quedan agotados después de una sesión mucho más corta de lo que sus verdaderas facultades podrían permitirle.

Considerando que la práctica y el ejercicio mejoran el rendimiento individual en casi todos los terrenos, sería de extrañar que no lo hicieran en éste. De todos modos, lo más importante para el hombre no es el número de orgasmos que pueda conseguir —muchos de ellos pueden lograr un segundo orgasmo por manipulación lenta y un tercero por autoestimulación al cabo de una hora de haber copulado—, sino la capacidad de retener el propio orgasmo todo el tiempo que se desee, o de continuar la sesión inmediatamente después de haber eyaculado o al cabo de un rato, aun cuando no se alcance otro orgasmo. La falta de esta continuación podría dejar insatisfecha a la compañera. Muchos amantes no intentan esta reanudación después del primer orgasmo masculino, sino que van cambiando de técnicas antes de que éste se produzca para economizar eyaculaciones. Sin embargo, los resultados en cuanto al

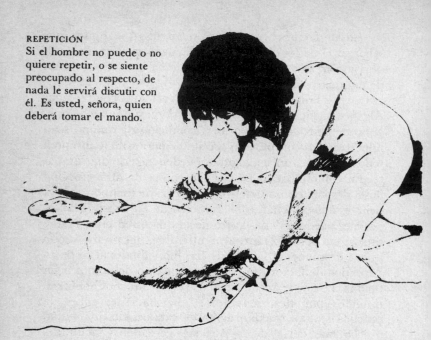

goce no son los mismos, a menos que consigan ustedes los
dos orgasmos al mismo tiempo, lo más cerca posible el uno
del otro.

La capacidad de retrasar el orgasmo, así como la de
repetirlo, es muy importante para la infinidad de hombres
que eyaculan con demasiada facilidad. Si éste es su caso,
tal inconveniente no debe convertirse en una preocupación
exasperante. Poco importa, con tal que pueda usted
conseguir otra erección dentro de la siguiente media hora:
pueden hacerse muchas otras cosas en espera de ese
momento. No sienta ansiedad por su rendimiento sexual.
En vez de eso, procure descubrir, probándolo, el tiempo
que tarda en tener otra erección plena. Ésta suele durar
mucho y no terminar con un clímax total, pero permite al

hombre dar diez, veinte o más minutos de goce a la mujer.

Si el hombre no puede o no quiere repetir, o se siente preocupado al respecto, de nada servirá discutir con él. Es usted, señora, quien deberá tomar el mando. Si se muestra usted desilusionada, todo habrá ya terminado por esa noche, y quizá no se acabe ahí el problema. Sugiera alguna otra clase de entretenimiento que relaje a su compañero, concédale media hora para rehacerse y luego póngale de nuevo el falo erecto con sus manipulaciones y un buen trabajo bucal. Téngalo usted prevenido sobre lo que intenta hacer diciéndole que quiere comprobar cuánto tarda en tener otra erección (de otro modo daría usted la impresión de haber quedado insatisfecha, lo que haría que su hombre se sintiera culpable y se quedara sin ánimos para continuar). Si usted, señora, logra salir adelante, habrá añadido una nueva dimensión a su vida y a la de su compañero. Y, ahora, dos cosas importantes: tenga presente, en primer lugar, que algunos hombres, después de un orgasmo total, no pueden soportar ningún estímulo genital porque el menor roce les causa un intenso dolor; si es éste el caso de su pareja, déjelo descansar media hora como mínimo. En segundo lugar, si en determinado momento él no alcanza realmente la erección completa, no aumente su preocupación forzándolo a conseguir lo imposible; recuerde que algunas mujeres pueden ser perfectamente penetradas con una simple media erección si el coito se intenta por detrás y de costado. Por lo general, ya en marcha de este modo, la erección plena no se hace esperar.

Algunos hombres, cuando están cansados, no pueden tener una erección, pero se consigue hacerlos eyacular mediante manipulaciones o trabajos bucales. Otros, por la misma causa, logran una erección que dura indefinidamente, pero no pueden alcanzar el orgasmo. Los de este último tipo — que habitualmente responden de forma lenta a todos los estímulos — resultan ser verdaderos atletas sexuales. No está todavía claro si se puede cultivar esta facultad, pero quizá puedan ayudar a conseguirla una práctica sexual abundante y algún entrenamiento masturbatorio que permita retrasar el clímax.

Resucitadores de cadáveres: los mejores son un hábil trabajo manual o bucal, así como la succión directa del miembro. La mujer, procediendo con cuidado y buena voluntad, puede introducirse en la boca no sólo el pene, sino también el escroto, y sostenerlos con los labios para succionar después el pene propiamente dicho mientras presiona con un dedo la raíz del mismo. Luego, cuando note el comienzo de la erección, puede imprimir al falo un movimiento de avance y retroceso sin llegar a soltarlo por completo. También "resucita" una masturbación vigorosa: siempre produce una segunda eyaculación a su debido tiempo, aunque no se obtenga una erección útil. Algunos amantes, agotada ya toda la pasión pero aún con el deseo de gozar de otro orgasmo antes de terminar la sesión, se echan el uno frente al otro y se observan mutuamente mientras emprenden el camino del clímax autoprovocado. Eso es una experiencia adicional —no una confesión de derrota— que puede ser, cuando menos se espera, de efectos muy excitantes.

Semen

No existe práctica sexual en que no se derrame semen en mayor o menor cantidad. Las ropas y los muebles manchados con él pueden limpiarse, cuando la mancha se haya secado, con un cepillo de cerdas rígidas o con una solución de bicarbonato sódico. Si se ha derramado sobre ambos cuerpos, lo mejor es masajear suavemente esa superficie corporal concreta: el olor a polen del semen fresco es por sí mismo un afrodisíaco; por esto el olor de la hierba húmeda o de ciertas flores es un excitante sexual para muchas personas. Si desean ustedes una eyaculación copiosa, lo más aconsejable es que el hombre se masturbe, pero deteniéndose cerca del orgasmo, una hora antes de la cópula, lo que aumentará la secreción prostática.

Sexualidad "verdadera"

Es el tipo de sexualidad que nuestra cultura y la mayor parte de la propaganda de nuestro tiempo no reconoce. Además de la cópula, la masturbación y los besos genitales, hay otras cosas que también forman parte de la verdadera sexualidad. La gente las necesita, pero en nuestra época no parecen entusiasmar a nadie. He aquí algunas de esas cosas: hallarse juntos los componentes de una pareja en un momento de placer, o de peligro, o sólo de descanso (si admitiéramos estas situaciones como sexuales, correríamos el riesgo de tener que amar a las otras personas como personas, lo que sería preocupante o inconveniente, tanto para nosotros como para la sociedad); tocarse; los recursos anticuados, como el de tomarse las manos (la permisividad es fuente de más orgasmos, pero echamos de menos el galanteo refrenado de otros tiempos, los besos y las miradas provocativas, todo eso que los hombres "modernos" consideran anticuado); dormir juntos sin cópula o, especialmente, después de la misma.

No es necesario decir tales cosas a la mayoría de las mujeres, pues lo saben muy bien, pero se da el caso de que ellas no lo dicen a sus maridos por miedo a parecer anticuadas. Del mismo modo, ellos no se atreven, por lo general, a manifestar sus preferencias agresivas o fetichistas. No hay que hacer demasiado caso a la creencia general de que sólo es sexual lo que la tradición considera así. Es necesario decir esto en un libro que trate del perfeccionamiento sexual, siempre que éste se considere relacionado con el amor y no con una prueba de pentalon olímpico. Los que se hallan inmersos en nuestra cultura y, por lo tanto, apegados a las actividades olímpicas, sólo conciben el amor teñido de deportividad.

SEXUALIDAD "VERDADERA"
La permisividad es fuente de más orgasmos, pero echamos de menos el galanteo refrenado de otros tiempos.

Sugerencias (de ellas a ellos)

Las mujeres, como los hombres, reaccionan a ciertos estímulos físicos directos, pero éstos, lo mismo que las partes del cuerpo que responden a ellos, *son* diferentes (en primer lugar, los pechos y la piel; no el manotazo directo al clítoris). Además, la sensibilidad femenina puede sufrir, si no se le da el trato adecuado, algo muy parecido a un cortocircuito. A las mujeres les importa mucho más que a los hombres saber *quién* está haciendo *qué*. El hecho de que a las mujeres —a diferencia de vosotros, los hombres— no se nos "descargue la batería" de modo visible y no perdamos la erección por razones obvias, os confunde y os lleva a precipitar las cosas o a no aprovechar ciertos recursos de importancia. No es verdad que la desnudez, el erotismo y otros estímulos no exciten a la mujer: probablemente la diferencia está en que las mujeres no dan a las cosas más valor del que realmente tienen. ¿Es justo, nos preguntamos nosotras, que nos juzguéis con pruebas incompletas? Podéis hacer satisfactoria y orgiásticamente el amor con una desconocida en una habitación alquilada para media hora. Pero, por favor, no vayáis a creer por eso que podéis hacer lo mismo con una mujer que os ama personalmente; no podéis dejarla en un taxi al cabo de media hora con un ramo de rosas para echar a correr al lado de vuestra esposa. Sin embargo, eso no quita que tengamos algunas reacciones comunes a ambos sexos.

Nosotras parecemos estar menos intensamente programadas que vosotros para reaccionar a determinados estímulos, pero cuando advertimos que uno de éstos surte efecto en un hombre que representa algo para nosotras, no tardamos en programarlo en nuestro sistema de respuestas. Gracias a esta capacidad de adaptación, podemos ser menos rígidas y estar más dispuestas a cualquier experimentación. A menudo, cuando una mujer parece menos activa de lo que cabría esperar de ella, es porque teme no hacer lo apropiado con un hombre en particular (por

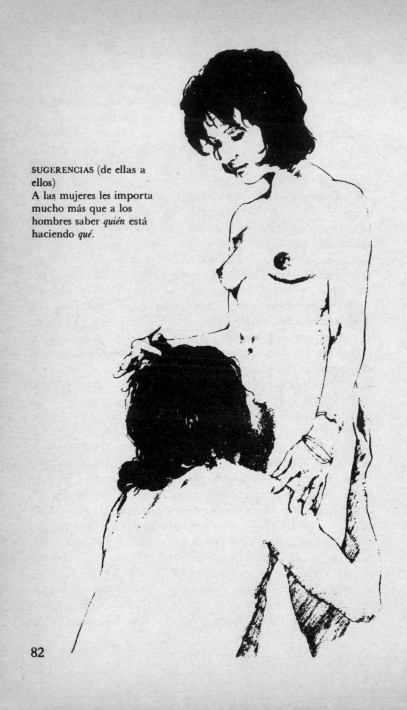

SUGERENCIAS (de ellas a ellos)
A las mujeres les importa mucho más que a los hombres saber *quién* está haciendo *qué*.

ejemplo, acariciarle el pene justamente cuando él está tratando de no eyacular). Decidnos lo que queréis si observáis que estamos desorientadas. Para nosotras, el pene no es tanto un "arma" destinada a penetrarnos como una posesión compartida: algo así como un hijo. Su tamaño tiene menos importancia que su personalidad; son sus imprevisibles movimientos y sus distintos "estados de ánimo" lo que nos excita (por esto son tan malos sustitutos sus imitaciones de goma). Otra cosa importante es la mezcla adecuada de dureza y ternura que esperamos de vosotros: es obvio que las demostraciones de fuerza nos excitan, pero la torpeza (meterle a una los codos en los ojos o torcerle los dedos, por ejemplo) produce un efecto totalmente contrario. Nunca llegaréis a ninguna parte con rudezas y brutalidades; por atractiva que *parezca* a veces la brutalidad en la práctica sexual, lo que realmente nos excita es una mezcla bien dosificada de fuerza, habilidad y control de la situación; nada de contusiones. Y si, además, sabéis ser tiernos en el uso de estos estimulantes, miel sobre hojuelas. Algunos hombres se preguntan antes de hacer el amor por vez primera con una determinada mujer: "¿Le gustará la dureza o preferirá la ternura?". Es mejor que lo averigüéis sobre la marcha y que os mostréis capaces de adaptaros a nuestros rápidos cambios de ánimo. Sin duda es posible leer esas variaciones —muchos amantes lo consiguen— en las sensaciones que experimenta y muestra la mujer. No deben existir ideas obsesivas sobre una reciprocidad perfecta. Hay cosas tan secundarias como quién ha de ponerse encima o debajo, o quién debe mostrarse activo y quién pasivo, que pierden importancia con el paso del tiempo: puede haber largos períodos en que una mujer disfrute y se sienta feliz dejando que su compañero haga todo el trabajo, y otras temporadas en que esa misma mujer sienta la necesidad de controlarlo todo y de obtener un goce suplementario observando cómo responde el hombre a sus estímulos.

Las mujeres no somos "masoquistas", y si alguna de

nosotras muestra esa tendencia, nunca superamos en ella al hombre: si en otros tiempos aceptamos ese sambenito fue sólo debido a presiones sociales. Y si, a pesar de todo, alguna de nosotras es sádica, no materializa su inclinación como el hombre ni la pone en escena acostándose con las espuelas puestas y haciendo restallar un látigo (cuando una mujer actúa de esa forma lo hace sólo para excitar a determinado hombre que se lo ha pedido): las mujeres expresamos el sadismo más bien diciendo que no o colaborando a regañadientes, lo que no contribuye a un buen orgasmo, si éste llega a producirse. Los hombres nos aventajan en este punto con su mayor facilidad en el uso constructivo del juego (y, de ese modo, pueden ayudar a la mujer a materializar sus deseos). Puesto que todos tenemos cierto grado de agresividad, la sexualidad puede ser salvajemente violenta, pero nunca cruel si se practica con un control sensato. Un poco de miedo ayuda a veces a ciertas personas. De todos modos, la antigua imagen del hombre violador y la mujer violada es contraria a toda experiencia en un mundo donde cada día hay más oportunidades de practicar el sexo sin restricciones de ninguna clase.

Según la postura adoptada al respecto por el Movimiento de Liberación de la Mujer, nadie tiene la posibilidad de ser un buen amante —o un hombre cabal— si no considera a la mujer como a un ser humano y como a una igual. Exactamente lo que debía decirse.

Nuestro sentido del olfato (el de las mujeres) es más fino que el vuestro; el momento inmediatamente anterior al orgasmo es, casi con toda probabilidad, el más adecuado para un pleno contacto olfativo. Nuestro propio olor nos excita tanto como el vuestro.

El tipo de caricias manuales y bucales preferido por cada hombre varía enormemente. A algunos les agrada que seamos rudas, a otros no les gusta nada que no sea extremadamente suave, y todavía hay los que optan por un término medio. Las mujeres no podemos saber en ningún caso cuáles son las preferencias de su compañero si éste no nos lo dice. Es, pues, mejor que lo explique si no quiere ser tratado al revés de lo que esperaba.

Algunos hombres son extraordinariamente pasivos, o faltos de imaginación, o inhibidos, y —por extraño que parezca—, nosotras no les contestamos con la agresividad que les correspondería. Aunque ansiemos hacer determinadas cosas y seamos víctimas de la más profunda frustración al no lograrlas, casi nunca nos atrevemos a demostrarla. Por lo tanto, una mujer sólo puede gozar de una buena práctica sexual con un buen amante. Pero aún hay algo más importante: sentirá resentimiento contra cualquier hombre que no sea excitante, y no sólo por ese motivo, sino porque creerá que ella tampoco supo serlo.

Finalmente, diremos que todos los hombres parecen más iguales entre sí a los ojos de una mujer que todas las mujeres a los ojos de un hombre, y añadiremos que es muy posible que éstos lleven razón, porque las mujeres presentamos más diferencias sexuales entre nosotras que vosotros a causa de la gran complejidad de nuestro aparato sexual (los pechos, la piel, la vagina, etc.). No queremos decir con esto que tengáis que volver a aprender cómo es una mujer cada vez que estéis con una nueva compañera de cama..., cosa que, en cierto modo, nos vemos obligadas a hacer nosotras, al menos en lo relativo a los gustos y caprichos masculinos.

Sugerencias (de ellos a ellas)

El profesor Higgins tenía razón: los hombres desean que la sexualidad de las mujeres sea como la de ellos, pero no lo es ni lo será nunca. La sexualidad masculina es mucho más directa y automática: los impulsos del hombre se disparan fácilmente ante ciertas cosas concretas, como cuando se pone un moneda en una máquina automática. Por consiguiente, a cierto nivel, el de los estímulos, las mujeres y sus diversos componentes sexuales no tienen nada que ver, para los hombres, con las personas. Esto no es incompatible con la condición de personas que, en dicho plano, se reservan para ellos. No es que los hombres amemos vuestros vestidos, vuestros pechos, vuestro olor femenino, etc., en vez de quereros a vosotras: simplemente, ésas son las cosas que necesitamos para poner la sexualidad en marcha y expresar nuestro amor. Las mujeres no suelen comprender fácilmente este mecanismo.

En segundo lugar, puede decirse que, en el hombre, casi toda la sensibilidad de tipo sexual se centra en los dos o tres centímetros finales del pene. De todos modos, si al comenzar recurrís a vuestra inteligencia, podréis enseñarnos a gozar de ese tipo de sensibilidad femenina que no excluye ni un milímetro de la piel del cuerpo. Y, a diferencia de vuestra sexualidad, la nuestra depende de que se haga el amor de manera realmente positiva. El hombre debe estar en erección, un estado del falo que debe conservarse para que el acto sexual tenga lugar: es imposible "poseer" al hombre cuando se halla en actitud pasiva o neutral. Esto es de suma importancia para nosotros tanto a nivel biológico como personal, y explica por qué damos tanta importancia al pene en las relaciones sexuales y por qué tendemos a empezar el juego genital propiamente dicho antes de que vosotras estéis en condiciones de recibirlo. Y es que el hombre no alcanza estas condiciones si no es con la aproximación genital directa.

Debéis comprender esas reacciones, del mismo modo que nosotros necesitamos comprender las vuestras. La postura del Movimiento de Liberación de la Mujer sobre los objetos sexuales no da exactamente en el blanco: sí, la mujer y las distintas partes de su cuerpo son objetos sexuales, pero también es cierto que la mayoría de los hombres desearíamos ser tratados del mismo modo, es decir, parte por parte. Por lo tanto, lo mejor que podéis hacer al entregaros a una verdadera práctica sexual, es

Los impulsos del hombre se disparan fácilmente ante ciertas cosas concretas, como cuando se pone una moneda en una máquina automática.

valeros de vuestra intuición femenina para detectar las reacciones de tales objetos y tomar la iniciativa —empezando los juegos, acariciándonos el pene, dándonos besos genitales antes de que os lo pidamos—, demostrando que sabéis hacer buen uso de vuestro equipo estimulatorio. Es difícil expresar todo esto en términos sencillos; es lo que John Wilkes llamaba "divino don de la lujuria": el arte de presentir los estímulos más adecuados y de emplearlos para obtener buenas respuestas del hombre. Esto no es aplicable a los dos sexos porque los estímulos que excitan al hombre son concretos, mientras que muchos de los que encienden a la mujer son circunstanciales y ambientales. Dejando aparte los gustos y prejuicios personales, el equipo estimulante que requiere el hombre es todo lo contrario de una virgen o un instrumento receptor pasivo; no una situación en que dominen las exigencias de la mujer y que pueda ser causante de un repetido desánimo o cortocircuito masculino al no poder adaptarse el hombre a las sensaciones de su compañera, sino una situación creada por la habilidad de ésta. Las mujeres tenéis la facultad —y debéis hacer uso de ella— de estimular a los hombres y de estimularos a vosotras mismas al hacerlo, y, a partir de ese momento, conseguir que nos entreguemos al juego sexual juntos y en beneficio de ambos. Vosotras, por supuesto, tampoco podéis controlar vuestras respuestas a ciertos estímulos, cosa nunca contraproducente, pues respecto a vuestro goce sexual nada tiene de negativo que os excitéis a la vista de un pene, de la velluda piel masculina, de un hombre que se desnuda, o que os estimule el aspecto físico del juego sexual (del mismo modo que el hombre puede sentirse espoleado por el ambiente en la medida en que logre identificarse con él). Sois las mujeres activas que comprendéis nuestras reacciones masculinas sin descuidar las vuestras quienes merecéis el nombre de amantes ideales.

Tamaño

El tamaño de los propios órganos genitales es algo tan preocupante para el hombre (pueden considerarse un "signo de dominio", como las astas de los ciervos) como lo son los pechos y la esbeltez de la figura para la mujer. Sin embargo, por lo que respecta a las proporciones del miembro masculino, no hay por qué preocuparse. El tamaño medio del pene es de unos quince centímetros de longitud cuando se halla en erección y de unos nueve centímetros de circunferencia, pero lo cierto es que los hay de todos los tamaños: los más grandes resultan más espectaculares, pero no más efectivos, excepto como estímulo visual. Los pequeños funcionan igualmente bien en la mayoría de las posiciones. Por lo tanto, la preocupación excesiva por el tamaño del falo constituye una ansiedad irracional aprovechada por los curanderos y fabricantes de chismes inútiles (es imposible aumentar el tamaño del pene, del mismo modo que no puede aumentarse de estatura). Las mujeres debieran aprender a no decir nada a sus amantes sobre su pene, excepto para elogiarlo, con el fin de no crearles complejos de inferioridad que podrían ser duraderos; y los hombres deberían aprender a no pensar en un problema inexistente. Los pocos casos en que el aparato genital masculino es realmente infantil están relacionados con desórdenes glandulares y pueden ser tratados desde un punto de vista médico.

Lo mismo puede decirse del tamaño de la vagina. Ninguna mujer tiene la vagina demasiado pequeña (si se da este caso se debe a la incapacidad de relajarse o a un himen demasiado duro). Hay que recordar que, en su momento, la vagina normal se dilata hasta dar cabida a una criatura a punto de nacer; y que una mujer estrecha da al hombre sensaciones más intensas. Tampoco existe ninguna vagina demasiado grande: en caso de que el pene quede holgado dentro de ella, adóptese una postura en que la mujer pueda apretar los muslos. La anatomía genital propia de cada pareja nos indicará qué posiciones son las mejores para cada una de ellas. Con raras excepciones, los hombres y las mujeres se adaptan a la hora de copular, sean cuales sean sus diferencias físicas.

El tamaño del pene en estado de flaccidez tampoco tiene importancia: hay hombres cuyo pene, antes de la erección, apenas si deja ver su forma fálica, pero que en el momento oportuno se agranda fácilmente hasta adquirir unas proporciones normales. Lo mismo puede decirse del peso de los testículos: varía de uno a otro individuo, como el tamaño de la boca o la nariz, pero tiene poco que ver con sus funciones. Un aparato genital puede parecer pequeño por esconder sus músculos activos bajo una gruesa capa de piel; del mismo modo, el contacto con el agua fría origina en el hombre mejor dotado un pene y unos testículos propios de la más modesta estatua griega. La única excepción de tipo práctico es la de que cuando coincide un pene muy grande con una vagina pequeña, la mujer deberá tener cuidado cuando se coloque encima de su amante: puede correr el peligro de que el falo, por alcanzar en seguida profundidad, choque bruscamente con un ovario (lo que produce la misma sensación dolorosa que experimenta un hombre cuando recibe un golpe en los testículos); en cuanto al hombre, no deberá penetrarla con demasiada violencia hasta que esté seguro de que no podrá lastimar a su compañera. En cuanto al tamaño de otras estructuras, tales como los pechos, su capacidad de excitar al hombre es una cuestión puramente individual; cada cual reacciona a su manera ante tales estímulos: aprovecha aquellos para los que está mejor programado.

Ternura

En realidad, éste es el tema que domina en todo libro. La ternura no excluye los juegos extremadamente violentos (si bien hay quien no los necesita ni los desea), pero excluye, eso sí, la torpeza, el tosco manoseo, la falta de una mutua armonía de sensaciones que permita una buena "realimentación", la malicia y el desprecio. Para apreciar el grado de ternura existente entre dos amantes, basta considerar su manera de tocarse el uno al otro. En la base de la ternura se halla una atención constante a lo que siente el otro miembro de la pareja y un buen conocimiento de cómo aumentar sus sensaciones, aplicado con suavidad o dureza, con rapidez o lentitud, según mejor convenga, lo que sólo se consigue mediante una estrecha comunión mental mutua. Ninguna persona que sienta verdadera ternura por su pareja se vuelve y se pone a dormir inmediatamente después de la cópula. Muchos hombres y mujeres sin experiencia, por no decir la mayoría de ellos, son torpes por naturaleza en éste y otros aspectos de la práctica sexual; la impaciencia, la ansiedad o el mutuo desconocimiento de las sensaciones y sentimientos acaban de completar el cuadro. Por lo general, las mujeres tienen la piel más fina que los hombres. Por esto se aconseja a éstos no "agarrar" los pechos, no introducir violentamente los dedos en la vagina ni manosear a su compañera como si tuviera la piel tan dura como ellos. También hay que poner atención en no dañar el cuerpo de la pareja por mala colocación de cualquiera de las partes huesudas (es una advertencia para ambos sexos). La mayoría de las mujeres responden mejor a los estímulos suaves que a los practicados con rudeza: unas simples caricias en la piel o en el vello púbico suelen dar mejores resultados que un zarpazo de toda la mano. Claro que tampoco hay que tener demasiado miedo al respecto. Al fin y al cabo, nadie está hecho de cristal.

En contraste con la rudeza que muestran muchos hombres, las mujeres no suelen dar la presión necesaria a sus manipulaciones, aunque la suavidad de sus caricias no tiene nada de despreciable en cuanto a la producción de estímulos peculiarmente excitantes. Hay que comenzar

TERNURA
Puede apreciarse en la manera
de tocarse el uno al otro.

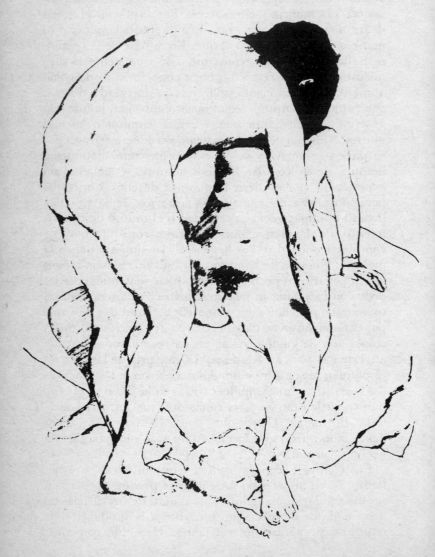

lentamente, haciendo un uso total de la superficie cutánea, y seguir así sin detenerse. La tolerancia a los estímulos aumenta a medida que crece la excitación sexual, incluso hasta el punto en que los golpes fuertes pueden resultar excitantes en vez de desagradables (aunque no para todo el mundo). Esa pérdida del sentido del dolor desaparece casi instantáneamente con el orgasmo. No abuse, pues, de los estímulos dolorosos y muéstrese cariñoso cuando él o ella haya llegado al clímax.

Si pudiéramos enseñar a ser tiernos, este libro podría ser sustituido por la intuición casi en su totalidad. Si sus manos se comportan realmente con dureza, le recomendamos lo que sugiere sobre el particular un libro recientemente aparecido: practicar con superficies inanimadas, abrochar y desabrochar vestidos, etc. El vigor masculino es un importante estímulo sexual, pero no debe expresarse con torpes manoseos, abrazos de oso y otras demostraciones de fuerza bruta. Si se presenta algún problema al respecto, es mejor que hablen de él sensatamente para dar con la solución más conveniente. A muy pocas personas les gusta estar en la cama con alguien básicamente desprovisto de ternura, pero casi a todas les encanta meterse en la cama con el compañero o compañera adecuado a su comportamiento sexual y que, además, se comporte en todo momento con ternura.

Variedad

Hay que planear bien los menús. A nadie le gusta consumir siete platos en cada comida. Por lo menos un setenta y cinco por ciento de la sexualidad que podríamos llamar gratificante consiste en la cópula llevada a cabo sin artificios mientras se permanece en la cama, ya sea por la noche después de acostarse o a primera hora de la mañana. Para sesiones más largas, hay que estar descansado: son adecuados los fines de semana, los días festivos... y cuando lo pidan los impulsos en ocasiones especiales. Si ustedes dos toman la determinación de que con el tiempo lo probarán todo y practicarán la sexualidad en todas partes, siempre surgirán ocasiones para ello: cuando ven que se presenta una oportunidad para gozar, o sepan que se presentará, hagan planes con la ayuda del libro si así lo desean, pero no esperen que todo se desarrolle según lo previsto. No obstante, bueno es, de vez en cuando, atenerse a un programa proyectado de antemano: será la manera de no perderse nuevas experiencias. La mayoría de las parejas descartarán quizás una tercera parte de las sugerencias del libro al comprobar que no les estimulan, mientras que, en cambio, se dirán señalando especialmente tres o cuatro de ellas: "Debemos probar eso".

Se aconseja empezar siempre con la sexualidad vaginal, para pasar después al trabajo manual y bucal en busca de una nueva erección, y, para terminar, quizá pueda conseguirse todavía un orgasmo con una automasturbación simultánea en presencia el uno del otro. Las sesiones prolongadas que incluyen fantasías, artificios complicados y nuevas experiencias estimulantes dan mejor resultado si se practican cuando la pareja acaba de despertar de un largo sueño reparador. Lo mismo puede decirse de las posiciones que requieran una poderosa erección. A diferencia de los hombres, una mujer no cansada y con una buena capacidad de respuesta a los estímulos es capaz de obtener orgasmos de muy distintas fuentes y en cualquier orden, a no ser que pertenezca al tipo de las que únicamente gozan con un solo orgasmo abrumador: en tal caso, déjese el clímax para el final. (Véase *Repetición*.) Variar las horas del día en que se practica la sexualidad es algo que vale la pena intentar, pero eso depende de los compromisos que ustedes tengan y del grado de intimidad y despreocupación por otros asuntos que puedan lograr en casa o en cualquier otro lugar elegido. De todos modos, siempre que ambos coincidan en el deseo de hacer el amor, déjense de horarios y obedezcan inmediatamente a sus impulsos, a menos que quieran "reservarse" por alguna razón determinada. Pensar en el sexo y hacer planes sobre el mismo forma parte del amor, del mismo modo que lo es yacer después juntos plenamente entregados a la lujuria.

Vello púbico

Puede afeitarse si así se prefiere: a nosotros no nos gusta, pero a algunos sí. Si lo hacen ustedes alguna vez, tendrán que acostumbrarse a un cierto picor mientras les vuelve a crecer. Algunas personas deciden afeitarse el vello púbico para conseguir la más absoluta desnudez o por preferir el simple atractivo de un pubis liso; la mayoría, porque lo encuentran "decorativo". Para muchos amantes, el vello púbico es un recurso sexual. Se lo cepillan suavemente y aprenden a acariciar con él. Puede ser peinado, retorcido, besado y "descabellado"; incluso se puede tirar de él. En la mujer, hábilmente manipulado, puede llevar al orgasmo. Es mejor no afeitar el pubis femenino; vale más recortarlo dejando un triángulo en el centro del pubis con una franja afeitada a cada lado, con lo que se obtendrá un aspecto verdaderamente juvenil; también puede recortarse todo el vello que un *Eslip indiscreto* (véase) deje a la vista a ambos lados de la vulva. No es aconsejable teñirlo para que haga juego con el pelo de la cabeza —nunca se consigue la perfección—, y menos aún decolorarlo. Lo que se dice en la película *MASH* no es cierto: nunca se puede saber si una rubia es natural por el color de su vello púbico. Éste suele tener un tono más oscuro que el pelo de la cabeza; las mujeres de cabellos negros pueden tener el vello púbico casi azul. Los hombres pueden afeitárselo si ése es su gusto o el de su compañera, pero hay que tener en cuenta que es muy difícil afeitarse el escroto. No conviene aplicarse productos depilatorios cerca del aparato genital: pueden causar escoceduras. Puede ser necesario el afeitado de la base del falo y la parte velluda del mismo si se usan preservativos

VELLO PÚBICO
No es aconsejable teñirlo
para que haga juego con el
pelo de la cabeza. Nunca se
consigue la perfección.

con frecuencia, pues casi siempre quedan prendidos
algunos pelos en la boca de la goma —con los consiguientes
tirones— al volver a enrollarse parcialmente sobre sí
misma.

Vestimenta

El hecho de que actualmente la mayoría de la gente haga
el amor desnuda y muchos amantes duerman desnudos se

debe en parte a la superación del antiguo espíritu puritano. De nada servirían los vestidos si, en un momento u otro, no acabáramos por quitárnoslos: una sesión de amor sexual puede muy bien empezar desvistiéndose mutuamente o desnudándose uno de los dos componentes de la pareja para excitar al otro. Ciertas revistas femeninas y algunos libros dedicados a la mujer presentan, con profusión de ilustraciones, el equivalente de verdaderos cursos de estriptís destinados al estímulo sexual del hombre, pero proceder de esa manera con las ropas ha llegado a convertirse en una rutina convencional. Para empezar, no debe ser necesariamente la mujer quien se desnude de esa manera. Debiera ser cada miembro de la pareja quien quitase las ropas a su compañero de sexo contrario sin torpeza ni falsa modestia, preferiblemente con una sola mano.

La forma de llevar las ropas y la manera de quitárselas ponen en marcha, hablando seriamente, todo un proceso biológico que comienza al actuar aquéllas como "estimulantes" o "detonantes" de la excitación sexual. Los "estimulantes" son, para el hombre, las prendas que ponen de relieve los pechos, que realzan las nalgas o que, como las bragas o pantalones cortos ajustados, "destacan la silueta" de la mujer. Las mujeres no dependen tanto de este tipo de estímulos —el hombre adecuado para cada una de ellas es su principal liberador, tanto desde el punto de vista social como emocional—, aunque muchas muestran determinadas preferencias al respecto. Un suspensorio bien lleno o un hombre desnudo de la cintura para abajo pueden formar parte de los preliminares de una sesión sexual, aparte de que la desnudez en la cama o por la casa no merma estas reacciones naturales. Dejando esto de lado, algunas personas reaccionan fuertemente a ciertas situaciones íntimas relacionadas con la vestimenta (por lo general se trata de hombres y sólo ocasionalmente de mujeres). Podría decirse que ahí está la base de muchas modas estrafalarias. Lo que da pleno resultado en un individuo es siempre algo muy personal; en tal caso, esa persona suele conocer su propios gustos y pide lo que pueda satisfacerlos. Estos estimulantes actúan exactamente como los cebos artificiales que se usan por ejemplo en la pesca del salmón. Unas cuantas plumas atadas juntas no se parecen en absoluto a nada que suela comer el salmón (ni lo alimentan en modo alguno cuando se traga las que le echa el pescador como cebo), pero constituyen una serie de estímulos combinados que excitan en él la curiosidad y la agresión, y que le provocan suficiente cantidad de "emociones" propias de los peces para que acabe mordiendo las plumas y el anzuelo. Los estimulantes humanos ofrecen la misma complicación. No se sabe cómo llegan a programarse en un determinado individuo, pero un buen grupo de ellos son identificables, como lo son los diferentes tipos y colores que forman el pequeño haz de plumas destinado a atraer al salmón. La buena calidad de la piel es uno de esos componentes estimulantes —su tirantez, su brillo y su textura tienen gran importancia—, como también lo son unos buenos órganos genitales —un pubis firme, una entrepierna bien delineada, abundante vello púbico—, un aspecto suavemente amenazador —ropas negras o de cuero y signos de sadismo en la expresión—, la sumisión —la mujer atada o con ajorcas de esclava, así como la sugerencia de los órganos genitales en todas partes—, unos labios rojos, el énfasis en los pies, que "tienen cierta simetría subyugante", el brillo y el tintineo metálicos —procedentes de los pendientes, pulseras y cadenas—, los máximos signos de feminidad —cintura estrecha, pechos prominentes, grandes nalgas y pelo largo—, y así sucesivamente. A los humanos les encanta alterar la imagen del cuerpo y jugar con él.

Otros estímulos tienen que ver con las texturas: la humedad de las superficies, las pieles de abrigo, la goma, el plástico o el cuero. La mayoría de los hombres —y también las mujeres, aunque menos— responden levemente a ellas, lo que da origen a otra de las bases de la moda

VESTIMENTA
Si hay algún estímulo físico al que su compañero responda de modo especial, cuanto más hábilmente lo use usted, mayor será el amor que él le demostrará.

sexual. Ciertas personas, en cambio, responden tan intensamente a algunos de esos estímulos que sin ellos no pueden alcanzar la plenitud de la función sexual, pero la preferencia por unos u otros excitantes de esa serie es algo altamente personal, mucho más personal que los gustos por determinadas comidas. Por lo tanto, para poner el cebo adecuado en el anzuelo hay que saber a qué salmón va destinado. Cada uno de estos señuelos tiene, por lo menos, tres niveles. El cuero negro, ajustado y brillante es como una sobrepiel con aroma femenino, y también sugiere la aceptación de la agresión en la sexualidad. Las tiras estrechas y ajustadas del "eslip indiscreto" (*G-string*) esconden la vagina, pero la hacen destacar y retienen su perfume, permitiendo asimismo los besos a través de la fina tela. Además, la mujer así "vestida" da la impresión de ser una chica maliciosa y sexy muy alejada de la imagen casta y bondadosa propia de una hermana. El corsé da forma de reloj de arena a las mujeres que se lo ponen y sugiere tensión a la vez que desamparo. Y así sucesivamente. Un caballo, visto desde atrás, es por así decirlo un estimulante del hombre a causa del pelo largo de la cola del animal, sus grandes ancas y su andar contoneante. En cambio la vaca no lo es.

Las prostitutas, que conocen esta biología elemental, hacen uso de esa vestimenta y de esos señuelos para cazar los peces que se sientan atraídos por ellos. Las mujeres enamoradas, aunque a veces se pongan casualmente alguna de esas prendas excitantes, les tienen un poco de miedo por considerarlas más bien cosas de chiflados y, sobre todo, porque les dan la sensación de que "él ama mis guantes o mis prendas interiores negras en vez de amarme a mí". Ésa es la manera menos adecuada de afrontar el problema. Cuando su compañero, querida lectora, se siente físicamente excitado en su presencia, esta reacción no tiene nada que ver con la valoración que él haya hecho de usted, y cuanta más habilidad demuestre usted en el uso de los señuelos citados, más la querrá él. La respuesta a determinados estímulos es algo que no puede elegirse. Si él reacciona ante uno o varios de los que usted emplee para provocarlo, recuerde cuáles son para echar el cebo adecuado a su pez favorito y pescarlo siempre que se lo proponga. Si a él le gusta el pelo largo, déjeselo crecer, del mismo modo que puede teñirse de rubio o intentar ser más delgada si esas cosas lo atraen. No puede usted convertirse a voluntad en una mujer alta o hermosa (suponiendo que

VESTIMENTA
Si a su compañero le gusta que tome usted la apariencia de algo así como un cruce de víbora y foca, póngase lo que él le dé. Si usted desea verle adquirir algún aspecto especial, no deje que lo ignore.

ya no lo sea). Sin embargo, si él tiene alguna preferencia que esté al alcance de usted, no se detenga ante nada ni ante nadie para ofrecérsela. Porque a usted y sólo a usted le corresponde darle a entender que conoce sus deseos y que desea satisfacerlos. Si usted también reacciona a estímulos especiales, dígaselo y sírvase de ellos.

Por lo general, puede emplearse el mismo procedimiento en lo tocante a fantasías sexuales (si es usted tímida —o tímido— procure comunicar a su pareja las que prefiere mediante el juego de las asociaciones libres cuando él se halle en el momento de máxima excitación sexual). Los amantes verdaderamente compenetrados buscan esos caprichos y los ponen en el menú sin avisar: no hay otro ejemplo de comunicación más completa. Si una cualquiera de esas fantasías no estimula por igual a los dos participantes en ellas, la respuesta del amante más excitado lo conseguirá. Las fantasías, con todo lo que tienen generalmente de infantiles, fetichistas y desbocadas, forman parte del amor, y sólo se convierten en un problema cuando requieren demasiado tiempo y comienzan a deteriorar la plena reciprocidad de la práctica sexual (véase *Fetiches*). No obstante, son pocas las personas que experimentan este inconveniente, por lo que la mayoría, sin distinción de sexos, se entregan a tales fantasías. Por extravagantes que sean, casi siempre resultan gratificantes; mucho más que una corbata o unos bombones como regalo de cumpleaños. La gente, por timidez, no suele mostrarse todavía muy dispuesta a revelar con franqueza las intimidades de su mente. Si su pareja parece preocupada y no se atreve a manifestar nada sobre el particular, pídale —ya se trate de él o de ella— que le dé, cuando vayan a hacer el amor, lo que más le gustaría verle puesto, y usted póngaselo. Si no son ustedes capaces de compartir estos juegos de niños tan esenciales o de confesarse mutuamente sus deseos respecto a tales estímulos por temor a la reacción de quien los escuche, lo más acertado será que dejen de meterse juntos en la cama. Es la falta de comunicación y no la fantasía humana normal lo que aboca a muchos matrimonios a los juicios de divorcio por incompatibilidad de caracteres.

Por lo tanto, amiga lectora, si a su compañero le gusta que tome usted la apariencia de algo así como un cruce de víbora y foca, póngase lo que él le dé. Y si usted desea verle adquirir algún aspecto especial, no deje que lo ignore. A algunas mujeres les preocupa que a su compañero le guste vestirse a veces con las ropas de ellas por creer que indica falta de virilidad (el hecho contrario, es decir, que la mujer desee ponerse las ropas del hombre, no origina tanta ansiedad). Pero lo cierto es que todos llevamos dentro una persona del sexo opuesto. La reina Onfalia vistió a Hércules con sus ropas de mujer, y no era precisamente virilidad lo que le faltaba al héroe. En otras culturas, ese cambio de vestidos es un juego o ceremonia común. Nosotros aceptamos la sexualidad como un placer y estamos empezando a aceptarla como un juego. Necesitamos, además, considerarla como una ceremonia, como necesitamos admitir que todos somos bisexuales y que la sexualidad incluye la fantasía, la imagen de sí mismo, el psicodrama y muchas otras cosas que nuestra sociedad todavía encuentra preocupantes. La cama es el lugar donde puede darse rienda suelta a todas esas emociones y representaciones, lo cual constituye uno de los objetivos de la sexualidad.

Preferencias especiales aparte, vale la pena saber al menos lo imprescindible sobre los estímulos más corrientes porque, para la mayoría de las parejas, tienen gran valor como sorpresas que añadir de vez en cuando al programa de una sesión sexual. Si alguno de estos elementos excitantes no da resultado, bastará con no volverlo a usar; además, las ropas son fáciles de quitar.

Los fabricantes de ropa interior femenina ofrecen los más variados ajuares para la luna de miel, pero no parecen ser capaces de producir un "eslip indiscreto" verdaderamente sexy. Esa prenda debe cubrir toda la vulva y el vello púbico, pero sólo eso, y de manera muy ajustada. Es

necesario que se abra o desabroche por ambos lados con corchetes o, mejor, con cintas anudables, con el fin de que la mujer pueda quitárselo sin molestias para su compañero cuando se halle a horcajadas encima o debajo de él. La "hoja" tradicional que llevan las prostitutas japonesas está hecha de seda, no de nailon, porque la seda retiene mejor el perfume íntimo femenino. (Véase *Eslip indiscreto*.) No es una prenda para ser llevada debajo de la ropa de calle: el primer beso genital se da, y se recibe, a través de ese leve cubresexo. Después, una puede sorprender a su pareja desatándoselo por la parte central contra la nariz y la boca. Los hombres están mejor provistos, a este respecto, con lo que en Europa se llama "taparrabos para posar": los llevan los presuntos hombres fuertes que se exhiben casi desnudos en las fotografías que publican ciertas revistas. Pueden usarse del mismo modo que las mujeres emplean el "eslip indiscreto". Ese par de prendas mínimas son las ropas ideales para dormir, suponiendo que les guste a ustedes dormir con algo puesto.

Virginidad

Hay que tener un poco de respeto a la virginidad. La "primera vez" es algo que, por lo general, no le importa más a la mujer que al hombre, pero tiene una importancia distinta para cada miembro de la pareja. Quien se mete en la cama con una muchacha virgen sólo después de unas horas o minutos de haberla conocido, va demasiado aprisa, tanto para él como para ella. Para empezar, es muy probable que la chica no haya tomado precauciones anticonceptivas. En tales circunstancias, es mejor no pasar de juegos sexuales que no incluyan el coito hasta que ambos sepan bien lo que van a hacer. El que se propone batir récords de desfloración se comporta como un irresponsable. En cualquier caso, obre usted con lentitud y suavidad, pues lo más probable es que la chica esté tensa y nerviosa, aunque no lo parezca.

Las muchachas vírgenes deberán siempre advertir a su pareja que lo son (es algo de lo que uno no puede asegurarse por sí mismo como no sea mediante un examen directo), y el hombre enamorado, o simplemente correcto, se lo preguntará. Dicho sea de paso, los hombres no suelen confesar que son vírgenes. Por experimentado que un hombre parezca, no estará de más que la mujer que vaya a copular con él considere la posibilidad de que sea la primera vez que él lo hace y de que su compañero pueda necesitar ayuda. Cualquier crítica o demostración de desengaño por parte de un miembro de la pareja relacionadas con la inexperiencia del otro podría resultar hiriente y perjudicial para el otro. En el caso de que los dos sean vírgenes, deberá partirse de cero. En tales circunstancias, el mejor consejo es el de no apresurarse demasiado.

Vulva

"La parte más femenina de tu persona", según dice un anuncio comercial de cierto producto, es también la más mágica —tanto como el falo—, y para los niños, la gente primitiva y los hombres en general, un tanto intimidante: parece la herida de una castración y sangra periódicamente, se traga el pene erecto y combativo y lo devuelve fláccido y derrotado, y quizá no nos extrañaría constatar que alguna vez hasta muerde. Por fortuna, pocas de esas ansiedades, biológicamente programadas, subsisten durante las relaciones íntimas, pero son el origen de muchos comportamientos anormales en el hombre, incluida la homosexualidad. Los primitivos y los mojigatos la tratan como si fuese radiactiva. "Toda la magia posible —decía un hechicero papú— irradía de ella como los dedos lo hacen de la mano." Precisamente son muchas las críticas y humillaciones de que ha sido víctima la mujer a lo largo de la historia cuyo origen puede atribuirse a ese rompecabezas freudiano.

Todas las partes de la vulva son sensitivas. El hombre, fálicamente mentalizado, tiende a dar en este sentido gran importancia al clítoris. Si los amantes aprendieran pronto a automasturbarse el uno en presencia del otro, no tardarían en advertir que pocas son las mujeres que dan, por lo menos al principio, una importancia primordial al clítoris. Las diferencias de longitud de los labios de la vulva, así como el tamaño y la estrechez de la abertura de la misma, no tienen mucha importancia en la práctica sexual. Mayor la tiene, en cambio, la posición de la vulva respecto a la del hueso púbico masculino: algunos amantes, debido a la falta de coincidencia del nivel de dichas partes, sólo consiguen juntarlas en una o dos posturas, aunque por lo general la tensión producida por el movimiento y por la presión sobre los labios a causa de tales diferencias compensa, con un mayor goce de los inconvenientes que éstas puedan suponer. La vulva siempre tiene que estar húmeda, aunque sea poco (de lo contrario, las mujeres "crujirían" al andar). Por supuesto, esa humedad se hace más o menos copiosa con la excitación sexual. Cualquier excreción de la vagina que cause manchas o que sea maloliente denota una infección (generalmente causada

VULVA
Tan mágica como el pene, es un tanto intimidante para los niños, la gente primitiva y los hombres en general.

VULVA
Los amantes debieran
aprender pronto a
automasturbarse el uno en
presencia del otro.

por fermentos) que debe recibir el tratamiento adecuado. El olor normal de la vulva difiere mucho según la mujer y la ocasión, pero debe ser siempre agradable y sexualmente excitante.

Tanto si un amante ha tenido ocasión de explorar minuciosamente una vulva de mujer como si no la ha visto ni de lejos, su compañera deberá hacer lo posible para que él explore la suya y aprenda a besarla: la mujer tiene dos bocas frente a la única que posee el hombre.

Para el cuidado y mantenimiento de esa segunda boca, véase *Bidet, Cassolette* y *Menstruación*. Como norma general, es aconsejable no limitarse al chorro de agua a presión cuando se trate de la limpieza de la vulva. Es siempre mejor un buen lavado.

Jugar al escondite con el triángulo púbico de la mujer es una de las diversiones humanas más antiguas. (Véase *Vestimenta* y *Cinturón de castidad*.) Cultívese el uso del práctico y provocativo "eslip indiscreto".

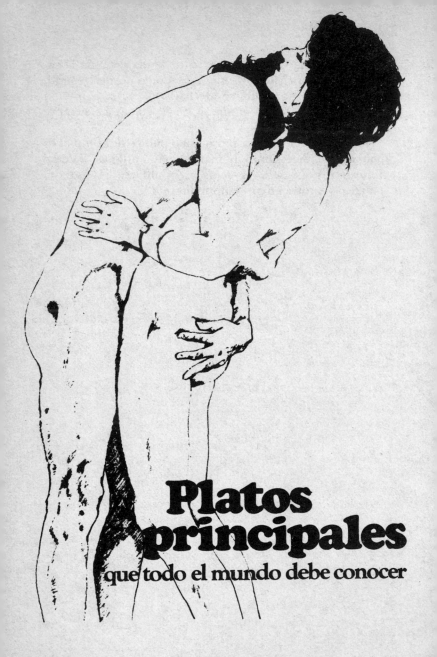

Platos principales
que todo el mundo debe conocer

Alimentos

La cena es un preludio tradicional de la sexualidad. En otros tiempos, especialmente en los restaurantes de Francia y Austria, se podía disponer de reservados que sólo se abrían desde el interior. Hay también un dicho francés, relacionado con el tema, según el cual el amor y la digestión se acostaron juntos y engendraron la apoplejía. Esto no es del todo cierto. Por otra parte, el momento ideal para hacer el amor no es precisamente después de una comida abundante: el miembro de la pareja que se ponga debajo, sobre todo si es la mujer, puede indisponerse.

Una comida puede ser una experiencia erótica por sí misma. Para una demostración de cómo una mujer puede excitar a un hombre comiéndose un muslo de pollo o una pera "para" él al estilo caníbal, véase la deliciosa y divertida escena de la película *Tom Jones* en que tal acto tiene lugar. Una comida *à deux* es, sin lugar a dudas, uno de los caminos que más directamente conducen al juego amoroso (véase *Dedo gordo* y *Control a distancia*), pero no debe abusarse del alcohol, y hay que concederse mutuamente unos minutos antes de levantarse de la mesa. El amor y la comida casaban bien en tiempos romanos y griegos, cuando las parejas se reclinaban juntas en un triclinio o se daban de comer el uno al otro (las geishas aún practican esta costumbre). Hay personas que gozan con los juegos sexuales en que intervienen los alimentos (natillas o helado sobre la piel, uvas en la vagina y otras cosas semejantes), prácticas que pueden ser estupendas para quien padece oralidad regresiva, pero que resultan un tanto complicadas en un ambiente matrimonial corriente. No son pocos los amantes que, gozando de suficiente intimidad y de una total ausencia de testigos, eligen ese punto de partida para seguir adelante según sus gustos preferidos.

La historia está llena de alimentos "afrodisíacos". Los hay "simbólicos" (las raíces de cardo corredor, que tienen

111

el aspecto de testículos, los fálicos espárragos y así por el estilo), olfativos (el pescado, los tomates recién arrancados de la planta, de olor excitantemente sexual), y otros que poseen ambas cualidades. Aún no ha podido probarse que las cebollas, las anguilas —fálicas o no—, las raíces de ginseng y otros productos den el mismo resultado con todo el mundo. El problema está en que cualquier *famoso* afrodisíaco funciona cuando uno está convencido de que funcionará, mientras que muchas reacciones auténticas de tipo farmacológico pueden no surtir efecto en determinados individuos por diversos motivos. Las habas tienen fama de afrodisíacas (no sólo parecen testículos por su forma, sino que contienen dopamina). Hombres y mujeres respondemos tan rápida y fácilmente a los mutuos estímulos, que cualquier efecto de esta clase es difícil de medir personalmente. Hay aceites esenciales que irritan un poco la vejiga y que por ello pueden excitar a algunas mujeres (pruébese con una buena dosis de Chartreuse verde). Los picantes, que provocan rubicundez en la piel, son también otra línea de ataque fisiológico digna de tener en cuenta. Pero no hay ningún afrodisíaco que pueda considerarse como un verdadero "salvavidas" o que pueda alcanzar los efectos combinados de "la persona, el momento y el lugar apropiados". Sin embargo, cada cual puede probar todos los medios hasta dar con el que le resulte más adecuado. Sólo la comida demasiado abundante y el exceso de bebida son poco recomendables por sus efectos reductores del vigor sexual.

Baño y ducha

Venero natural para aventuras sexuales: lavarse juntos, hacer el amor juntos en el baño. Es, además, el único lugar de la mayoría de apartamentos o habitaciones de hotel donde pueden atarse las manos de cualquiera de los componentes de la pareja. Se trata, naturalmente, del caño de la ducha. Con todo, procúrese no tirar demasiado de él, pues esa clase de instalaciones no pueden soportar mucho peso. (Véase *Flagelación*.)

Baño de lengua

Recórrase, si a la pareja le gusta, cada centímetro cuadrado del cuerpo de él o de ella con lentos y largos lametazos. Empiécese por detrás y sígase por la parte delantera, de modo que ambos queden en una posición apropiada para pasar al coito o al trabajo bucal y manual. Cuando sea la mujer quien haga ese recorrido lingual, deberá completarlo acariciando sistemáticamente toda la superficie del cuerpo del hombre con lentos y suaves golpes de su vulva abierta. Puede procederse del mismo modo en zonas más reducidas del cuerpo a elección de los amantes.

Besos

A cierto nivel, nadie necesita que le enseñen a besar, pero es fácil que las ansias de penetración les hagan olvidar este importante preliminar. (Véase *Sexualidad "verdadera"*.) Los besos de labios y de lengua añaden inmenso placer en todas las posiciones copulatorias frontales: los besos en los senos son esenciales si la mujer no quiere perderse una importante gama de sensaciones; los besos genitales (véase *Música bucal*) son por sí mismos un tierno recurso del placer sexual. Cualquier parte del cuerpo humano puede recibir besos; pueden darse con los labios, la lengua, el pene, los labios vaginales o las pestañas. Los besos bucales van desde un simple contacto de labios hasta el beso *à la cannibale* con magulladuras.

Son muchas las personas que mantienen un continuo contacto bucal durante la cópula y que prefieren las posiciones frontales por este motivo. El beso lingual

BESOS
Ofrezca a la mujer una
alfombra de flores cubriendo
cada centímetro de su cuerpo
con besos ligeros y cariñosos.

profundo puede equivaler a una segunda penetración, en que la lengua del hombre imite exactamente el ritmo de lo que está sucediendo en otro lugar, o puede ser ella quien con sus juegos de lengua lleve el ritmo de la cópula. Incluso sin llegar a la penetración propiamente dicha, algunas personas se entregan con sumo placer a una batalla lingual que puede durar minutos u horas. Este intenso estímulo sexual, capaz de provocar varios orgasmos a la mujer, se llama *maraichignage*. Si la pareja se halla en un lugar suficientemente aislado, lo más aconsejable es que el hombre desplace su atención a los pechos y siga adelante a partir de ellos. Otra sensación placentera es la de ofrecer a la mujer algo parecido a una alfombra de flores cubriendo cada centímetro de su cuerpo con besos pequeños y cariñosos. Después de esto, es poco lo que debe variarse para hacer lo mismo con la punta de la lengua (véase *Baño de lengua*). Además, las mujeres, a diferencia de los hombres, tienen dos bocas con que besar, y algunas de ellas las usan maravillosamente. Los párpados también pueden emplearse para besar los pezones, los labios, el glande y la piel.

Hasta que no haya besado a su pareja la boca, los hombros, el cuello, los pechos, las axilas, los dedos de las manos, las palmas, los dedos de los pies y las plantas de los mismos, el ombligo, el sexo y los lóbulos de las orejas no podrá decirse que la ha besado usted: es una manera fácil y agradable de llenar los vacíos que conducen a una fusión completa y constituye a la vez un cumplido conmovedor.

Un buen beso bucal debe dejar sin aliento a quien lo recibe, pero no asfixiarlo (hay que dejar un respiradero abierto), y debe tenerse también presente que a nadie le gusta que le aplasten la nariz. Límpiese bien los dientes antes de hacer el amor, especialmente si estuvo bebiendo whisky o comiendo ajos.

Bidet

Fue un adminículo muy necesario en los tiempos en que el lavado de la vagina inmediatamente después del coito era lo único que podía hacerse con intenciones anticonceptivas, pero la píldora ha cambiado las cosas. El bidet puede ser útil para lavarse después de una cópula anal o para limpiarse los pies, y es menos complicado que darse una ducha, aunque una mujer tiene mejor aspecto bajo la ducha que sentada en un bidet como una gallina ponedora. El uso indiscriminado del bidet para lavarse la vagina no se considera médicamente acertado: ésta se limpia por sí misma, y el agua no hace sino alterar su higiene natural. Resérvese el agua a presión y el bidet para la limpieza a fondo después de los períodos menstruales.

Cassolette

Es una palabra francesa que significa "cazoleta de perfume". Se usa aquí para denominar el perfume de una mujer limpia: su mayor atractivo después de su belleza (algunos dicen el mayor que posee). Esa emanación procede de la totalidad de la mujer: de su pelo, de su piel, de sus senos, de sus axilas, de su sexo y de las ropas que ha llevado: su matiz depende del color de su pelo, aunque no hay dos mujeres que huelan igual. Los hombres también poseen su perfume natural, que, naturalmente, no dejan de notar las mujeres, pero mientras que un hombre puede sentirse fascinado por el perfume de una mujer, las mujeres, por regla general, sólo suelen notar si un hombre huele bien o huele mal. Mal no significa siempre desagradable para ellas. En la mayoría de los casos se refieren así a un olor que desentona con su sensibilidad. A menudo, su conciencia de la masculinidad a través del olfato incluye olores condicionados como el del tabaco.

Por la importancia que tiene el perfume personal, toda

mujer debe conservarlo tan cuidadosamente como su aspecto externo, y aprender a usarlo en el galanteo y en el acto sexual con la misma habilidad con que utiliza el resto de sus atractivos corporales. El fumar no ayuda precisamente a quien persigue estos fines. Dicho perfume puede ser un arma de gran alcance (nada seduce con mayor eficacia, una eficacia que puede ejercerse subliminalmente, es decir, sin que el hombre la advierta), pero también puede ser algo que un hombre experimentado detectará si pertenece al tipo olfatorio. Así, si conoce a su pareja, podrá advertir siempre si está o no excitada. La sensibilidad ante los perfumes limpios humanos y la conciencia que se tenga de ellos varían en los dos sexos. No se sabe si esas diferencias son innatas, como, por ejemplo, la incapacidad de oler el cianuro, o si se deben a algún bloqueo mental inconsciente. Algunos niños pueden saber por el olfato quién los está tocando, y algunas mujeres pueden saber que están embarazadas valiéndose sólo de este sentido. En cambio, los hombres no notan el olor de algunos derivados químicos del almizcle si no hay en su sangre una dosis adecuada de hormonas femeninas. Es probable que haya aquí todo un mecanismo de señales biológicas que sólo ahora comenzamos a descifrar. Hay muchas más antipatías y amores basados en el olor de los que admite nuestra cultura llena de desodorantes y lociones para después del afeitado. Muchas personas, especialmente mujeres, dicen que ante el dilema de acostarse o no con un hombre dejan que el olfato las guíe.

Las mujeres tienen un sentido del olfato más desarrollado, pero los hombres son más sensibles a la atracción de los olores. Durante la cópula, los matices del olor que desprenden el cuerpo y el sexo femeninos varían según los distintos momentos de la misma. Al llegar el orgasmo, el olor seminal aparece en el aliento femenino, lo que constituye para el hombre un estimulante para volver a empezar.

En algunas tribus salvajes, todavía se cercena el clítoris a

CASSOLETTE
Hay muchas más
antipatías y amores
basados en el olor de los
que admite nuestra
cultura llena de
desodorantes y lociones
para después del afeitado.

las mujeres. Se dice que las propias mujeres son quienes
insisten más en la necesidad de que se mutile así a sus hijas.
Las nuestras no van tan lejos, pero se han venido depilando
las axilas hasta que una nueva generación se ha dado
cuenta de que el vello axilar es sexy. Tal depilación sería
perdonable en un clima cálido y en un lugar que careciese

de instalaciones de suministro de agua. Llevarla a la práctica hoy día sólo constituye un acto de ignorante vandalismo. Algunas de las mujeres más hermosas aún siguen esa costumbre, e incluso las más atractivas desde el punto de vista sexual merman sus posibilidades amorosas por culpa de tan arraigada moda. No tenemos nada en contra de los marinos barbudos y otros ostentadores de pilosidades faciales, pero hemos de decir que todo ese pelo no tiene la importancia de las pequeñas matas de vello axilar femenino. Son las pequeñas antenas que usa la mujer, tanto para entrar en una habitación como para orientarse durante el acto sexual. Sirven, además, para pasarlas por los labios masculinos; el hombre puede hacer lo mismo que su compañera, aunque de manera más circunspecta. Un profundo beso en la axila del amante impregna a quien lo da con el perfume de su pareja. Cuando se trate del beso genital, empiécese con los labios escondidos, después sígase la caricia con los labios cerrados y ábrase entonces a la mujer. Cuando ella dé esa clase de beso a un hombre, deberá proceder del mismo modo. Es el medio más seguro de ser plenamente consciente de la presencia de la mujer, aun antes de empezar a tocarla.

Croupade

Así se llama cualquier posición en que el hombre penetre a la mujer por detrás, es decir, todas las posturas de penetración trasera, excepto aquellas en que ella coloca una pierna entre las de él o se apoya en un costado (véase *Cuissade*).

Cuissade

Es el nombre que se da a las posturas de "media penetración" trasera, en las que la mujer permanece

vuelta de espaldas al hombre y éste la penetra por detrás, con una de las piernas de ella entre las de él y la otra más o menos encogida. En algunas versiones de esta posición, la mujer yace de costado, de espaldas al hombre.

Equipo

Un profesor de gimnasia austríaco, el profesor Van Weck Erlen, escribió un libro en el que, junto con quinientas posturas cuya práctica exigía grandes esfuerzos, daba las instrucciones y consejos necesarios para la instalación de

121

un "sexuarium" que comprendía una estera para gimnasia y trapecios. Eran indudablemente necesarios para la clase de práctica sexual que él aconsejaba. La sola idea de un "sexuarium" provisto de espejos, luz roja y decorados negros es algo que excita a muchas personas. Hay todavía en Beverly Hills algunos palacios en los que puede verse un "sexuarium" de esa clase. Sin tantos lujos, se puede instalar algo semejante en la propia casa. Nuestras preferencias al respecto se inclinan por el dormitorio, sin que eso deba resultar embarazoso para nadie.

Ya hemos hablado de las camas. La idea de contar con una estera de gimnasia no está nada mal: una alfombra verdaderamente gruesa (o un trozo de alfombra si no puede usted permitirse cubrir con ella toda la habitación) es igualmente útil si ofrece espacio suficiente para rodar de un lado a otro. Algunas personas prefieren taburetes o banquetas para las posiciones en que uno debe inclinarse sobre el otro, tanto de frente como por detrás. Puesto que una banqueta es siempre necesaria en un dormitorio, bastará con elegir la de altura más apropiada. Un montón de almohadones ayudarán a la diversificación de posturas. En la cama se emplearán dos almohadas duras. Los almohadones sólo se usarán en el suelo. Si le gustan a usted los espejos, colóquelos en la parte interior de las puertas de los armarios, o téngalos vueltos de cara a la pared, de modo que su dorso muestre alguna decoración casta. Los mejores sillones para la cópula son los de respaldo recto, que no tienen brazos y están completamente tapizados. Si uno de los miembros de la pareja quiere atar al otro en ese tipo de sillón, compruébese si su tamaño y forma es el adecuado para las posturas que deseen poner en práctica. Si lo único que se proponen es el acoplamiento normal, será mejor que el tapizado sea total y blando. Tampoco deberán descartar el uso de sillones diferentes para emplearlos en las distintas posiciones que tengan previstas. Los espejos en el techo son muy divertidos, pero caros y no sirven de gran cosa. Necesitarán también un cuarto de baño con ducha junto a la habitación. Por lo general, los muebles e instalaciones de los dormitorios de los moteles son excelentes para todas estas cosas, con la excepción de que los sillones que hay en ellos no sirven para el coito.

Es natural que la idea de montar un lugar de fantasía para experiencias fantásticas entusiasme a más de uno. Sin embargo, no queremos dar aquí la impresión de que todo

EQUIPO
No necesitan ustedes nada especial
para disfrutar de la sexualidad en
grado superlativo si se hallan con
la persona adecuada y adoptan la
actitud más apropiada para cada
situación.

eso es imprescindible, del mismo modo que no es
imprescindible una cocina de ensueño para convertirse en
un chef de primera categoría. En realidad, es poco lo que
necesitan ustedes: aislamiento, temperatura adecuada, un
sitio donde lavarse, una cama, una o dos superficies de
muebles, unos órganos genitales que funcionen, amor e
imaginación.

Si desean otras cosas, todo dependerá de lo que quieran hacer. Los aficionados a las posiciones acrobáticas suelen tener taburetes con escalones (fijados en el suelo para que no sean peligrosos), e incluso pequeñas escaleras de mano. Otras personas prefieren las mecedoras. Los burdeles de otros tiempos siempre estaban dispuestos a improvisar cualquier *mise en scène*, pero éstas eran sólo para los clientes obsesos o para los que de pronto necesitaban un estímulo extraordinario; nada de permanencias. Si incluyen ustedes a otras parejas en sus juegos, necesitarán más espacio del habitual, tanto si actúan todos juntos como si alternan sus demostraciones. Las luces de colores son un complemento que resulta gratificante para muchas personas, lo mismo que las cámaras fotográficas y los magnetófonos. Si emplean accesorios de la clase que sea, desde los almohadones o los vibradores hasta las cámaras, los lubricantes, las cuerdas o los llamados "eslips indiscretos", asegúrense de que los tienen a mano para no verse obligados a ir a buscarlos. Téngase también cerca una toalla de tela, pues los pañuelos de papel se pegan a la piel. De todos modos, no *necesitan* ustedes ninguna de estas cosas para disfrutar de la sexualidad en grado superlativo si se hallan con la persona adecuada y adoptan la actitud más apropiada para cada situación.

Tal vez la única ventaja de un "sexuarium" verdaderamente privado sea la de poder llenarlo de fotografías eróticas sin erotizar la parte de la casa donde todo el mundo puede entrar y donde se reciben visitas y sin dar lugar a que vuestra vieja tía pregunte para qué sirven aquellas anillas de la pared. Pero un proyector de diapositivas o de películas funciona a la perfección en cualquier pared o techo blancos. Se sorprenderán de lo poco observadores que son a este respecto los no iniciados.

Escroto

Básicamente es un dispositivo orgánico destinado a mantener la temperatura adecuada para la producción de esperma. Se encoge con el frío y se distiende con el calor. Es también una zona cutánea muy sensible, pero debe acariciarse con cuidado porque la presión sobre los testículos puede ser muy dolorosa. Un trabajo suave lingual o manual, o incluso, el sostenerlo con la mano ahuecada, es lo más apropiado. Por lo demás, cualquier mujer puede meterse en la boca, con las debidas precauciones, el escroto de su compañero.

Flanquette

Se da este nombre al grupo de posturas sexuales en que los componentes de la pareja se colocan enfrentados sólo a medias; ella yace de cara a él con una de sus piernas entre las del hombre y, por consiguiente, una de las de él queda entre las de la mujer. Es el equivalente frontal de las *cuissades*. Estas posiciones permiten aumentar la presión del muslo del hombre sobre el clítoris siempre que él lo desee.

Frontal

Así se denominan todas las posiciones en que los amantes se colocan frente a frente y uno de ellos tiene ambos muslos entre los del otro: él, con las piernas de la mujer entre las propias piernas, o ella con las del hombre entre las suyas. Estas posturas incluyen todas las variedades de la llamada *postura matrimonial*, además de la mayoría de las posiciones en que la pareja permanece encarada. Permiten mayor profundidad (generalmente) en la penetración, pero menos presión sobre el clítoris que las *flanquettes*. Para desenredar una postura con fines de clasificación, dése

mentalmente la vuelta a la pareja de amantes y véase si pueden terminar cara a cara en una posición matrimonial sin cruzar las piernas. Si es así, se trata de una postura frontal. En cambio, si terminan con las piernas cruzadas, es una *flanquette;* una *croupade* si la penetración se efectúa

FRONTAL
Así se denominan todas las
posiciones en que los amantes
se colocan frente a frente y uno
de ellos tiene ambos muslos
entre los del otro.

directamente por detrás, y una *cuissade* si aquélla se lleva a
cabo con una pierna de la mujer entre las del hombre. La
cosa no puede ser más simple.

Esto no es un ejercicio de clasificación intelectual. Las
posturas deben emplearse en secuencia, haciendo en cada
una la menor cantidad posible de cambios básicos, como,
por ejemplo, arrodillarse o hacer que el compañero dé
media vuelta de golpe. Puede establecerse una comparación al respecto con el baile: entre lo que es un giro

128

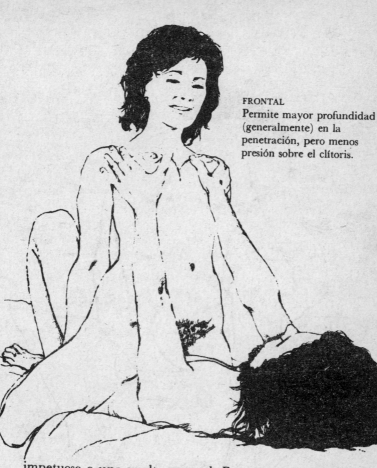

FRONTAL
Permite mayor profundidad (generalmente) en la penetración, pero menos presión sobre el clítoris.

impetuoso o una vuelta natural. Esto es muy importante para planear las secuencias. De todos modos, una vez se hayan acostumbrado a emplear cinco, diez o veinte posturas en una sola sesión, las adoptarán una tras otra ordenadamente y del modo más adecuado. Al principio, ya sea ella o él quien lleve el ritmo, es necesario que ambos tengan una clara noción del camino a seguir en todas sus etapas con el fin de evitar cualquier torpeza y cualquier interrupción que no formen parte del programa elegido.

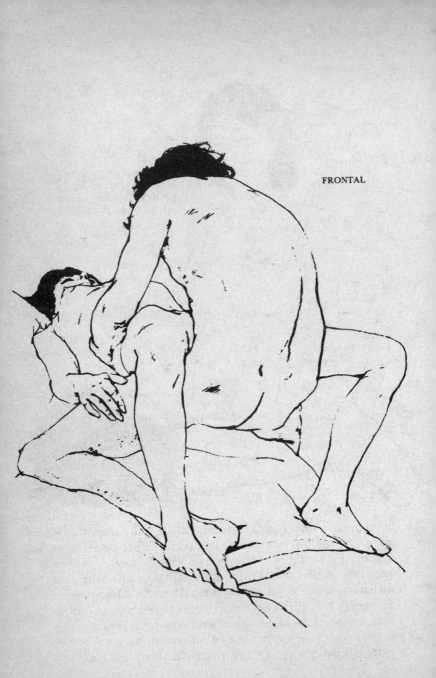

FRONTAL

FRONTAL
Las posturas deben
emplearse en secuencia,
haciendo en cada una la
menor cantidad posible de
cambios básicos.

Lóbulos de las orejas

Es una zona erógena subvalorada, junto con la piel contigua del cuello: la pequeña superficie de detrás de la oreja, lo mismo que la nuca, está en contacto directo con los nervios viscerales a través del vago. Como muchos puntos extragenitales del cuerpo, es una zona más sensible en las mujeres que en los hombres. Una vez adaptados a las caricias (suave manoseo, chupeteos, etc., durante los preliminares y antes del orgasmo, para condicionar la respuesta), los lóbulos de las orejas pueden desencadenar un verdadero clímax sólo mediante la manipulación. Hay mujeres que soportan difícilmente el sonido de la respiración pesada, lo que las deprime y les quita las ganas de continuar los juegos sexuales. Téngase, pues, cuidado con este importante detalle.

Los pendientes voluminosos ayudan a lograr, y a mantener, una excitación erótica subliminal, especialmente si son lo suficiente largos como para rozar el cuello cuando la mujer vuelve la cabeza: ésta es la función de los grandes pendientes orientales y españoles de tipo "candelabro". La respuesta sexual que provocan se debe probablemente a su relativa rareza en todo el mundo como adorno masculino.

Los pesos balanceantes que condicionan una zona particular del cuerpo no se limitan a las orejas. Si los pendientes son de rosca, quítelos de los lóbulos de su compañera e intente ponérselos suavemente en los pezones, en los labios de la vulva y en el clítoris. ¡Pero antes pídale permiso!

Lubricación

El mejor lubricante sexual es la saliva. Excepto para la cópula anal, la mayoría de materias del tipo de la vaselina son demasiado grasas y, por rechazar la humedad, dejan una sensación desagradable. Las jaleas tienden a disminuir demasiado las sensaciones. La vagina normal excitada siempre está adecuadamente preparada para la fricción; si está demasiado húmeda, como puede suceder cuando se usa la píldora, podrá secarse suavemente con un dedo envuelto en un pañuelo (no use nunca pañuelos de celulosa: nunca terminaría de encontrar sus trozos). Para aumentar la fricción, use un poco de miel: es fácil de lavar y resulta inofensiva.

La modificación de la fricción es el principal inconveniente de las cremas y espumas anticonceptivas, por lo que estos productos son impopulares entre muchas parejas.

Manipulaciones

Para todos los hombres y para muchas mujeres, la sexualidad empieza con el aprendizaje de las manipulaciones: tanto cuando comenzamos a descubrir nuestro propio cuerpo como cuando se nos abre el acceso al de los demás. Para ambos sexos, se trata de un entrenamiento fundamental: en la sexualidad mutua, nunca debe dejarse de lado un buen trabajo manual. Una pareja capaz de masturbarse recíprocamente con verdadera habilidad podrá hacer luego cuanto se le antoje. Las manipulaciones nunca deben considerarse como un "sustitutivo" de la cópula vaginal, sino algo completamente distinto, algo que proporciona un tipo diferente de orgasmo, y además, el orgasmo que uno se causa a sí mismo con sus propias manipulaciones es a su vez diferente del orgasmo provocado manualmente por el compañero o compañera. En una cópula plena, el trabajo manual es una buena preparación: para poner el miembro masculino en erección o para proporcionar a la mujer algunos orgasmos preliminares antes de la penetración. Después de la cópula, es un buen estimulante para una nueva tanda sexual. Además, muchos hombres pueden tener un segundo orgasmo más pronto mediante la

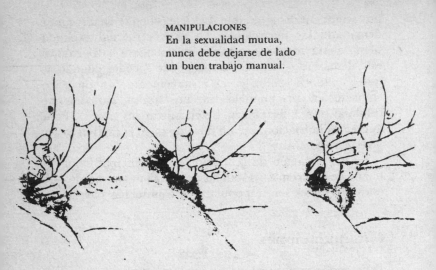

MANIPULACIONES
En la sexualidad mutua,
nunca debe dejarse de lado
un buen trabajo manual.

estimulación manual por parte de su compañera que entregándose a un nuevo coito, y conseguir un tercer clímax masturbándose ambos a sí mismos, uno en presencia del otro.

La mujer que posea el don divino de la lujuria y ame a su compañero lo masturbará siempre bien, y la mujer que sabe cómo hay que masturbar a un hombre —sutilmente, sin prisas, pero sin contemplaciones— será siempre una amante magnífica. Para esta práctica manual deberá poseer empatía intuitiva y la capacidad de disfrutar de verdad con el pene, sosteniéndolo exactamente por el sitio adecuado, con la presión y los movimientos apropiados, procurando que sus movimientos coincidan con los espasmos sensuales de su pareja: deteniéndose o desacelerando para mantenerlo en suspenso, acelerando el ritmo para controlar su clímax. Algunos hombres no pueden soportar una masturbación verdaderamente eficaz si no se hallan bien atados (véase *Esclavitud*), y, virtualmente, ninguno de ellos puede mantenerse quieto durante una masturbación lenta.

Las variaciones pueden ser interminables, aun cuando la mujer no pueda elegir entre echar o no el prepucio hacia atrás, lo que proporciona otros dos matices. Si el hombre no ha sido circuncidado, la mujer deberá tender a evitar todo frotamiento del glande, excepto cuando se persigan efectos muy especiales. El mejor punto por donde asir el pene es la zona inmediatamente inferior al glande, con la piel echada al máximo hacia atrás y usando las dos manos, una presionando fuertemente cerca de la base, sosteniendo con firmeza el miembro, o acariciando el escroto con una mano y rodeando el falo de un anillo formado por el índice y el pulgar de la otra. También puede rodearse el pene con toda la mano. La mujer deberá ir pasando de una variante a otra y cambiar con frecuencia de mano si se trata de una masturbación prolongada. Para producir un orgasmo pleno, deberá sentarse confortablemente en el pecho del hombre o arrodillarse a horcajadas encima de él. En toda sesión sexual prolongada, es aconsejable que uno de los orgasmos —por lo general el segundo o el tercero— se produzca de esta manera. Las profesionales francesas que se dedicaban exclusivamente a esta especialidad, y se llamaban a sí mismas *les filles de la veuve Poignet,* no la habían escogido sólo para evitarse infecciones vaginales, sino también porque les gustaba. Vale la pena dedicar algún tiempo al perfeccionamiento de esta técnica: es una plena expresión de amor, y puede practicarse en cualquier dormitorio. Hacer deslizar el pene entre las palmas de las dos manos como si se amasara alguna pasta es otra técnica que la mujer tiene a su disposición, sobre todo para producir la erección. Presionar firmemente con un dedo en el punto medio entre el pene y el ano es otra. En algunas ocasiones, la mujer puede copiar el método favorito de automasturbación del hombre; usando su propio ritmo para obtener un efecto nuevo, a veces sorprendente.

El hombre debe conocer la manera de masturbarse de su compañera. La mayoría de los hombres no dan importancia a los labios vaginales y se dedican casi exclusivamente al clítoris en sus caricias. La frotación del clítoris puede ser para la mujer algo tan delicioso como la masturbación lenta para el hombre, pero puede resultar dolorosa si no se efectúa con habilidad, si se repite con demasiada frecuencia o inmediatamente después de un orgasmo conseguido de este modo. Ella dice: "La principal dificultad desde el punto de vista del hombre consiste en que el punto de presión ideal para su compañera varía de hora en hora, por lo que el hombre debiera permitir a la mujer que lo guiara hacia el sitio óptimo en cada momento para recibir caricias. La mayoría de los hombres creen tener un conocimiento automático de ello por haber acertado alguna vez, pero se equivocan a menudo."

Tanto para la preparación del orgasmo como para la consecución del mismo, el mejor método consiste quizás en poner la mano plana sobre la vulva con el dedo mayor entre los labios de la misma y con este dedo entrando y saliendo de la vagina, mientras la parte protuberante de la

MANIPULACIONES
La mujer que posea el don divino de la lujuria será casi siempre una compañera ideal.

MANIPULACIONES

palma presiona firmemente justo encima del pubis; es probablemente el mejor método. En este caso, el ritmo regular y sostenido es lo más importante, siguiendo los movimientos de las nalgas de ella y alternando con ligeras caricias destinadas a abrir los labios de la vagina. Se terminará con un intenso ataque sobre el clítoris usando el índice o el meñique y hundiendo profundamente el pulgar en la vagina (procure llevar las uñas cortas). Para obtener una respuesta rápida, mantenga la vagina abierta con una mano y prodigue sus caricias con los dedos de la otra (es posible que en este caso la mujer necesite estar atada). Pásese a la utilización de la lengua si la vagina se seca, pues ella no advertiría hasta más tarde la irritación causada por el frotamiento.

En la masturbación mutua para provocar el orgasmo, no hay que pensar en las propias necesidades, sino en las del compañero o compañera. Este tipo de masturbación da mejor resultado que el sesenta y nueve porque en esas circunstancias uno puede llegar hasta el final sin perder a su pareja o sin molestarla. El uno al lado del otro, boca arriba, es probablemente la mejor posición.

Cuando la mujer masturba al hombre, su placer puede ser mayor observando su eyaculación. Si no se quiere derramar el semen en una cama que no sea la propia, úsese un preservativo de los llamados "caperuzas americanas", que sólo cubren el glande (pero no son recomendables como anticonceptivos porque pueden soltarse fácilmente durante el coito).

Por mucho que copule una pareja, siempre necesitará una simple masturbación efectuada con la propia mano, no sólo en períodos de separación, sino siempre que alguno de los dos quiera gozar de otro orgasmo. Algunas mujeres se sienten dejadas de lado si descubren que su compañero se está masturbando. Sin embargo, si eso la excita a usted, querida lectora, no siga fingiendo que duerme y termine la masturbación usted misma con la máxima energía y velocidad. O, mejor aún, comience a masturbarlo lentamente, deténgase entonces, átelo, y hágale contemplar cómo se masturba usted misma; hágalo poco a poco y con estilo, lo que le compensará de la momentánea decepción causada por usted. La inesperada visión de una mujer provocándose un orgasmo a sí misma cuando el hombre que la contempla no puede moverse, produce a éste una excitación casi irresistible. Asegúrese de que su compañero no puede soltarse. Por último, la contemplación mutua de la automasturbación llevada a cabo por ambos miembros de la pareja es un final estupendo para una tarde pasada en la cama.

Menstruación

Los primitivos evitan la cópula durante la menstruación porque, según ellos, se trata de "magia mala", y la gente moderna suele hacer lo mismo por considerar que el coito en tales condiciones es algo sucio y desagradable. Pero el punto culminante de un período menstrual puede ser el momento más "cachondo", por así decirlo, de una mujer. En tal caso, la cópula es inofensiva, a no ser que el hombre sea propenso a los ataques de uretritis. Puede ignorarse el flujo y procederse a un buen lavado por ambas partes después del coito, o ella puede limpiarse previamente la vagina con agua a presión mediante el chorro del bidet, ponerse una cápsula y retener el flujo para después (esto tiende, sin embargo, a secar demasiado la vagina). Además, los períodos menstruales son los momentos más indicados para concentrarse en el aprendizaje de las técnicas de sustitución. La naturaleza programó esos obstáculos para animar la versatilidad de los amantes. La penetración poco profunda, sólo labial, es posible, y gratificante, incluso con el tampón puesto; y también puede intentarse hacer el amor bajo la ducha en vez de practicar la sexualidad en la cama. Los riesgos mágicos pueden descartarse totalmente, fuera lo que fuese lo que nuestras abuelas pensaran al respecto. También puede fingirse que el "eslip indiscreto" de ella es un cinturón de castidad cerrado con llave y probar varias maneras de conseguir el orgasmo a pesar de su presencia. (Véase *Sustitutivos*.)

Mons pubis

El decorativo cojincillo de grasa que la mujer tiene sobre el hueso púbico actúa de amortiguador en la cópula frontal y (lo que es más importante) sirve, cuando se mueve, para transmitir las sensaciones al resto de la zona. Muchos hombres no se dan cuenta, al dar excesiva importancia a la estimulación directa del clítoris, de que la mayoría de las mujeres pueden llegar al orgasmo simplemente con que su compañero sostenga suavemente dicha almohadilla con su mano ahuecada y la acaricie o sacuda. Esto puede hacerse antes de introducirle un dedo en la vulva, con el dedo dentro de ella o sin ninguna penetración digital (véase *Vello púbico*). Pueden mantener agarrada la protuberancia en cuestión (cabe perfectamente en la palma de la mano ahuecada), o hacer descansar la parte más saliente de la mano sobre ella mientras se acarician los labios de la vagina con los dedos. También puede presionar sobre toda la zona (es decir, el mons pubis y los labios cerrados) con la mano ahuecada. Compruébese prácticamente la intensidad de las sensaciones que la mujer puede experimentar hallándose echada y con los labios completamente cerrados.

Muerte aparente

La petite mort. Algunas mujeres se desvanecen pasando realmente por la "pequeña muerte" de la poesía francesa. También les ocurre, ocasionalmente, a algunos hombres.

La experiencia no es desagradable, pero puede asustar mucho a un compañero de cama poco experimentado. A un amigo nuestro le sucedió con la primera muchacha con que durmió en su vida. Al recuperarse, la chica explicó: "Lo siento mucho, pero siempre me pasa esto". Por entonces, él ya había llamado a la policía y a una ambulancia. Por lo tanto, este incidente no debe ser motivo de alarma, y tampoco deben serlo los alaridos, las convulsiones, las risas histéricas, el llanto o cualquier otra reacción imprevista relacionada con el orgasmo de algunas personas. En cambio, los hay que sólo cierran los ojos, pero no por eso gozan menos que los demás. El ruido y la furia son por lo general una halagadora prueba de la habilidad del compañero, pero también pueden ser testimonios engañosos, pues no dependen de la intensidad de las sensaciones, ni influyen en las mismas.

Los hombres no se desvanecen con mucha frecuencia: es un privilegio de las mujeres, que además son capaces de ofrecer una espléndida representación de *petite mort* sin experimentarla en absoluto. En cualquier caso, los amantes no tardan en aprender pronto las peculiaridades sexuales de su pareja.

Mujer encima

Si la postura matrimonial es el rey de las posiciones, nos hallamos ante la reina de éstas cuando es la mujer quien se coloca encima. La erotología india es la única tradición antigua exenta de estúpidos prejuicios y de reacciones neuróticas respecto a la necesidad de que la mujer se ponga debajo, y la única que no se avergüenza de aceptar el papel plenamente agresivo de ella en una práctica sexual verdaderamente recíproca. Con una mujer que posea un buen control muscular de la vagina, esta posición puede ser fantástica para el hombre, pero para ella es única, porque le da una libertad total para controlar el

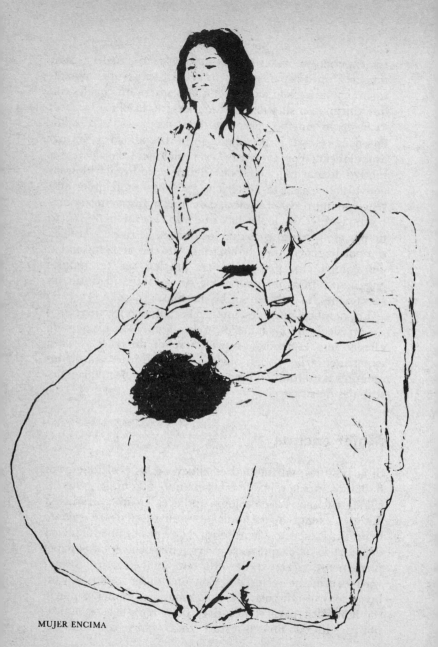

MUJER ENCIMA

movimiento, la profundidad de la penetración y también a su compañero. La mujer puede inclinarse hacia adelante para recibir besos en los pechos o en la boca, hacia atrás para mostrarse a su compañero, puede tocarse el clítoris mientras se mueve, reducir la velocidad del ritmo si así lo desea; todo para aumentar la intensidad y la calidad de las sensaciones. También puede cabalgar encima del hombre de cara o de espaldas a él, y puede cambiar de posición una vez o cuantas desee. Este tipo de postura requiere una erección de rigidez total (de otro modo, la mujer podría doblar dolorosamente el miembro de su pareja con una penetración demasiado precipitada). Esta postura copulativa es tal vez la única en que uno o los dos amantes pueden resultar lastimados por torpeza o a causa de algún deslizamiento involuntario. Entréguense, pues, a ella gradualmente. Ya realizada la penetración, la mujer puede continuar de cara o de espaldas; puede arrodillarse, sentarse o cruzar las piernas encima del hombre; puede ponerse de lado o dar vueltas, hacer movimientos en tres dimensiones y circulares con las caderas. También puede echarse encima de él (en una postura matrimonial invertida) con las piernas abiertas, o juntas entre las de su compañero. Cuando haya tenido su orgasmo principal, el hombre puede girar a la mujer, o ella se puede echar hacia atrás con las piernas abiertas, situada la cabeza entre los pies de él, sin separarse, o pasar a la postura en forma de X o a la matrimonial para el orgasmo del hombre. Por exigir esta posición una verdadera erección, y porque algunas mujeres prefieren empezar de costado o situarse debajo ya desde los juegos preliminares, esta postura con la mujer encima es muy apropiada para ocupar el segundo lugar de una serie. Si la mujer quiere que su compañero llegue al orgasmo en esta posición, es mejor practicarla antes, preferiblemente al despertarse por la mañana, cuando él se halla descansado, con una rígida erección matinal. Los movimientos circulares de las caderas de la mujer, comparables a los de una criba de ceniza —y que los franceses llaman "La diligencia de Lyon" *(la diligence de Lyon)* — se aprenden fácilmente con la práctica si quien se entrega a ellos tiene la personalidad adecuada.

Música bucal

No hace aún muchos años que los besos genitales, o más bien los tabúes que existían sobre éstos, eran uno de los principales motivos de divorcio por considerarlos una expresión de perversidad, crueldad y otras cosas por el estilo. Hemos progresado bastante desde entonces: tenemos libros de texto sobre el tema e incluso podemos verlo plasmado, más o menos disimuladamente, en alguna película. Dejando aparte las preferencias personales, muchas personas saben hoy día que los besos genitales son una de las mejores cosas de la intimidad sexual.

La correspondencia mutua está al orden del día; por esto los manuales sobre la vida matrimonial insisten tanto en el sesenta y nueve. Es ésta una técnica estupenda, pero presenta algunos inconvenientes de orden práctico. El principal consiste en que esta manera de hacer el amor pertenece más bien a la categoría instrumental que a la de la búsqueda de un pleno goce sexual mutuo. Su práctica requiere atención y cuidado, pues se trata de dar lo mejor de vosotros a vuestra pareja, y por consiguiente no podéis dejaros llevar por el frenesí erótico mientras disfrutáis con esta postura, que es justamente lo que puede suceder fácilmente en todo orgasmo mutuo: la inminencia del clímax, sobre todo en la mujer, no puede favorecer en modo alguno el autocontrol ni, por lo tanto, una técnica cuidadosa, lo que puede dar lugar a alguna mordedura en los órganos genitales. Otro inconveniente, tal vez pequeño, pero real para algunos hombres, es el de que, en el sesenta y nueve, la mujer se encuentra mal situada para efectuar un buen trabajo lingual en la parte más sensible de la superficie del glande (esto explica la acrobacia que puede observarse en algunas estatuas de los templos de la India, cuyo fin es tanto el de conseguir una correspondencia mutua como una posición que permita a la mujer entregarse eficazmente a su caricia bucal). Sabemos por propia experiencia que los besos genitales son maravillosos, pero recomendamos que si se quiere alcanzar el orgasmo con ellos es mejor provocarlo por turnos.

La cuestión de cuál de los dos habrá de ser el primero que consiga el clímax depende simplemente de las preferencias mutuas. Sin embargo, de esta manera el hombre puede provocar a la mujer docenas de orgasmos puramente preliminares, tantos como ella esté dispuesta a obtener; y es posible que aún pida más. Será, pues, mejor que él se reserve para más tarde. Algunos hombres no pueden recibir el menor beso genital sin eyacular: debieran ahorrárselo hasta que necesitaran una nueva erección, cuando es el único modo eficaz de levantar un miembro fláccido.

Hay mujeres a las que les gusta que su compañero llegue hasta el final en su boca y eyacule en ella, pero otras no (el hecho de que amen mucho a su compañero es lo que determina la aceptación del semen, aunque no siempre). Las que no pueden resistir la eyaculación en la boca deberán detener sus caricias justo antes del orgasmo de su compañero, proporcionar en seguida al pene otro *foyer* (ponérselo entre los pechos, por ejemplo) y comprimirlo con las dos manos para ganar tiempo cuando sea necesario. Para esto, la mujer necesita estar muy alerta y, aun así, no siempre se consigue el objetivo perseguido. También puede echar a perder el clímax del hombre. Otras mujeres, cuando se han acostumbrado a ello, no encuentran la experiencia completa y satisfactoria si su amante no eyacula en su boca. John Hunter escribió: "El semen, a juzgar por su olor y su sabor, debiera ser una sustancia repugnante, pero lo cierto es que cuando se tiene en la boca causa un excitante calorcillo semejante al de las especias". Si es el ligero amargor del semen lo que desagrada a la mujer, y no la idea general de admitirlo, este sabor puede ser fácilmente evitado con una penetración bucal del falo realmente profunda. Creemos que, entre las mujeres experimentadas, se reparten por partes iguales las que aceptan la eyaculación en la boca y las que la rechazan. Sin embargo, el hombre siempre puede preguntarlo y, por otra parte, los amantes no tardan en conocer mutuamente sus gustos por la práctica. Ella dice: "Un punto importante que debe recordarse a este respecto es que las náuseas y las ganas de vomitar se manifiestan a menudo como una acción refleja cuando algo voluminoso se introduce en la garganta; por lo tanto, si la mujer responde de este modo, no quiere decir por fuerza que deteste ese tipo de caricia bucal, sino que no puede evitar esa reacción. Un pene grande también obliga a abrir mucho la boca, y si la mujer que lo recibe toma la precaución de cubrir sus dientes con los labios, los movimientos violentos del hombre pueden lacerarlos. Cuidado, pues".

El olor genital normal es una parte muy importante del beso genital para ambos miembros de la pareja, lo que hace aconsejable que, aun cuando los dos se laven a menudo, no lo hagan inmediatamente antes de hacer el amor: debieran tenerse suficiente confianza para decirse si alguna vez algún olor les resulta desagradable, así como para pasar a otra cosa o simplemente esperar. Unos minutos de vigorosa cópula solucionan a menudo este problema, pues con ello el olor de la mujer cambia de carácter. Los anticonceptivos también pueden alterarlo. Los vendedores de desodorantes íntimos y de productos para lavados vaginales sólo dan muestras de poca experiencia sexual: a nadie le gustan los espaguetis, por ejemplo, con mermelada de melocotón. En cualquier caso, los perfumes que recordaran el musgo o las algas marinas serían los más apropiados. La *cassolette* es el arma secreta de las mujeres; hasta un punto que muchas mujeres modernas no parecen apreciar. No obstante, hay que hacer una excepción con las francesas. Debe también mencionarse que algunos hombres responden violentamente a ciertos olores femeninos. Pero también es preciso decir que el olor vaginal sirve para fijar los perfumes y que —cuando deba asistirse a un baile o a una fiesta— un ligero toque del mismo detrás de las orejas antes o después de haberse aplicado el perfume puede resultar irresistible. En cambio, el del hombre no gustará mucho a la mujer al principio, pero irá agradándole a medida que aumente su amor por él. Es conveniente que el lavado íntimo femenino se efectúe con jabón blanco, y que, ya se trate de la parte del cuerpo a que nos hemos referido o a cualquier otra, los desodorantes se apliquen de la misma manera que un chef de cocina dosificaría los productos destinados a quitar el olor de ciertas viandas. El hecho de que la generación hippie crea que puede vivirse una sexualidad perfecta sin lavarse desbarata toda explicación.

Para algunas parejas, el beso genital simultáneo estilo sesenta y nueve es el súmmum de las sensaciones. Cuando se trate de este tipo de personas, contándose con que la pérdida de control será siempre completa, la mujer no deberá ser de las que reaccionan fácilmente con náuseas o ganas de vomitar o de las que obligan al hombre a detenerse antes de eyacular. La posición con la mujer encima que sugieren casi todos los libros dedicados a este tema nos parece bien, especialmente si se combinan en ella las manipulaciones con el trabajo bucal, aunque puede producir tortícolis al hombre. Nosotros nos inclinamos por la postura sin cojines, con los componentes de la pareja en posición respectivamente invertida y echados de costado, colocando cada uno un muslo debajo de la cabeza del otro para que le sirva de almohada. El hombre puede abrir mejor a la mujer deslizándole un brazo por detrás de la rodilla.

El beso mutuo puede ser largo o corto. El corto se da como de pasada (tantas veces como se desee, naturalmente); el largo puede durar varios minutos u horas, según los gustos y las prisas. Ambos besos se adaptan estupendamente entre cópula y cópula, a modo de entremeses o como revitalizador.

Si, por otra parte, los amantes no se entregan a ese tipo de beso simultáneamente y se alternan en darlo, es mejor que empiece el hombre, preferiblemente en la posición sin cojines descrita y con una mínima intervención de la mujer. Después puede ser ella quien actúe; o se puede continuar con la cópula, dejando aparte las caricias bucales hasta que él haya tenido un orgasmo y haya descansado lo suficiente como para tener una nueva erección. De este modo, la mujer puede abandonarse a sí misma y observar su propia técnica mientras succiona el pene de su compañero. Obtendrá probablemente los mejores resultados con lo que los chinos llaman "la flauta de jade": un instrumento cuya forma de tocarlo —como un caramillo— es elocuente por sí misma y que en la realidad sexual se "usa" de cara al hombre, con los pulgares debajo y los demás dedos encima. La técnica de la ejecutante depende, por ejemplo, de que su compañero haya sido circuncidado. No todos los hombres encuentran agradable el contacto de la lengua o los labios con su glande. Para algunos es extasiante, mientras que otros prefieren el deslizamiento del prepucio sobre el bálano cubierto mientras se les sostiene firmemente el falo. Las varias maneras de mordisquear, etc., que se describen en los libros sobre sexualidad son descubiertas de manera natural por la mayoría de las personas. Para conceder una posición más activa al hombre y procurarle un orgasmo rápido, la mujer deberá permanecer echada de espaldas, y él deberá procurar que su coito oral sea todo lo completo y profundo que ella pueda soportar. La mujer tendrá que mantener los dientes bien abiertos, convirtiendo su lengua y sus labios en una vagina. Él deberá prestar atención a sus movimientos y a los de su compañera para evitar una mordedura involuntaria.

El equivalente opuesto se consigue con la mujer

arrodillada con las piernas abiertas sobre el hombre. En esta posición, se entregará al beso de él, como en un apasionado boca a boca; un beso que primero sólo será acariciante y superficial y que luego se convertirá en una penetración de la lengua, en largos lametazos desde la vagina al clítoris y en una pequeña succión del pubis cada vez que lo alcance.

Cuando es el hombre quien lleva la iniciativa, podrá probar la postura llamada "de cascada", sobre todo si la mujer es fácil de mover. En realidad, sólo se trata de un sesenta y nueve efectuado de pie, pero da a la mujer la sensación única de tener un orgasmo hallándose cabeza abajo. Para poder colocarla en esa posición deberá echarse primero en la cama de través y boca arriba, con la cabeza colgando por el borde del lecho; entonces el hombre se situará de pie con las piernas separadas sobre su cara, se inclinará sobre la mujer y la levantará de modo que las piernas de ella rodeen el cuello de él. En esta postura, la mujer podrá devolverle al hombre el beso genital, pero lo mejor será que, cuando se halle cerca del clímax, se ponga el pene entre los senos o lo mantenga sujeto con la mano para abandonarse a un orgasmo pleno.

El primer beso genital, para una chica inexperta, es otra "situación". Arrodillarse ante ella, *vers le buisson ardent des femmes*, puede parecer muy elegante, pero el hombre colocado de esa manera no puede hacer otra cosa que hocicar. Sugerimos lo siguiente: hallándose la mujer echada normalmente en la cama boca arriba, el hombre se sentará en el borde de ésta enfrentado a medias con los pies de su compañera. La besará por todas partes y luego se inclinará sobre ella, le tomará la más lejana de las piernas y le besará el pie. Acto seguido, deslizará el codo a lo largo de la rodilla levantada de la mujer, le abrirá las piernas y besará suavemente los labios cerrados de su vagina hasta que ella esté dispuesta a recibir lengüetazos más y más profundos. Cada vez son menos las mujeres que sienten reparos a dejarse besar en ese sitio, si bien hay todavía muchas que no hallan placer besando al hombre de la misma manera. Es sorprendente el número de muchachas que no pueden llegar a la cópula *sin* una previa y larga sesión de besos genitales, hecho que reconocen los libros eróticos indios. Cuando se trate de una muchacha muy vergonzosa (o un hombre), inténtese en la oscuridad, pero inténtese. Invirtiendo los papeles, un buen trabajo bucal es quizás uno de los más valiosos regalos que la mujer puede hacer al hombre, por lo que vale la pena practicar esta especialidad. Además, un beso genital dado espontáneamente a un hombre es uno de los gestos más conmovedores de toda la experiencia sexual.

Nalgas

Las nalgas siguen en importancia a los pechos, y alternan con ellos como estímulos visuales según las diferentes culturas e individuos. En realidad, son el principal foco de atracción entre los primates, con la particularidad de que muchos monos las tienen vivamente coloreadas. Al parecer, las nalgas fueron igualmente atractivas para los hombres de la cultura musteriense, que produjo algunas de las mejores figurillas femeninas de la Edad de Piedra, mientras que algunos primitivos más recientes "hacían su selección poniendo a sus mujeres en fila y llevándose la que se proyectaba más *a tergo*" (Darwin). Las nalgas, región erógena importante para ambos sexos, son menos sensibles que los pechos porque contienen músculos y grasa. Por lo tanto, requieren estímulos más fuertes (sobaduras, apretones, palmoteos e incluso azotes. Véase *Flagelación*). La cópula por detrás es un placer en sí misma, pero hay que tener cuidado si la mujer es frágil de espalda. En cualquier posición, los movimientos musculares del coito estimulan las nalgas en ambos sexos, sobre todo si cada uno de los participantes sujeta la parte trasera de su pareja con una nalga en cada mano. Vale la pena cultivar estas sensacio-

NALGAS
Visualmente, unas buenas
nalgas son un gran
excitante, tanto para el
hombre como para la
mujer.

nes adicionales. Visualmente, unas buenas nalgas son un
gran excitante, tanto para el hombre como para la mujer.

Négresse

A la négresse: por detrás. La mujer se arrodilla en el suelo
junto al lecho con las manos enlazadas sobre la nuca,

OMBLIGO

La punta de un dedo o de
la lengua es lo que mejor
encaja en él.

apoyados los pechos y la cara sobre la cama. El hombre se arrodilla detrás de ella —entretanto la mujer engancha sus piernas con las de él y tira con ellas del hombre hacia sí misma— y pone una mano sobre cada una de las paletillas de ella y presiona. Es una postura que permite una penetración muy profunda, que a veces, por bombeo, llena la cavidad femenina de aire, el cual escapa después de modo desconcertante. Por lo demás, es excelente.

Ombligo

Como todos los detalles del cuerpo humano, el ombligo fascina a los amantes. No sólo es decorativo, sino que es el centro de muchas sensaciones sexuales que pueden cultivarse; resulta adecuado para meter en él un dedo de la mano, la punta de la lengua, el glande o el dedo gordo del pie, y merece cuidadosa atención al besarlo o tocarlo. El acoplamiento mediante el ombligo no es algo imposible (hay historias de parejas ingenuas que creían que ése era el modo de realizarlo, y también es fuente de fantasías para la imaginación infantil respecto a la manera de practicar la sexualidad). Si la mujer es regordeta, puede apretarse la piel de ambos lados del ombligo para convertirlos en simulados labios vaginales. De todos modos, la punta de un dedo o de la lengua es lo que mejor encaja en él, tanto en un sexo como en otro.

Pechos

"En nuestros años maduros —escribió Darwin—, cuando nuestra vista capta algún objeto semejante al busto femenino, nos vemos invadidos por un destello general de deleite que parece influir en todos nuestros sentidos, y si el objeto no es demasiado grande experimentamos un fuerte deseo de aplicarle nuestros labios, tal como hacíamos al

PECHOS

«Los hombres no entienden
nada de pechos, o tienen
demasiada prisa en ir más
abajo.»

154

chupar los pechos de nuestra madre." Alfred Perlès cumplimentó con estas palabras a una dama de la buena sociedad que estaba sentada a su lado en una comida: "¡Vaya par! No están mal, no... ¡Vamos, sáqueselos y deje que les demos una mirada!". Los pechos son el segundo blanco sexual, pero a menudo el primero que alcanzamos. Su grado de sensibilidad, tanto en los hombres como en las mujeres, varía enormemente, y su tamaño, a diferencia de lo que sucede con otros órganos sexuales, no tiene gran importancia. Hay pechos que no responden a ningún estímulo, aunque su dueña no sea frígida; otros son sensibles a caricias extremadamente suaves, mientras que algunos responden a un manoseo muy rudo (pero hay que tener en cuenta que se trata siempre de estructuras muy delicadas, y el hombre no deberá permitir que su propio rencor residual por el destete le haga perder la sensatez).

Los lametazos en los pezones de la mujer, el frotamiento de los mismos con el glande, el acariciarlos suavemente con ambas manos, un ligero mordisqueo y su succión como lo haría un bebé son las mejores técnicas. Ella también puede usarlas en el hombre, además de restregar muy suavemente con los dedos los pezones masculinos; sin embargo, éstos se irritan y duelen con facilidad. Si los pechos de la mujer son lo suficientemente grandes como para hacer que se toquen, puede llevarse a cabo el acoplamiento intermamario para mutuo deleite. Es un buen recurso siempre que la mujer, por alguna razón, no pueda hacer uso de la vagina. La mujer deberá apoyarse sobre almohadas, inclinarse hacia adelante, y el hombre, que se habrá arrodillado con las piernas separadas (poniéndole el dedo gordo del pie en el clítoris si ella necesita esta ayuda), presentará el pene con el prepucio totalmente echado hacia abajo. Cualquiera de los dos puede encargarse de juntar los pechos de modo que envuelvan el falo; esto será mejor que frotar contra ellos el glande. Además, éste deberá rozar la barbilla de la mujer. El orgasmo en esta posición es tan completo como el de un coito normal, tanto para ella como para él. Por lo que respecta a la mujer, los orgasmos conseguidos con el lameteo y la manipulación de los pechos no tienen la misma calidad. Se aconseja al hombre que masajee bien los pechos de su compañera con el semen de su eyaculación (véase *Semen*).

En algunas mujeres, los pechos, la vagina y el clítoris concentran rápidamente sus sensaciones en una sola tan pronto como empieza la cópula. En cuanto a los hombres, son pocos los que pueden conseguir el orgasmo de pezón, aunque vale la pena intentarlo con un par de plumas. Y, volviendo a las mujeres, hay que señalar que muchas de las que responden fácilmente a los estímulos y que viven en un ambiente lleno de amor obtienen un placer especial al amamantar una criatura.

Ellas dicen: "Los hombres no entienden nada de pechos, o tienen demasiada prisa en ir más abajo. A diferencia de los pezones masculinos, los de la mujer están unidos al clítoris por una línea directa. El hombre que sepa usar directamente esa conexión podrá conseguir lo que quiera con las puntas de los pechos de su compañera. La frotación con las palmas de las manos y con los párpados, los lametazos, las fuertes succiones como las de un bebé pueden obrar maravillas; el orgasmo que ella obtiene de esta manera es sensacional, sin menoscabo del coito normal que pueda venir después. *Por favor, no corráis demasiado*".

La cópula entre los pechos tiene la misma calidad en otras posiciones: con los amantes en posición respectivamente invertida, o con ella encima (sobre todo si tiene los pechos pequeños), o con el hombre sentado y la mujer arrodillada. Experiméntese según estas normas.

Pelos

El pelo de la cabeza nos trae una serie de sugerencias freudianas; y en la mitología es un signo de virilidad (pensemos en Sansón o Hércules). Nuestra cultura,

PECHOS
Su grado de sensibilidad,
tanto en los hombres como
en las mujeres, varía
enormemente de una
persona a otra.

después de haber aprendido en la última generación a
asociar el pelo largo con las mujeres y el corto con la
virilidad, sufre a veces frenéticos ataques de indignación al
ver que ahora muchos jóvenes prefieren rechazar tales
estereotipos y llevar su pelo, según se expresaban los
graduados de la Universidad de Harvard en el siglo XVII,
"a la manera de los rufianes y de los bárbaros indios" (o a
la manera de George Washington). Según Freud, los
cabellos largos de la mujer dan seguridad al hombre por
ser un sustitutivo del falo que la mujer no posee. Sea como
sea, el pelo largo en el hombre despierta actitudes hostiles
en las personas mojigatas, las cuales se escandalizan ante
todo lo que, a su modo de ver, tengá carácter intersexual.
Se trata, no obstante, de una tendencia temporal: en
muchas otras épocas, el pelo làrgo estuvo tan de moda
como en la actualidad, con la diferencia de que ahora esta

157

inclinación tiende a identificarse con una idea menos ansiosa de la masculinidad.

Los juegos sexuales con el pelo largo son maravillosos a causa de la textura de éste: los cabellos pueden manipularse, los amantes pueden tocarse el uno al otro con él y, en general, se usa como una importante fuente de placer. Algunas mujeres se sienten excitadas por la impresión de virilidad que les da la abundancia de vello en un cuerpo masculino; otras se sienten deprimidas ante la misma imagen por parecerles la de un animal. Todo es cuestión de predisposiciones y actitudes. El pelo en la cara del hombre es también un foco de convencionalismos: hay momentos de la historia en que todo el mundo se lo deja como necesidad social, mientras que otras veces esa tendencia pilosa es perseguida, o limitada a los marinos, pioneros y personas singulares como los artistas o los chefs de cocina. Schopenhauer opinaba que el pelo facial cubría "las partes de la cara que expresan los sentimientos morales", y lo desaprobaba basándose en que era inmodesto llevar un distintivo sexual en pleno rostro. Hoy día, los hombres pueden complacerse, o mejor dicho, complacer a sus compañeras con cualquiera de esas variantes.

Penetración por detrás

Es la otra opción humana: para muchos mamíferos, la única. Funciona admirablemente, tanto con sus participantes de pie, como echados, arrodillados, sentados o con la mujer a horcajadas. La imposibilidad de permanecer cara a cara se ve más que compensada por una mayor profundidad de penetración y por el acceso de las manos a los pechos y al clítoris, así como por la oportunidad de contemplar una bella vista trasera. Para las posiciones de pie, la mujer necesita apoyarse en algo que tenga la altura apropiada; en las posturas de rodillas con ella boca abajo, el hombre deberá tener cuidado para no hundir la cabeza

PENETRACIÓN POR DETRAS
Vale la pena experimentar toda
la gama de posturas de
penetración por detrás.

de la mujer en el colchón; y en todas las variantes que suponen una penetración profunda, debe tenerse la precaución de no efectuarla con demasiada fuerza ni abusar de su hondura, pues podría resultar afectado un ovario, lo cual es tan doloroso como un golpe en los testículos. Algunas mujeres se desaniman ante el simbolismo de esa postura —"eso es hacerlo como los animales", "una no se siente valorada si no se hace cara a cara"—, pero el goce físico que así se experimenta es tan intenso que tales mujeres no debieran permitir que esos prejuicios malograran la ocasión de experimentarlo. Para empezar, podrían intentar este tipo de penetración con el hombre echado boca arriba y la mujer encima de él, también boca arriba, o arrodillada con las piernas abiertas y mirando en dirección contraria a la del hombre, aunque esta posición no proporciona la profundidad de penetración máxima ni el estímulo perineal de las posiciones de penetración trasera con ambos participantes arrodillados (véase *Négresse*). El hombre puede mantener sus manos sobre el pubis o los pechos femeninos, o bien, si la mujer desea que la controlen, permanecer con los brazos hacia atrás para que su compañero la tenga agarrada por las muñecas. Un montón de almohadas duras debajo de la mujer evitarán que la postura se deshaga por pérdida de equilibrio, sobre todo si ella prefiere que el hombre no la sujete como acabamos de describir. También podrá mantenerse mejor la estabilidad con la mujer arrodillada en el suelo con el pecho sobre la cama o el asiento de una silla. La postura boca abajo es la mejor por la profundidad de la penetración que permite y por lo bien que encajan los participantes en la cópula, pero deberá evitarse si ella siente algún dolor, si tiene la espalda frágil o si está embarazada. A algunas mujeres les gusta tener un dedo del hombre en el clítoris durante la cópula, cosa fácil en todas las posturas de penetración trasera. Vale pues la pena probarlas por este motivo y por la nueva gama de sensaciones que ofrecen. Mantener cogido el sexo femenino

PENETRACIÓN POR DETRÁS
Funciona admirablemente
con él y ella de pie, o
echados, arrodillados,
sentados o con la mujer a
horcajadas.

en su totalidad con una mano hace experimentar otra sensación diferente, y no tan aguda como la de un fuerte estímulo directo del clítoris. También queda el recurso de que el hombre interrumpa un momento su penetración para acariciar un poco el clítoris con el glande, guiándolo con la mano.

Mientras que la posición de penetración profunda de rodillas es, o puede ser, una de las más duras, practicándola también por detrás pero con sus participantes echados de costado es tal vez la más suave de todas (*à la paresseuse*: a lo perezoso) y puede incluso mantenerse mientras se duerme. Lo mejor es que la mujer levante un poco el muslo que quede en la parte de arriba y haga sobresalir cuanto pueda su trasero. Muchas mujeres se las arreglan, en esta postura para conseguir una penetración muy pequeña o incluso inexistente; es una postura que puede ayudar a curar la impotencia parcial o nerviosismo del hombre al devolverle la moral. Resulta también excelente si se desean cópulas suaves por razones de salud, y es indicada para personas muy gordas o con defectos físicos.

Vale la pena experimentar toda la gama de posturas de penetración por detrás, al menos con la plenitud con que se practica la serie frontal, pues sin duda se encontrará alguna adecuada para alternarla con la matrimonial y sus variantes.

Piel

La piel es el más importante de nuestros órganos sexuales extragenitales. Burdamente subvalorada por la mayoría de los hombres, que tienden a concentrarse en el pene y el clítoris, resulta mejor apreciada por las mujeres.

Ella dice: "El olor y el tacto de la piel de un hombre tiene probablemente más que ver con la atracción sexual (o con lo contrario) que cualquier otra parte concreta de su cuerpo, aun cuando la mujer no tenga conciencia de ello".

PIEL

La piel, burdamente
subvalorada por la
mayoría de los hombres,
es el más importante de
nuestros órganos sexuales
extragenitales.

La estimulación de la piel es uno de los principales componentes de la sexualidad. No sólo su tacto cuando se entra en contacto con ella, sino su lozanía en los jóvenes, su textura y su firmeza son factores que desencadenan toda una serie de sensaciones sexuales. Éstas pueden intensificarse en algunas personas dando realce a dichos factores o añadiéndoles otras texturas, especialmente pieles, caucho o cuero, y mediante ropas muy ceñidas. Entre las muchas respuestas sexuales subvaloradas que dependen de la piel, siempre hay alguna que conviene a determinada persona. Hay que descubrir, pues, cuáles son los estímulos que las provocan y utilizarlos a fondo. (Véase *Vestimenta*, *Baño de lengua* y *Fricciones y masajes*.) Siempre resultará gratificante "educar" la propia piel y la de nuestra pareja.

Pies

Los pies son muy atractivos sexualmente para algunas personas: el hombre, si lo desea, puede alcanzar el orgasmo con el pene entre las plantas de los pies de su compañera.

La sensibilidad erótica de los pies varía mucho según las personas y las circunstancias. Algunas veces, cuando son la única parte del cuerpo alcanzable, sirven de vías de comunicación. Una parte importante del pie, el dedo gordo, puede ser un buen sustitutivo del pene (véase *Dedo gordo*).

Las cosquillas en las plantas de los pies excitan a ciertas personas hasta el punto de hacerles perder la cabeza; para otras, son un martirio, pero siempre aumentan la excitación general. Pueden probarse como estímulo, o, brevemente, para comprobar el estado de sensibilidad de la pareja en una sesión de *esclavitud*. La presión firme y bien dosificada sobre la planta del pie o sobre el empeine es un estímulo sexual para la mayor parte de las personas. Pero lo mismo representa cualquier tocamiento en una mujer muy sensible a esa clase de estímulos: puede conseguirse un orgasmo pleno acariciándole un pie, un dedo o el lóbulo de una oreja. Los hombres tardan más en responder, pero también son excitables por estos procedimientos si se les

Postura del misionero

Nombre que los polinesios, amantes de la cópula en cuclillas, daban, divertidos, a la postura matrimonial de los

POSTURA DEL MISIONERO

europeos. La actitud de aquellos indígenas era, en realidad, una burla inmerecida de una de las posturas sexuales más gratificantes.

Postura en forma de X

Es una de las posturas campeonas en la cópula lenta. Comiéncese con la mujer sentada a horcajadas frente al hombre y con el pene totalmente introducido en su sexo. Entonces ella se echará hacia atrás hasta que la cabeza y el tronco de cada participante se halle entre las piernas bien abiertas del otro, momento en que se tomarán las manos. Lentamente, con movimientos culebreantes, se mantendrá la erección del hombre y la inminencia del orgasmo en la mujer durante largos lapsos de tiempo. Para pasar a otras posiciones, cualquiera de los dos podrá sentarse sin desacoplarse.

Postura matrimonial

Cada cultura tiene sus preferencias —basadas a menudo sólo en el capricho o la tradición— en cuanto a las mejores posiciones. Si volvemos a la vieja y productiva postura misionera de Adán y Eva —con más frecuencia de lo que se cree—, situado el hombre encima con las piernas abiertas o entre las de la mujer, y ella debajo, de cara a él, con las piernas abiertas o entre las de su compañero, es por la satisfacción única que proporciona. Es única principalmente por su adaptabilidad a cualquier estado de ánimo: puede ser de una dureza salvaje o muy tierna, larga o breve, profunda o superficial. Constituye el punto de partida para casi todas las secuencias sexuales; queda sólo superada por las posturas de lado y es la mejor posición para terminar con un orgasmo mutuo y satisfactorio. Si se empieza con ella, puede profundizarse levantando las piernas de la mujer y alcanzando el clítoris poniendo el hombre una pierna entre las de su compañera. Puede rodarse así en cualquier dirección para detenerse por fin con la mujer encima. Luego ella se arrodillará y se echará hacia atrás hasta formar una X con su compañero, es decir, hasta que cada participante quede entre las piernas del otro (véase *Postura en forma de X*). Entonces podrán pasar a alguna posición en que uno de los dos quede de espaldas, a posturas de pie o de lado, y volver a la misionera para terminar. La postura matrimonial es también, junto con las versiones de penetración más profunda, la ideal para un orgasmo rápido en ambos sexos. La única postura que también puede proporcionar un orgasmo rápido en el hombre es la de penetración por detrás si la mujer es muy estrecha, y la más rápida de todas para ella es la que consiste en situarse encima a horcajadas sobre las piernas del hombre. De hecho, la razón principal por la que se usan las otras seiscientas posturas es la de retrasar el orgasmo final del hombre y multiplicar los de la mujer al propio tiempo. La experiencia demostrará a cada pareja cuál de ellas es la que más le conviene.

Aun excluyendo las variantes con las piernas levantadas, esta posición ha ganado más medallas en las exposiciones internacionales que cualquier otra. Por otra parte, no existe ninguna postura sexual de éxito seguro que sea apta para todo el mundo. Hay mujeres que, a pesar de no ser frígidas, nunca, o raramente, llegan al orgasmo en esta posición. No importa si ello se debe a fuerzas inconscientes o a la situación de la vulva: más vale probar otra posición, sobre todo si el hombre pesa demasiado. Actualmente se sabe que la postura matrimonial y todas las de penetración profunda son las peores si lo que se desea es conseguir el embarazo: algunas mujeres que no reaccionaban bien a los estímulos sexuales, y que no quedaban nunca embarazadas, han conseguido cambiar por entero su vida colocándose simplemente un par de almohadas debajo de las nalgas. Hay mujeres que, por no poder adaptarse a la

POSTURA MATRIMONIAL
Es la vieja y productiva
postura de Adán y Eva.

postura matrimonial, han de ser poseídas sentadas, de
frente, o por detrás, con el dedo en el clítoris; algunas de
éstas también necesitan cabalgar al hombre. Si el hombre
necesita tener a la mujer debajo para acabar, hágase que
goce antes de varios orgasmos en su postura preferida;
luego podrá dársele la vuelta para que quede boca arriba.
De paso, diremos que la definición de un auténtico
caballero podría ser: "Hombre que en determinadas

POSTURA MATRIMONIAL

ocasiones soporta su peso con sus propias manos". Sin embargo, son muchas las ventajas que ofrece el terminar los amantes mutuamente abrazados y sin esfuerzos ni trabas.

La adaptación de los detalles de tipo práctico para la postura matrimonial puede ser muy importante: una cama suficientemente dura, por ejemplo, y el uso de almohadas si ella es delgada o de constitución frágil. La dureza o la

169

ternura, la forma en que cabalguen los amantes, el hecho de que la mujer se sienta clavada como una mariposa (lo que se consigue doblándole suavemente los brazos hacia atrás por encima de la cabeza y apretándole el hombre los pulgares con una mano), o no clavada de ese modo, con las piernas separadas (manteniéndolas abiertas el hombre colocando un pie debajo de cada uno de los empeines de ella)·o con las piernas de él entre las de ella, separándolas el hombre con las suyas..., todo eso supone sutiles diferencias. Si su pubis, amigo lector, no es muy duro y ella necesita una presión mayor sobre el clítoris, pruebe una postura que le permita tener las piernas entre las de su compañera y añada el contacto de los dedos. Ella, por su parte, puede mantener su prepucio o lá piel de su falo fuertemente echada hacia abajo (véase *Estilo florentino*).

Posturas de pie

La tradicional posición "erecta" es una postura improvisada, y puede causar el agarrotamiento de los músculos del hombre si la mujer no es suficientemente alta. Muchas mujeres, para practicarla, deben poner debajo de sus pies varios anuarios de teléfonos o algo parecido. Se aconseja, según los casos, que la mujer se apoye contra una pared o un árbol (no una puerta, se abra por el lado que se abra). De vez en cuando, los dos amantes pueden detenerse con las piernas separadas y las manos de ambos descansando mutuamente en las nalgas del otro para conservar la estabilidad. Mirar hacia abajo mientras se mueven puede resultar verdaderamente sensual.

Hay dos clases de posiciones: la que se acaba de describir, sujeta a la altura más o menos coincidente de los dos participantes, y las versiones indias en que el hombre mantiene alzada a la mujer. Son unas posturas estupendas, sobre todo si la mujer es liviana; de otro modo, sólo pueden practicarse dentro del agua, donde todo pesa menos (véase

POSTURAS DE PIE
La tradicional postura
"erecta" puede causar el
agarrotamiento de los
músculos del hombre si la
mujer no es suficientemente
alta.

Baño). Cuando se trate de una mujer alta, puede intentarse que ella rodee con sus brazos el cuello del hombre, manteniendo al mismo tiempo un pie en el suelo y el otro por encima del brazo del hombre a la altura del codo. Ya en esta postura, la mujer puede rodear con sus piernas la cintura del hombre, poner las piernas sobre los brazos de él, e incluso rodear con ellas el cuello de su compañero, adoptando, si él tiene suficiente fuerza para sostenerla, una postura en que los dos se hallarán mutuamente invertidos. Todo esto pruébenlo cerca de la cama para evitar que la mujer caiga al suelo, pero procurando que sea firme la superficie que pise el hombre; no lo hagan sobre un colchón o una alfombra mullida. Si se hallan apoyados contra la pared, la mujer puede columpiarse apoyando un pie en la misma. No son posturas que favorezcan el orgasmo. Se han ideado más bien para prolongar el coito. Las posturas de pie con penetración por detrás no necesitan ningún comentario especial: bastará con que ella se incline hacia adelante y se agarre a algo fijo. Si tienen ustedes problemas de altura serios, prueben las posturas de pie en un tramo de escalera. Y, por último, recuerde que el sesenta y nueve con su compañera colgando de su cuello encima de usted es algo sensacional, siempre que usted tenga bastante fuerza para sostenerla y ella un buen agarre de piernas.

Posturas en general

Es casi infinito el tiempo que se ha empleado desde que la historia existe, principalmente por expertos no practicantes, en describir y dar los nombres más fantásticos a más de seiscientas posturas sexuales, lo que demuestra que clasificar y coleccionar nombres, de la clase que sean, es una de las aficiones más arraigadas en los seres humanos. La mayoría de la gente conoce hoy día las posturas más corrientes, y sabe cuáles son las más adecuadas para un orgasmo lento y de qué modo pueden combinarse en series. Algunas personas, ya por razones simbólicas o anatómicas, sólo pueden conseguir el orgasmo en una o dos de ellas.

En este libro no hemos utilizado una enumeración ni descripción tan extremadas de las posturas. La mayoría de las que no pueden llamarse extravagantes se dan naturalmente, por instinto, y las que lo son realmente merecen ser probadas más de una vez, aunque sólo sea por curiosidad.

Lo único que echamos de menos son los nombres fantásticos árabes, sánscritos o chinos que llevan esas posturas. Su examen y la práctica indicarán cuáles de ellas son las más adecuadas para situaciones especiales como el embarazo, el acoplamiento de un hombre gordo con una

mujer delgada, las diferencias de altura, etc. Como decimos, sólo la observación de sus características y las pruebas necesarias indicarán qué posturas dan mejor resultado para obtener el orgasmo. Hay parejas que comienzan probándolas todas, aunque inevitablemente terminan por adoptar sólo una o dos, y vuelven al libro sólo en ocasiones especiales. Algunas de las fantasías sexuales de los manuscritos orientales tienen, por disparatadas que parezcan, una base de verdad: la muchacha que figura a horcajadas en algunas imágenes hindúes, que en plena cópula mantiene en equilibrio una lámpara encendida en cada una de sus manos, encima de cada hombro y sobre la cabeza, o que en que en otras ocasiones dispara una flecha a un blanco con un arco, haciendo también el amor al mismo tiempo, demuestra, pese a tal alarde de fantasía, que puede atender sexualmente a su hombre a la perfección sólo con sus músculos vaginales mientras mantiene inmóvil el resto del cuerpo (véase *Pompoir*), y así sucesivamente. Otras posturas son sólo místicas o meramente gimnásticas. Todas las poses que presentamos aquí son realizables (las hemos probado todas, si no para llegar al orgasmo, al menos para cerciorarnos de la posibilidad de llevarlas a la práctica sin problemas) y de resultados más o menos gratificantes, según los casos.

Posturas improvisadas

La cópula breve e intensa tiene su propio encanto, pero requiere en la mujer un mínimo de excitación mutua y de respuesta física que *sólo* se aprende en sesiones mucho más largas. Una pareja verdaderamente experta y armonizada puede conseguir a voluntad ya una cópula corta y deliciosa, ya indefinidamente larga, aunque con un matiz de goce distinto. En otras palabras, se puede disfrutar con las posturas improvisadas sin necesidad de dominar el arte de las sesiones largas.

Cuando se ha llegado a este punto, las posturas improvisadas sólo dependen de la inspiración predominante en cada momento; y deberá permitirse que ocurran con la velocidad de un relámpago, en cualquier momento y lugar, desde la cama en plena noche hasta una escalera de caracol por la que se esté subiendo: en cualquier sitio en que la pareja se encuentre de pronto sola y la inspiración sea mutua. Ni el uno ni el otro sugerirán esto o aquello; será la inspiración mutua la que mande en todas las posturas improvisadas. En estos casos, buena parte de la diversión está en el hecho de que la comunicación preliminar se establece cuando se trata de verdaderos amantes, sin palabra alguna. La regla que habrá que seguir es la de no resistirse nunca a los impulsos de este tipo por poco que sea posible llevarlos a la práctica, cosa que deberá hacerse con rapidez, ingenio y habilidad. Esto significa que hay que tener mucha experiencia en la práctica sexual hallándose la pareja sentada, de pie o en

POSTURAS EN GENERAL
Sólo la práctica indicará
cuáles son las mejores
para cada caso.

POSTURA EN FORMA DE X
Es una de las posturas
campeonas en la cópula
lenta.

otras posiciones, así como en hacer el amor sin desnudarse.
La postura improvisada ideal, la matrimonial con la pareja
completamente desnuda, tendrá que dejarse de lado con
mucha frecuencia. Esto puede significar que habrá que
copular en una silla, contra un árbol o en un cuarto de
baño. Si la pareja no puede esperar, deberá tener en
cuenta que el repentino deseo no durará más de media
hora con la misma intensidad. Sin embargo, pasado este
lapso de tiempo, no se habrá perdido la ocasión: no tardará
en presentarse una nueva oportunidad. En casa o fuera de
ella, no refrenen nunca sus impulsos, aunque estén ustedes
realmente ocupados.

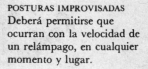

POSTURAS IMPROVISADAS
Deberá permitirse que
ocurran con la velocidad de
un relámpago, en cualquier
momento y lugar.

Salsas y picantes
para ocasiones especiales

Al aire libre

Los países con un verano cálido o templado tienen ventajas que no pueden subestimarse a la hora de entregarse a los juegos sexuales al aire libre, pero no todo es tan fácil ni romántico como parece. En Inglaterra, por ejemplo, para poder hacer el amor de veras a la intemperie, se necesita estar a prueba de heladas y escarcha. En otros países más meridionales, aun cuando el clima sea más benigno, no siempre lo son los prejuicios y la vigilancia que los acompaña. En muchas partes de los Estados Unidos, debieran aprovecharse mejor los dones que les ha otorgado la naturaleza. Es sorprendente que allí no se preocupen algo más por el diseño de los jardines. Los jardines de Europa que están rodeados de muros o vallas son inaccesibles, al menos de noche.

Los lugares alejados de las zonas urbanas están a menudo plagados de gusanos, hormigas, mosquitos, culebras, escorpiones y... guardabosques. En este sentido, suelen ser una excepción las arenosas dunas, que dan protección y conservan el calor, además de no ser cobijo de importunos y molestos insectos. El césped también es un buen lugar si queda bien oculto. El escondrijo más seguro al aire libre para los que quieren desnudarse totalmente es el matorral llano sin cuidar, donde la vegetación permite a los amantes ver lo que pasa a su alrededor sin ser vistos. Los europeos, que viven siempre en parajes muy poblados, están acostumbrados a vestirse de prisa y a utilizar, para sus retozos, lugares como Hampstead Head y el Prater. Con tantas partes de Estados Unidos donde elegir, no debieran existir problemas para los norteamericanos, pero también allí es necesario cultivar la huida apresurada y la costumbre de mantener los ojos abiertos para prevenir sorpresas desagradables; el peligro excita sexualmente a algunas personas, pero a otras, la mayoría, las enfría por completo. La entusiasta ilusión de que algunos se dejan llevar, consistente en entregarse a licencias como la de

AL AIRE LIBRE
Para prevenir el peligro de ser
sorprendidos, cultiven ustedes la
huida apresurada y la costumbre
de mantener siempre los ojos
abiertos.

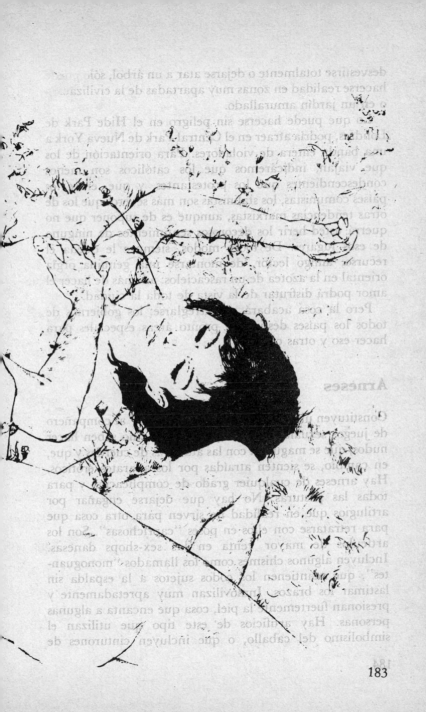

desvestirse totalmente o dejarse atar a un árbol, sólo puede hacerse realidad en zonas muy apartadas de la civilización o en un jardín amurallado.

Lo que puede hacerse sin peligro en el Hide Park de Londres, podría atraer en el Central Park de Nueva York a una banda entera de violadores. Para orientación de los que viajan, indicaremos que los católicos son menos condescendientes que los protestantes, y que, entre los países comunistas, los stalinistas son más severos que los de otras tendencias marxistas, aunque es de suponer que no querrá usted herir los decorosos sentimientos de ninguno de esos lugares. De todos modos, siempre le queda el recurso, amigo lector, de montarse una genuina orgía oriental en la azotea de un rascacielos: además de hacer el amor podrá disfrutar de la vista de toda la ciudad.

Pero la cosa acabará por arreglarse: los gobiernos de todos los países destinarán pronto áreas especiales para hacer eso y otras cosas.

Arneses

Constituyen una forma rápida de "sujetar" al compañero de juegos sexuales para las personas que no saben hacer nudos, que se magullan con las ataduras de cuerdas y que, en cambio, se sienten atraídas por los aparatos eróticos. Hay arneses de cualquier grado de complicación y para todas las posturas. No hay que dejarse engañar por artilugios que en realidad no sirven para otra cosa que para retratarse con ellos en poses "caprichosas". Son los artículos de mayor venta en las sex-shops danesas. Incluyen algunos chismes como los llamados "monoguantes", que mantienen los codos sujetos a la espalda sin lastimar los brazos. Inmovilizan muy apretadamente y presionan fuertemente la piel, cosa que encanta a algunas personas. Hay artificios de este tipo que utilizan el simbolismo del caballo, o que incluyen cinturones de

castidad, corsés, etc. El único aparato de esta clase
realmente útil es el "separador de piernas": una barra de
longitud regulable con aros de cuero en los extremos que
sirve para mantener las piernas separadas cuando no se
dispone de una cama con postes.

Artefactos y chismes diversos

El auge actual de la venta de aparatos sexuales es
realmente extraordinario. Los japoneses fueron los primeros que destacaron en la fabricación y venta de este tipo de
artículos. Podría decirse que antes de escribir un libro
sobre la sexualidad debiera hacerse un estudio de mercado
de estas especialidades para uso de sus consumidores, tarea
que nosotros no hemos llevado todavía a cabo.

A juzgar por las historias que cuentan los viajeros y
exploradores, casi todos los objetos destinados a prestar
alguna ayuda en la vida sexual son usados por los hombres

a instancias de las mujeres. Muchas han de ser las ganas de satisfacer a sus compañeras que sienten algunos hombres cuando llegan al extremo de perforarse el glande y colocarse en él "un mástil con su vela" —variante de los llamados "palillos de pene"—, como los kayanes, o de insertarse piedras debajo de la piel del pene como hacen algunos naturales de Sumatra. En culturas menos violentas, tales adminículos son de uso externo y consisten principalmente en anillos que se colocan en el cuello del pene; están hechos de plumas (*palang unus*, en Malasia), de párpados de cabra cosidos entre sí (Patagonia), o de pelo, en forma de pequeños cepillos. Hay que aclarar que esas cosas sólo se encuentran en los museos; no fuera alguien a creer que puede usarlos cualquiera de nosotros, empezando por los etnógrafos. Lo más sorprendente es que esos adminículos deben tenerse puestos durante la cópula. Casi todos son tremendamente molestos de llevar, y producen pinchazos o se enredan en el vello púbico. Sus equivalentes europeos son los preservativos verrugosos, anillos y cosas por el estilo. También merecen aquí mención especial los llamados *dildoes* en el mundo anglosajón: son sustitutos del pene o suplementos para el mismo y se hallan dentro de la línea de lo que se conoce vulgarmente por "consoladores". Las "vainas" están de moda: básicamente en forma de preservativo, las hay de todas las formas y texturas, y su objeto principal es el de dar aspereza al pene para conseguir un frote más intenso durante el coito; algunas tienen protuberancias nudosas o de otras formas que cosquillean el cuello del útero. Ocurre a este respecto algo desconcertante: mientras todo el mundo cree que han sido creadas para aumentar el goce de la mujer, no hemos podido encontrar todavía ni una de ellas a la que le gusten. Además, estas vainas no son seguras como anticonceptivos. Algunas personas, entusiasmadas por lo que estos chismes sugieren —aunque no, luego, por los resultados— compran un buen surtido de ellos, incluyendo todas las variaciones posibles de forma. Suelen venderse junto con

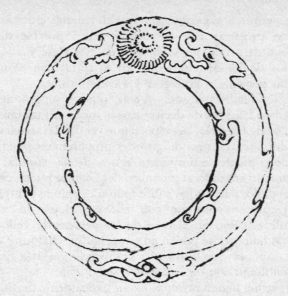

una horma de secado a la que pueden ajustarse para limpiarlas, y luego deben enrollarse y espolvorearse con talco.

Si se siente atraído por estos chismes, puede hacérselos usted mismo añadiendo protuberancias a un preservativo ordinario lavable y de punta redonda. Estas rugosidades pueden conseguirse aplicando a la vaina alguna de las varias gomas o pegamentos a base de látex que existen en el mercado: los "cepillos" y las protuberancias más grandes se hacen con goma espuma y luego se unen al preservativo con un adhesivo especial para pegar goma. Una vez terminado este trabajo, lávese bien la vaina con agua del grifo para hacer desaparecer cualquier residuo de productos irritantes. El tipo de vaina que lleva un grueso anillo en forma de corona nos sorprende por lo dolorosa que ha de resultar. Esta clase de fundas tambien anulan el contacto físico directo, que, en la sexualidad realmente comunicativa, tiene mucha importancia, pero por otra parte permiten experimentar con chucherías eróticas que pueden procurar nuevas sensaciones. Proveerse de un catálogo de artefactos y chismes de esta clase y adquirir algunos de los artículos que en él se ofrecen ayuda a algunas personas a fantasear y a comunicarse.

De los *suplementos para el pene,* que se superponen al verdadero falo, puede decirse casi lo mismo; el tamaño del pene, huelga decirlo, tiene poco que ver con las sensaciones sexuales, aunque uno de grandes proporciones puede ser emocionalmente estimulante antes de la cópula. Un suplemento añadido al miembro del hombre puede causar graves daños a la mujer, sobre todo si es grande y duro. Lo único que se consigue con ellos es elevar la moral masculina, como en el caso de las pelucas de vello que algunos hombres se ponen en el pecho. En cualquier caso, es de suponer que a ningún hombre le gustaría que lo sorprendieran con una de esas cosas puesta.

Los *anillos* tienen otro fin. Están básicamente destinados a mantener la erección del pene; en los casos en que su función es aprovechable, pueden ser de gran ayuda para una mejor práctica sexual, pues mantienen una erección parcial después de un orgasmo pleno: esto se consigue bloqueando ligeramente las venas de la base del pene que mantienen en marcha el mecanismo hidráulico del mismo. Al mismo tiempo, este anillo, al entrar en contacto con el pubis femenino durante la cópula, proporciona un punto de presión adicional para el clítoris. El mejor y más bello ejemplar que hemos visto es chino y está hecho de marfil. Los dos dragones celestiales que lo decoran juegan con una perla (el semen): en la práctica, la perla es una pequeña protuberancia que queda exactamente sobre el clítoris; las escamas de los dragones se abren y cosquillean los labios vaginales, mientras el aparato se aguanta fijado en su lugar por una larga cinta que pasa por el interior del anillo, sigue hacia atrás entre las piernas y sube entre las nalgas para unirse con otra cinta que rodea la cintura. Los chinos y los japoneses también se enrollan finas tiras de cuero alrededor de todo el pene o de su base con el mismo fin, y los japoneses suelen usar además unos tubos, con orificios en toda su extensión, que cubren estrechamente todo el pene en erección: en ambos casos, la presión que se ejerce en la base, más el áspero frotamiento que se consigue entre el falo y la zona púbica, son los efectos esenciales buscados. Otros artilugios de esta clase, semejantes a cinturones, mantienen el prepucio echado hacia abajo tirando de la piel del pene desde su base. Existen actualmente varios modelos de caucho y de plástico puestos al día que se colocan alrededor de la base del miembro y están provistos de un "cosquilleador" de clítoris como suplemento del hueso púbico masculino. Uno de los mejores que existen está lleno de aire como un pequeño neumático, de modo que al ser presionado expele cierta cantidad de ese aire que va a parar a la protuberancia del aparato que presiona sobre el clítoris. Este artilugio está diseñado, según se dice, para proporcionar unas sensaciones muy poco corrientes. El autor de este libro lo ha probado, y ni él ni su compañera han notado nada especial.

Algunos de los chismes con protuberancias destinados a presionar el clítoris nos sorprenden por lo incómoda que ha de resultar su dureza, y además, todos los anillos de goma pueden causar molestias a cualquiera de los dos miembros de la pareja. Aún no hemos conocido a nadie, hombre o mujer, que haya conseguido gran cosa de este tipo de artefactos. Ninguno de estos chismes puede asegurar una erección con pleno éxito, y la mayoría de ellos sólo funcionan hasta cierto punto cuando no existen ansiedades relacionadas con la impotencia. Uno de los artículos más modernos, el anillo Blakoe, rodea a la vez el pene y la base del escroto (se abre y se cierra mediante broches). Se dice que estimula los testículos al formar una especie de acoplamiento electromagnético, pero lo más seguro es que funcione como los demás anillos de pene, es decir, presionando los conductos del retorno sanguíneo del miembro: de poco debe de servir durante la cópula, pero hay personas que juran que ayuda a mantener sensaciones eróticas muy agradables y, por lo tanto, la moral del hombre que lo lleve puesto durante todo el día. Para producir una erección realmente firme, el anillo tiene que abarcar la base del pene y del escroto: algunos amantes rodean dicha zona con un cordel anudado; en este caso, no conviene sujetar demasiado fuerte la atadura ni dejarla puesta demasiado tiempo.

Los *dildoes*, o "consoladores", son penes artificiales de distintos grados de sofisticación (algunos incluso están provistos de un sistema de eyaculación en caliente, y otros llevan vibradores incorporados). Los consoladores existen desde los tiempos más remotos, y es de presumir que siempre tendrán sus adeptos o, mejor, adeptas: los más modernos tienen una textura excelente. La mayoría de las mujeres no se masturban habitualmente mediante la introducción de algún objeto en la vagina, pero, considerando que a las damas de los harenes turcos "no se les servía ni un rábano ni un pepino que no estuvieran cortados en rebanadas", no sería de extrañar que algunas mujeres de nuestros días, más libres y no menos fogosas, usaran esas hortalizas con los fines que sospechamos: y la vista de una mujer metiéndose algo en la vagina siempre resulta excitante para cualquier hombre. Los consoladores también pueden hacer las veces de un segundo pene para simultanear su uso con otro de verdad. Los consoladores simples con arneses, o los que simulan dos penes unidos en dirección opuesta, están destinados solamente a las relaciones sexuales entre mujeres.

Los *merkins*, conocidos en algunos lugares como "la mujer del marino", son sustitutivos de la vagina: tradicionalmente, consisten en un pequeño depósito de agua caliente que envuelve una vagina artificial de plástico o de goma. Los más modernos están provistos de vibradores e incluso de dispositivos que simulan las contracciones musculares de la vagina. Ya formen parte o no de una muñeca hinchable de plástico, dudamos de su utilidad: no existe ningún sustitutivo para lo que intentan reemplazar, y, lo mismo que el tradicional agujero en una sandía, la única excusa para emplear esos artefactos se halla en el plano de las relaciones hombre-mujer, y es la estimulación que puede causar a la mujer la contemplación del hombre copulando con "la mujer del marino". Los sustitutivos de la vagina dotados de una bomba de aire "para alargar el pene", aparte de apoyar las falsas ideas folklóricas sobre el tamaño del pene, pueden dañar permanentemente el sistema hidráulico del aparato genital. No deben, pues, usarse nunca.

Las campanas chinas (que actualmente suelen fabricarse en el Japón y se llaman allí *rin-no-tama*) tienen un carácter muy diferente de los artilugios sexuales descritos hasta aquí. Se trata de tres esferas; dos de ellas, huecas, son de marfil o de plástico, vacía la una, y con cierto contenido de mercurio la otra; la tercera esfera, mucho más grande que las otras, es una bola de acero con varias pequeñas lenguas de metal. También hay campanas chinas en forma de huevo. Pueden introducirse (en orden inverso a aquel en que acaban de ser mencionadas) en la vagina o ponerse entre los labios de la misma. Cualquier movimiento, incluido el andar, produce una sensación verdaderamente única en la pelvis, más intermitente e íntima que un vibrador. Hay algunas *campanas chinas* que pueden usarse durante la cópula, y otras que sirven para mantenerse estimulada sin límite de tiempo (todo el día, si eso se puede resistir). Síganse las instrucciones de los fabricantes.

Los *guantes cutáneos* y los *dedales cutáneos* no hace mucho tiempo que aparecieron en el mercado, y es de esperar que serán mejorados. De todos modos, vale la pena probarlos (mucho más que los artilugios que acabamos de describir, excepto el último). Consisten en un guante entero o, mejor, en una serie de dedos de guante del tamaño de un dedal, cubiertos todos por telas vellosas que varían de textura desde la piel más suave hasta los pelos de nailon más duros dispuestos en un ramillete allí donde un dedo normal

191

tendría la uña. Se usan para dar masajes eróticos a la piel, tanto del hombre como de la mujer. Eligiendo una gama de cerdas adecuada y un poco de habilidad manual, se pueden conseguir unos efectos que van de lo agradable a lo enloquecedor. Una buena serie de estos guantes cutáneos puede ser un regalo personal que sin duda será bien recibido. (Véase también *Vibradores, Estilo japonés* y *Pattes d'araignée.*)

Como conclusión, diremos que, a no ser que en algún caso los chismes y artefactos extravaginales puedan prestar ayuda a alguien difícil de estimular (cosa poco corriente), sólo sirven para malgastar el dinero. La mayoría de las personas que los usan no obtienen de ellos otro beneficio que el deterioro de la intensidad normal de la sensibilidad. La estimulación de la piel ya es otra cosa. Pero, claro, siempre hay casos especiales.

Automóviles

Los automóviles son nuestra forma ideal de locomoción, pues pueden compararse a una cama de dos plazas con un motor fuera borda. Los grandes coches norteamericanos se acercan a la perfección en tal sentido (hay espacio para echarse, incluso en el asiento trasero). En cambio, los Volkswagen —por ejemplo— sólo sirven para "hacer manitas" o, a lo sumo, para algunos toqueteos mutuos en los que pueden incluirse las caricias a los pechos de la chica. Las posturas clásicas dentro de los carruajes ya fueron estudiadas y perfeccionadas por Emma Bovary pensando en los landós de su época: la mujer sentada en el asiento trasero con el hombre arrodillado entre sus piernas, o los dos sentados con las piernas de ella alrededor de la cintura de él, y otras cosas por el estilo. Todos los automóviles, tanto si permiten sólo las caricias como si dejan espacio suficiente para el coito, son lo más parecido a un invernadero, pero si se vive en un clima donde los

La cama es el lugar más
adecuado para entregarse
a los juegos que siempre se
quisieron practicar. Ello
es algo esencial para tener
una visión plena, audaz y
saludablemente inmadura
de la sexualidad.

La buena práctica sexual
sólo exige el cumplimiento de dos reglas básicas:
"No hagas nada que no te guste de veras" y
"Descubre las necesidades de tu pareja y haz lo
posible por complacerla".

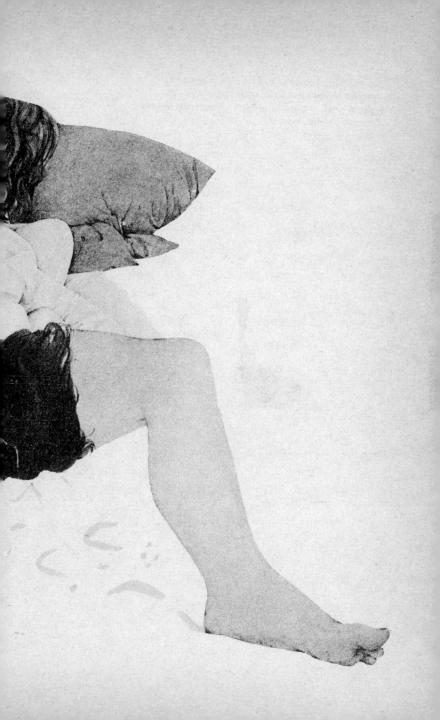

La práctica sexual debiera ser una unión plenamente satisfactoria entre dos personas con mutuo afecto que saliesen de ella tranquilas, relajadas y dispuestas a continuar al cabo de poco.

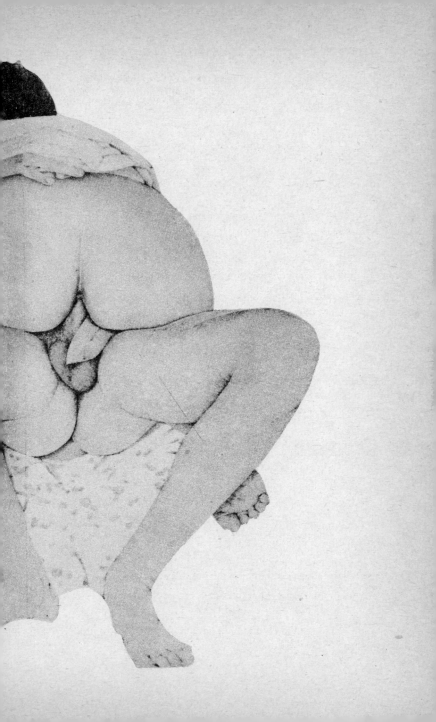

Las mujeres que han aprendido a gozar realmente de la sexualidad suelen sentirse fascinadas por el pene de sus amantes —del mismo modo que a los hombres les maravilla la forma, el olor y el tacto de los

*pechos de las mujeres   , y deben acostumbrarse a
jugar con él a fondo y con habilidad. Un buen juego
manual, acompañado de un buen trabajo bucal,
garantiza prácticamente las cualidades de una buena amante.*

*La ternura no excluye juegos extremadamente
violentos (aunque muchas personas no los necesitan y
gustan de ellos), pero el cariño se manifiesta
plenamente en la forma de tocarse el uno al otro*

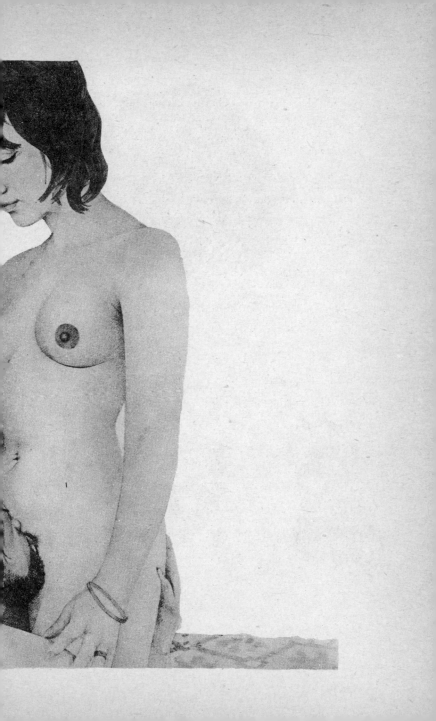

Los componentes de una pareja sin inhibiciones se contarán mutuamente sus fantasías (mediante la libre asociación de ideas antes del orgasmo si se trata de personas tímidas). Los amantes verdaderamente comunicativos buscan esos frutos de su imaginación y los ponen en el menú sin previo aviso: no existe una comunicación más completa.

Con frecuencia, las mujeres no consiguen ejercer suficiente presión, sobre todo en la manipulación, aunque un trabajo manual ligero produce también sus propias sensaciones. Hay que empezar con la máxima suavidad utilizando la mayor superficie cutánea posible y diversificando las caricias. Por otra parte, la fuerza masculina es uno de los principales estímulos sexuales para la mujer, siempre que no se exprese con rudeza, con abrazos de oso o con la fuerza bruta.

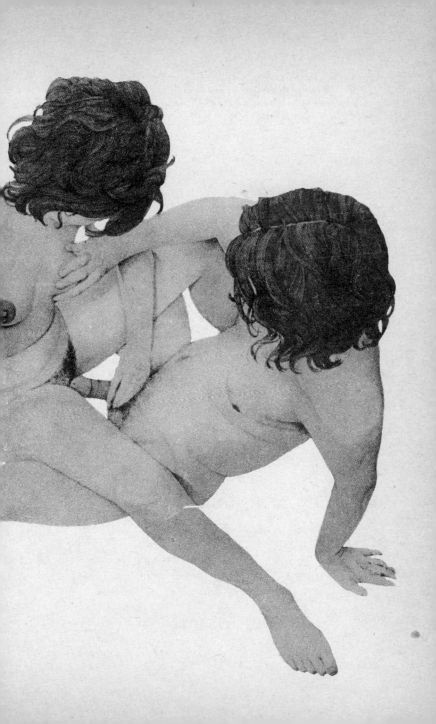

Planear los juegos sexuales a que la pareja piensa entregarse forma parte del amor. También lo es el yacer gozando de las últimas oleadas de lujuria después de la sesión sexual.

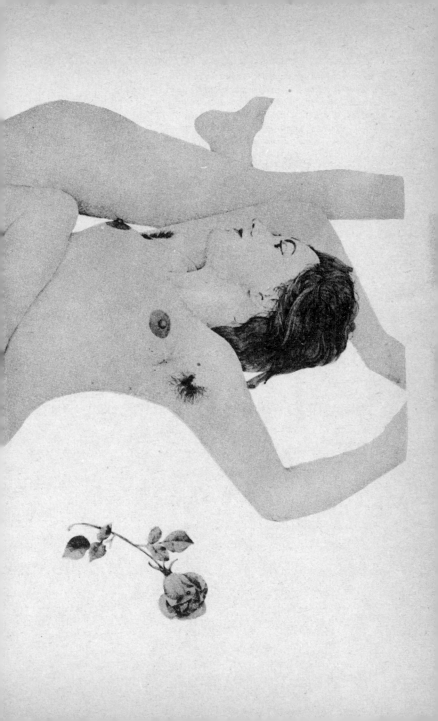

El mayor atractivo de una mujer, después de su belleza, es su perfume. Constituye una emanación que procede de la totalidad de su cuerpo: su pelo, su piel, sus pechos, su sexo... A menudo, para una mujer, el olor y el contacto de la piel de un hombre tiene más que ver con la atracción sexual que cualquier otro atributo masculino.

cristales de las ventanillas se empañan con facilidad, son mucho más discretos. Si confían ustedes en la condensación del vaho, no estará de más que tengan una luz poderosa a punto de ser proyectada sobre los policías y curiosos y tenerlos deslumbrados mientras los amantes motorizados se visten.

Para hacer el amor al aire libre, lo mejor es aparcar cerca de algún bosquecillo de acceso difícil, donde nadie pueda sorprender a la pareja. Cuando se es un asiduo de este tipo de retozo, es preferible comprarse una pequeña furgoneta o una de esas camionetas llamadas *mini-campers*, conocidas también por "furgonetas del adulterio", que en realidad son casas móviles. De todos modos, el desnudarse por completo en cualquiera de esos vehículos no suele ser un acto exento de temores y aprensiones. Si se desea una seguridad completa, lo mejor es que se junten dos parejas para esta clase de excursiones, utilizando por turno la parte cubierta de la furgoneta o camioneta, mientras los otros dos conducen o permanecen sentados como dos santitos en la parte delantera del vehículo para despistar. La masturbación mutua mientras se conduce, como el propósito de marcar un récord de orgasmos por cada litro de gasolina consumida, pertenece al plano de las fantasías populares y, además, no favorece precisamente una conducción segura. No obstante, si es muy fuerte el deseo de practicar esa especialidad, sujétese bien con el cinturón de seguridad a la persona que no conduzca o átesela al asiento por otro medio. Entonces su acompañante podrá entregarse a su labor acariciante y monomanual con cuidado y lentitud.

Axilas

Es un lugar clásico para recibir besos. Las axilas no deben afeitarse por ningún motivo (véase *Cassolette*). Pueden ser utilizadas para silenciar al compañero, en vez de hacerlo

AXILAS
Lugar clásico para
recibir besos.

con la palma de la mano, al llegar al clímax. Si usa usted la palma de la mano con dicho fin, restriéguela primero contra sus propias axilas y las de su pareja. La cópula axilar puede ser una variación ocasional. Procédase en todo como para el acoplamiento intermamario (véase *Pechos*), pero colocando el pene debajo de la axila derecha de la mujer en lugar de hacerlo entre sus senos. Procure hundir bien el falo debajo del brazo, para que sea el cuerpo del mismo —y no el glande— lo que se friccione, como en cualquier otra zona no lubricada. Ponga el brazo izquierdo de la mujer alrededor del cuello de usted y sujétele la mano derecha detrás de su cuerpo agarrándosela con la mano derecha. Ella experimentará sensaciones causadas por la presión del cuerpo masculino sobre sus pechos, a las que podrán añadirse otras de distinto carácter presionándole usted el clítoris con el dedo gordo del pie, suponiendo que ella lo desee. No es nada sensacional, pero pueden probarlo si les gusta la idea.

Baile

Todos los bailes de salón por parejas tienen el mismo objetivo: la cópula. En esto los puritanos tenían toda la razón. Los bailes que no requieren contacto físico han ido poniéndose de moda porque en nuestros días no se necesita ningún pretexto de tipo social para abrazar a una muchacha. Sin embargo, como excitante sexual, no es necesario que haya en el baile contacto directo alguno. De hecho, hay danzas, como el baile flamenco y el twist, que resultan más eróticas que el baile "agarrado" —sin hablar de las innovaciones que surgen cada día en las discotecas— porque la poca distancia que separa a los que bailan permite la observación mutua. En sus mejores momentos, este tipo de danza no es otra cosa que una cópula por control a distancia.

La mayoría de los buenos amantes se encuentran mejor bailando bien juntos. Pueden hacerlo en público o en privado, vestidos o desnudos. Desnudarse el uno al otro mientras se baila es una sensación estupenda. No se entreguen en seguida a la cópula total: bailen hasta que la erección del hombre sea insoportable y la mujer se halle al borde del clímax, ambos llevados a ese estado sólo por el ritmo y por el perfume y la visión mutua de sus cuerpos. Incluso entonces no es necesario detenerse. Si él y ella tienen la altura adecuada, podrán iniciar y seguir la cópula sin parar de bailar, ya abrazados el uno al otro, ya unidos solamente por el pene. Pero estas condiciones ideales de altura no son muy frecuentes: generalmente el

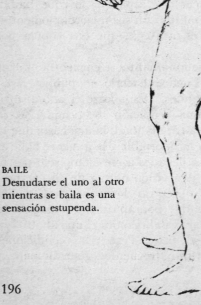

BAILE
Desnudarse el uno al otro
mientras se baila es una
sensación estupenda.

196

hombre es más alto que la mujer, y entonces él tiene que mantenerse con las rodillas dobladas, cosa realmente agotadora. Si la pareja no puede bailar sin abandonar la penetración y la mujer es liviana, el hombre podrá levantarla y hacerle adoptar una de las muchas posturas de pie que tienen los indios: por ejemplo, una en que la mujer rodea la cintura del hombre con sus piernas y el cuello con sus brazos. Así no tendrán que interrumpir el baile. Si ella es demasiado pesada, lo mejor es que él le haga dar media vuelta, la haga inclinar hacia adelante y la posea por detrás, siempre siguiendo el ritmo de la música.

Esto, naturalmente, es un juego privado, pero el desnudarse durante el baile se está haciendo cada vez más común en algunos círculos como juego preliminar antes de iniciar la práctica sexual en grupo. Y los hechos lo demuestran: se trata sólo de un juego preliminar. Al cabo de unos cuantos bailes, el suelo que hace de pista se vacía y las camas y sofás se llenan por completo.

La seducción o la excitación de la pareja durante el baile es algo muy natural que ya viene de antiguo. En los tiempos en que el baile era una diversión formal, más de un hombre se lamentaba de que las mujeres no tuvieran los senos en la espalda: habrían podido alcanzarlos fácilmente con la mano para lo que fuese sin salirse de las reglas. Suaves presiones, ritmo, vista y olfato, y además un buen conocimiento de los métodos del control a distancia, es todo lo que se necesita.

La mayoría de los amantes están en contra de danzas como las que tienen lugar bajo la dirección de un "controlador" que anuncia a intervalos los momentos en que puede efectuarse el cambio de pareja.

Baño

Bañarse juntos los componentes de una pareja es algo concomitante con la sexualidad, lo mismo que un

BAÑO
Hay playas que, por su
situación, quedan
protegidas de las miradas
ajenas incluso durante el
día.

espléndido comienzo o un buen final para una sesión
copulatoria. Tomar juntos un baño corriente tiene su
propio encanto, aunque siempre habrá alguno que se verá
precisado a apoyarse en las cañerías. Enjabonarse por
completo el uno al otro y, por supuesto, secarse mutuamen-

te, es un juego "cutáneo" que conduce de manera natural a cosas mejores. Después de la cópula, un baño de los dos amantes juntos es una vuelta también natural a la vida cotidiana. Hay en la actualidad baños muy amplios donde todo es posible, pero la mayoría de nosotros sólo podemos verlos en los hoteles caros.

El coito es posible, y divertido, bajo la ducha si las alturas de ambos participantes no difieren mucho (véase *Baño y ducha*), pero son pocos los cuartos de baño corrientes, tanto de la propia casa como de los hoteles ordinarios, que ofrezcan suficiente espacio para que dos amantes puedan copular a sus anchas y sin lastimarse los codos contra las paredes. Además, aparte de la novedad, la cosa no tiene nada de extraordinario.

La práctica sexual durante el baño ya es otro asunto. Lo más importante del acomplamiento dentro del agua es la falta de peso o la sensación de volar que se experimenta en ella. La mujer que es demasiado pesada para copular de pie o practicar todas esas posturas indias que le exigen que trepe por el cuerpo de su compañero y se quede colgada de él, se vuelve suficientemente ligera como para ser manejada con facilidad o mantenida en posiciones que ningún acróbata podría adoptar. Todo esto se descubrió en California y otros lugares de clima templado durante la época en que se pusieron de moda las piscinas. Esperemos que lo que ahora es todavía un lujo sólo para millonarios pueda ser accesible a las fortunas más modestas y que cada cual pueda tener en su casa su piscina particular, incluso a cubierto de la intemperie. Entretanto, tenemos el mar a nuestra disposición, después de anochecer, cuando el agua se conserva todavía tibia y uno puede sumergirse en ella sin escalofríos. Hay playas que, gracias a la conformación del terreno, quedan protegidas de las miradas ajenas incluso durante el día. Las piscinas tienen la ventaja de estar dotadas de escaleras y lugares donde agarrarse, pero su agua suele contener cloro. El agua no impide la fricción, aunque por poco fría que esté dificulta la erección del pene del hombre más ansioso, por lo que ésta no se consigue en tales condiciones sin la ayuda de un vigoroso frotamiento. Podría ser una buena idea efectuar la penetración antes de entrar en el agua, o que la mujer llevara puesto un diafragma (nunca hemos tenido noticia de que una mujer resultara perjudicada por la absorción vaginal de agua de mar); en cambio, el agua clorada de una piscina puede provocar en el aparato genital femenino irritaciones semejantes a las que causa en los ojos. Una pareja puede disfrutar de una excelente cópula yaciendo en la playa envueltos por la marejada, pero en este caso la arena es un problema, pues no desaparece de ciertas partes del cuerpo hasta pasados varios días. El colchón flotante puede sustituir con eficacia a la cama de agua, pero es difícil mantener el equilibrio encima de él sin concentrarse y, por lo tanto, no prestando suficiente atención a lo que más interesa. Hemos oído decir que algunas personas combinan el coito con la natación, e incluso con el buceo, pero nunca pudimos obtener detalles concretos sobre ese tipo de práctica sexual. La cópula debajo del agua, a menos que se limitara a un ligero contacto, necesitaría una gran cantidad de oxígeno a causa de la intensificación de la respiración exigida por el orgasmo.

Bollo de mantequilla

Se aplica a la mujer que acaba de hacer el amor con otro hombre. Es un excitante inesperado para muchos de ellos. Parece ser que se trata de un resto del comportamiento general de los monos, para los cuales compartir una hembra es una manera de estrechar los lazos afectivos entre los machos. Desde hace mucho tiempo, los psicoanalistas vienen sospechando que el motivo subyacente en la práctica de los cambios de pareja entre matrimonios (y también la atracción de la prostituta, que es una mujer "compartida") era de carácter homosexual. Probablemen-

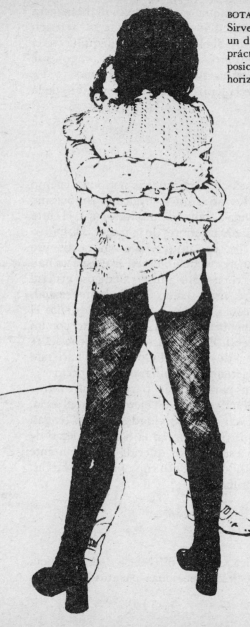

BOTAS
Sirven para formar parte de
un disfraz sexual, pero no son
prácticas en la cama y en
posiciones que requieran la
horizontalidad de la pareja.

te sea más acertado decir que es un ejemplo de la manera cómo es usada la bisexualidad para evitar la agresión abierta entre los machos. Si el "bollo de mantequilla" es la mujer de usted, hay entonces en su actitud un componente de lo que los psiquiatras llaman "masoquismo" y los biólogos "descenso de la jerarquía de dominio". Fin de la lección.

Botas

Famoso estimulante sexual para muchas personas: cuanto más largas, mejor. Hay aquí un complicado simbolismo que incluye la agresividad (botas de montar, etc.), el culto del falo y las extremidades inferiores de la mujer. Distintivo en otro tiempo de las prostitutas, son ahora de uso corriente entre las mujeres respetables: en este aspecto han tomado el lugar de los corsés, que antes eran de uso general y que ahora sólo se usan como estimulante sexual. Sorprende observar cómo cambia a través de los años el mercado de la vestimenta simbólica y su respeto por los consumidores en general. Podría aprenderse mucho sobre las tendencias humanas de cada período histórico haciendo un estudio de las preferencias dominantes al respecto.

Si se desea, sirven para formar parte de un disfraz sexual. No son muy prácticas para un ejercicio sexual serio, a menos que se reserven para actividades que no tengan lugar en la cama o que no requieran la horizontalidad de la pareja. Si le gustan a su hombre, querida lectora, intente sorprenderlo apareciendo de pronto con unas botas largas, ajustadas, negras y brillantes.

Bromas y locuras

El campo de la práctica sexual, a diferencia de lo que dicta la tradición cultural de las personas pacatas, es el más adecuado para toda clase de bromas y locuras. No es, pues, de extrañar que la mayoría de éstas se hagan a costa de la tradición mojigata. El desafío de los amantes a la sociedad que los rodea es tan necesario psicológicamente como la ternura que puedan sentir el uno por el otro. Eso, más que el acicate del peligro, es lo que les lleva a hacer el amor en lugares insólitos y, como quien dice, ante las narices (poco perceptivas) de los demás. Se trata de un modo de actuar infantil, pero tiene tanta importancia desde el punto de vista mental y físico que mejor será que quien todavía no sepa comportarse infantilmente en la práctica sexual haga lo posible por aprenderlo cuanto antes.

No debe permitirse que la broma rebase los límites prudenciales y estropee las cosas: si pueden ustedes copular en un restaurante público o sentados a la mesa de su tía durante o después de la comida, y conseguirlo sin que nadie se entere, podrán reírse después de ello, pero si fracasan es muy probable que sufran un serio perjuicio social. La mayoría de las personas que componen una pareja llevan en sí, para determinadas ocasiones, un amante temerario, pero también cierta dosis de influencia refrenadora, de modo que, ayudados además por el ángel que protege a los amantes de los seres lunáticos y anticuados, consiguen comportarse casi siempre según las reglas del sentido común. Total: consideramos que sería una estupidez recomendar tales disparates, pero también creemos que sería una verdadera lástima dejárselos perder.

La cantidad de carcajadas que dos amantes suelten durante la cópula, aparte de las bromas que se dediquen, son la medida de su habilidad y experiencia en la práctica sexual. Es una prueba a favor, no en contra, de la seriedad de la comunicación existente entre ellos. Si gozan de ella, las risas nunca faltarán, porque el sexo tiene su aspecto divertido. Si no disfrutan de esa comunicación, terminarán mal: pocas veces conseguirán un orgasmo total, y es posible que se llegue a las lágrimas e incluso a los bofetones a causa de alguna observación de esas que "echan a perder el ambiente". Cuando todo marcha a la perfección, la risa forma parte del ambiente: hasta las burlas resultan cariñosas, y no existe mejor broma que el amor perfecto y mutuamente·completado bajo circunstancias inverosímiles. Es una de las pocas actividades actuales capaces de causar carcajadas de auténtico y puro gozo.

Presentarse en una fiesta o reunión de gente mojigata con la amiga o la esposa desnuda o medio desnuda bajo un abrigo o prenda semejante es una especie de juego audaz que algunas parejas saborean con deleite. La cosa es peligrosa. Asegúrese, pues, antes de poner su broma en práctica, de que su compañera va a disfrutar con ella. Además, en estos casos, el no llevar bragas es ya aventurado de por sí, aunque puede haber algunas mujeres que se pirren precisamente por esa clase de aventuras.

CABALLO
Sorprende la frecuencia con que convergen los juegos de los niños y los juegos sexuales de los mayores.

Caballo

El caballo es un objeto erótico (véase *Vestimenta*), y jugar a caballos, así como montar en ellos, es un gran estimulante sexual para muchas personas. Un célebre aficionado a esta clase de juegos fue Aristóteles, que se nos muestra frecuentemente haciendo de caballo para una mujer, es decir, dejándose montar por ella. Los moralistas medievales que citaban este hecho como una terrible advertencia erraban el tiro. A algunos hombres les gusta disfrazar a las mujeres de caballos, aunque es dudoso que puedan cabalgarlas equinamente. Como mínimo, este disfraz parece ser tan estimulante como el de las famosas conejitas. Lo mencionamos aquí sólo para no dejar incompleto el tema, pero a nosotros no nos entusiasma. Sin embargo, este tipo de juego figura (*equus eroticus*, el juego de la chica poney) algunas veces en la literatura. Cualquiera de los dos componentes de la pareja puede ser el corcel. Sorprende la frecuencia con que convergen los juegos de niños y los juegos sexuales de los mayores.

Cadenas

Brillantes y tintineantes, con reminiscencias de esclavitud, resaltan hermosamente sobre la piel desnuda. A algunas mujeres les gusta tanto su frialdad como su simbolismo, y algunos hombres se pasan horas abrochándolas y desabrochándolas. No estaría de más que alguna mujer las pusiera también a su compañero, aunque sólo fuera para ver cómo le sientan. Las cadenas siempre resultan incómodas y sólo son eficaces —simbólicamente— cuando se quiere mantener quieta a la compañera: De todos modos, por la crueldad que sugieren, excitan a algunas personas. (Véase *Lóbulos de las orejas*.)

Cinturón de castidad

Los cinturones de castidad son un estimulante sexual para algunas personas. Hasta hace poco, eran vendidos con fines prácticos: "evitar la masturbación". Como sucede con las ropas, la verdadera diversión empieza cuando se quitan. Hay cinturones comerciales que ni siquiera impiden la cópula. Los que llevan dispositivos estimulantes como vibradores y otras cosas parecidas son sin duda más divertidos, pero cuestan un ojo de la cara. Los modelos auténticos, tal como se usaban en el siglo XIII, no estaban destinados a mantener cerrada con llave la vagina de la mujer, sino que eran un disuasor contra la violación (era la propia mujer quien solía guardar la llave); muchas mujeres eran enterradas con el cinturón de castidad puesto para evitar su violación póstuma. El único juego relacionado con el cinturón de castidad que vale la pena intentar es el de ver cuántas veces se puede conseguir la penetración a pesar de llevar la mujer un "eslip indiscreto" verdaderamente ajustado y alcanzar los dos un buen orgasmo. También se venden versiones de estos artilugios para hombres. Resultan atractivos para ciertas personas, presumiblemente como retardadores del momento de la verdadera cópula.

Coitus saxonus

Se llama *coitus saxonus* (coito a la manera sajona) la cópula durante la cual se oprime firmemente la uretra del hombre, cerca de la raíz del pene, para evitar la eyaculación y (con suerte) la concepción. No sirve como anticonceptivo, puesto que los espermatozoides, en mayor o menor cantidad, suelen aparecer ya antes de la eyaculación propiamente dicha. Aparte de esto, hay mujeres que tienen el don, durante la masturbación, de detener y volver a poner en marcha la eyaculación mediante la opresión de la uretra. Con ello prolongan el clímax del hombre. La mejor manera de conseguirlo consiste en oprimir, con dos o tres dedos, el cuerpo del pene cerca de la raíz del mismo. La presión debe ser fuerte, aunque sin causar dolor. Hay quien presiona en el punto equidistante del escroto y el ano. Con ello se pretende que la eyaculación tenga lugar por etapas. Si se interrumpe la eyaculación de golpe y por completo, lo más probable es que el hombre eyacule en su propia vejiga. No hay pruebas de que esto sea nocivo, a menos que se efectúe con violencia y demasiado frecuentemente, pero, por si acaso, mejor será evitarlo. Es probable que interrumpir la eyaculación no sea perjudicial, si bien es muy difícil conseguirlo y no da resultado en todos los hombres. Las mujeres que practican esta especialidad afirman que es muy apreciada, pero habría que escuchar también a sus compañeros. También puede interrumpirse la eyaculación cuando el hombre está a punto de eyacular y provocarla de nuevo al cabo de unos minutos.

Columpios y balancines

Son un aditamento erótico que funciona estupendamente. Lo que podría llamarse "solo de columpio" ha ocasionado a muchas muchachitas su primer orgasmo, porque la aceleración produce una increíble presión en la pelvis. Los balancines son de dos tipos. Los que mencionan los escritores orientales son simplemente sofás de jardín suspendidos que no pueden alcanzar tal aceleración, pero que provocan las agradables sensaciones propias de una superficie ligeramente inestable. Para el hombre, es como poseer una mujer de nalgas infinitas; para ella, la sensación de estar flotando o nadando en el agua, sin los inconvenientes de un colchón demasiado blando, ya que la superficie de este columpio puede ser lisa y dura. Lo verdaderamente eficaz es la caída vertiginosa. La gravitación oscilante con un hombre bien implantado es una sensación que toda mujer debiera experimentar al menos una vez en su vida. El "solo de columpio" con las *rin-no-tama* puestas (véase *Artefactos y chismes diversos*) es otra experiencia sensacional en cuanto a movimientos internos. Un salero de plástico en forma de huevo con una pesada bola de cojinete dentro puede dar una idea de lo que son las "campanas chinas". Para realizar el acoplamiento en el columpio, el hombre debe colocarse en el asiento del mismo, y la mujer sentada frente a su compañero a horcajadas. Él impulsará el columpio (también puede hacerlo una tercera persona: tradicionalmente, la doncella). Lo ideal sería poder hacerlo en las montañas rusas, pero aún no hemos encontrado ningún parque de atracciones donde se permitan estos juegos. Si se practica la cópula en un columpio de jardín hay que tener presente que el orgasmo en tales condiciones puede ser tan intenso para la mujer que, aun cuando no sea propensa a los desvanecimientos, puede perder el conocimiento y caerse si usted no la sostiene. Cuidado, pues. Empiécese con la penetración ya efectuada y permaneciendo quietos los amantes; adáptense luego los movimientos del coito a los necesarios para mantener las oscilaciones del columpio.

Control a distancia

Según se cuenta de antiguo, puede seducirse a una novicia, por inocente que sea y por más que desconozca las intenciones que uno lleva, deslizando el pulgar de una mano dentro de la otra cerrada en forma de puño y moviendo el dedo de dentro a fuera y de fuera a dentro. Todas las personas en las que hemos visto que este sistema surtía efecto sabían muy bien de qué se trataba.

Ésta es una de las varias versiones del mando a distancia aplicado a la sexualidad. La de los labios da mejores resultados: si se mete usted el pulgar entre los labios con la uña hacia abajo y le imprime el ritmo apropiado, la mujer lo sentirá donde es lógico que lo sienta. Ella puede hacerle lo mismo a él; por ejemplo, durante una comida (véase la portentosa secuencia de *Tom Jones*). Una vez acostumbrados a algunas de estas formas de control a distancia, la mayoría de las mujeres y algunos hombres pueden ser telecontrolados hasta lograr en ellos la excitación, la erección y hasta el orgasmo —incluso acariciándose el lóbulo de una oreja—, desde lugares como el extremo de una mesa, el rincón de una habitación o el palco de un teatro. El empleo más gracioso que hemos visto de este poder fue el aplicado a una dama que estaba bailando con cierto caballero: sintió una gran excitación sexual en brazos de su pareja —y dio evidentes pruebas de ello creyendo que el estímulo procedía del hombre con quien bailaba— sin advertir que, en realidad, todo se debía a los "mensajes" que le enviaba su amante, que se hallaba sentado a cierta ditancia.

Cópula a lomo de caballo

Este tipo de cópula se atribuye a los tártaros, a los gauchos y a otros pueblos ecuestres. No hemos podido probarlo, por no disponer del caballo ni de un lugar suficientemente discreto. En esta clase de práctica sexual, el hombre controla el caballo, y la mujer se sienta a horcajadas frente a él. Si este juego erótico interesa verdaderamente a alguna pareja, podrá utilizar lo único de que puede disponerse en la ciudad: un caballo de cartón de esos que pueden mecerse. Naturalmente, deberá tener las proporciones necesarias para que pueda cumplir su función sin problemas. De todos modos, no estamos seguros de que valga la pena probar esta singularidad.

Cópula anal

Es algo que todas las parejas prueban por lo menos una vez. Algunas siguen practicando luego este tipo de cópula, generalmente porque la mujer experimenta sensaciones más intensas que entregándose al coito por la vía normal, y porque, para el hombre, es un camino agradablemente estrecho. En Inglaterra y en algunos estados de los Estados Unidos este tipo de penetración es ilegal.

A diferencia de casi todas las demás prácticas sexuales, ésta presenta inconvenientes. Por lo general, el primer intento es doloroso, y si bien este problema puede resolverse con el tiempo y la costumbre, no tiene solución para la mujer que padezca de hemorroides. El acoplamiento anal puede causar daños graves, pues esa zona no fue creada para eso; por lo tanto, el hombre deberá proceder con sumo cuidado. Por la misma razón, la violación anal, aun con el consentimiento de la víctima, debe excluirse. Asimismo, quien utilice ese conducto deberá procurar no mezclarlo con la cópula vaginal: podría exponerse a molestas infecciones de fermentos y otros microorganismos que habitualmente se encuentran en los intestinos, y no en la vagina o en la uretra masculina.

Por otra parte, hay amantes que gozan muchísimo con este tipo de penetración, tanto ocasional como regularmente, y, como hemos dicho, hay que reconocer que casi todo el mundo ha sentido la curiosidad de probarla siquiera una vez. Su técnica es completamente distinta de la de la penetración ordinaria. La mujer deberá mantenerse arrodillada, bien inclinada hacia abajo, y el hombre deberá lubricarse el glande (con aceite o vaselina: la saliva no basta). No haga *nunca* (nos referimos al hombre) una alegre y viril penetración como en la cópula normal. Ponga el glande en el lugar adecuado y presione firmemente, pero con suavidad, mientras la mujer se inclina para facilitar la introducción. Primero la mujer, por instinto u obedeciendo a determinados reflejos, mantendrá el ano totalmente cerrado. Pero momentos después empezará a abrirse. Penetre con lentitud, y nunca a mayor profundidad de la que le indique la introducción del glande completo; y procúrese la fricción más bien echando el pene hacia fuera que empujándolo hacia dentro. Entretanto, se podrán manipular los pechos y el clítoris.

También podrá usarse analmente un pequeño vibrador o un dedo lubricado durante la cópula frontal ordinaria; esto vale tanto para los hombres como para las mujeres (véase *Postillonage*): esta práctica, llevada a cabo con el meñique, es uno de los placeres favoritos que se describen en los libros franceses sobre sexualidad. El ano es sensible en casi todas las personas, y es una sensibilidad que puede ser cultivada. Sin embargo, a no ser que la encuentren ustedes muy gratificante y no les importe su carácter antiestético, dudamos de que la cópula anal valga la pena de ser practicada más de una vez, ya sea para satisfacer la curiosidad u obedeciendo a un impulso ocasional.

Cópula con la ropa puesta

En realidad, se trata de una sesión de caricias de la máxima intensidad sin llegar al coito propiamente dicho. La mujer se deja puestas las bragas o el "eslip indiscreto". El hombre efectúa todos los movimientos necesarios para la cópula ordinaria hasta donde ello le es posible. Se trata de una variante etnológica bastante corriente, empleada especialmente en el acoplamiento prematrimonial: en Turquía se llama *badana*; en lenguaje hosa, *metsha*, etcétera. Es raro que nosotros no tengamos ninguna palabra para designar esta técnica. No se puede confiar en ella como anticonceptivo a menos que la posición para la eyaculación sea totalmente interfemoral, es decir, con el glande bien separado de la vulva, con ropa o sin ropa de por medio. Algunas personas que han empleado este sistema antes de la boda vuelven a él, ya como primer plato de un festín sexual, ya como medida de prudencia durante el período menstrual. Aun cuando se trata de una cópula "seca" y su prolongación excesiva puede irritar el glande del hombre, muchas mujeres pueden conseguir con ella un orgasmo pleno.

Cópula femoral

Es otro truco que, como la cópula anterior, servía para preservar la virginidad y evitar el embarazo, etcétera, en culturas que se preocupaban por la virginidad pero que no tenían anticonceptivos. Nosotros la contamos entre los sustitutivos. Puede practicarse tanto por delante como por detrás o en cualquier otra postura en que la mujer pueda apretar fuertemente los muslos. El pene penetra entre ellos, con el cuerpo (del pene) deslizándose sobre los labios de la vagina, pero con el glande bien separado de la misma; la mujer se limita a mantener su presión. Esta cópula ficticia proporciona a la mujer toda una serie de sensaciones especiales; a veces, más intensas que en una verdadera penetración. Por lo tanto, vale la pena probarla. Nosotros no necesitamos ser tan escrupulosos respecto a los detalles de esta técnica como nuestros antepasados, que se creían obligados a hacer cuanto pudieran para impedir que el esperma penetrara en la vulva. La cópula femoral puede realizarse con cuidado por detrás haciendo que el glande oprima directamente el clítoris: los resultados son sorprendentes. Es una buena variante para el tiempo que dura el período menstrual o para hecerse algunas caricias, como mínimo, antes de entregarse a la cópula normal.

Corsé

El corsé, en otro tiempo una prenda de uso exigido por la

elegancia y la moda femeninas, queda limitado hoy día, afortunadamente para las mujeres, a un artículo sólo empleado en los juegos sexuales. Es un poderoso estimulante para muchas personas. Una firme presión en la cintura y sobre el abdomen excita a muchas mujeres. Algunos hombres también se excitan fuertemente al sentirse oprimidos dentro de un corsé. Es muy probable que estos estímulos sean originados por la presión y tirantez que la prenda ejerce sobre la piel, pero también es posible que contribuyan a ello la serie de simbolismos que encierra el corsé.

Cuero

Es, probablemente, el excitante más popular de cuantos se usan sobre la epidermis. El cuero negro también parece agresivo o amedrentador, y además, por ser piel, conserva los olores sexuales. A diferencia del caucho, puede llevarse sin temor de que la persona que lo use sea tachada de extravagante, lo que constituye otro ejemplo de la arbitrariedad social dominante a la hora de elegir las prendas que más estimulan sexualmente. A algunos hombres les gustan las mujeres cubiertas con prendas de grueso cuero bien ajustadas al cuerpo: a los que se entusiasman con la severidad del cuero tirante y bien abrochado no les dicen nada las prendas mojadas sobre el cuerpo, ni el mismo efecto producido por el cuero delgado y suave, y viceversa. Si a su compañero, o compañera, le gusta que usted vista prendas de cuero, deje que él mismo, o ella misma, se las compre. Son un objeto estimulante al que responden por igual hombres y mujeres, especialmente si se acierta en la elección de su olor y su textura. Los suspensorios o los cubresexos de cuero suave parecen gustar a algunas personas de ambos sexos. Pero no deben pagarse precios abusivos por estas cosas: la mayoría de las sofisticadas prendas o fetiches que se venden en las tiendas especializadas pueden improvisarse en casa. (Véase *Botas* y *Vestimenta*.) En caso de que no le agrade a usted la textura del cuero, no se prive de su olor si le gusta o quiere atraer con él. Pruebe un perfume basado en el cuero *(cuir de Russie)*: es probablemente lo más parecido al atractivo olor natural de la mujer.

Dedo gordo

La yema del dedo gordo del pie masculino aplicada sobre el clítoris es un magnífico instrumento erótico. El famoso caballero de las imágenes eróticas que tiene ocupadas a seis mujeres a la vez usa la lengua, el pene, ambas manos y los dos dedos gordos de los pies. Úsese el dedo gordo del pie en la cópula intermamaria o axilar, o en cualquier otra ocasión en que el hombre se encuentre encima de la mujer o frente a ella estando sentada o echada. Hay que asegurarse de que la uña no puede dañarla. En cualquier restaurante, con nuestras modas de ropas breves y ceñidas, uno puede quitarse disimuladamente un zapato y un calcetín, estirar la pierna y mantener a una mujer en un orgasmo casi continuo con las cuatro manos de ambos totalmente visibles sobre la mesa y sin la menor señal de contacto entre los dos. Es un truco, también utilizable en fiestas y reuniones, que pertenece a la categoría de lo más avanzado en cuanto a juegos sexuales. Las piernas femeninas no suelen tener tanto alcance, pero cualquier mujer puede aprender a masturbar a un hombre sirviéndose de sus dos dedos gordos de los pies a un tiempo. Los dedos gordos de los pies constituyen, sin duda alguna, una zona erógena. Por lo tanto, pueden ser besados, chupados, cosquilleados o atados con resultados estimulantes.

Ejercicios

Los profesores de la Turnergesellschaft (Asociación

Gimnástica) vienesa intentaron convertir las prácticas sexuales en una de las formas de entrenamiento físico. Un buen tono físico general tiene sin duda su importancia, pero también es cierto que el ejercicio sexual lo entona a uno bastante mejor que el *jogging* ("trote corto"), por ejemplo. La masturbación adolescente, si se disfruta sin sentimientos de culpabilidad, es uno de los mejores ejercicios específicamente sexuales, y el hombre puede gozar de ella a cualquier edad aprendiendo a demorar su respuesta hasta un nivel que dé a la mujer que lo acompañe la oportunidad de disfrutar. Ella, por su parte, puede aprender a usar sus músculos pélvicos y vaginales (véase *Pompoir*) "concentrando su mente en la parte que interese", según dice Richard Burton. Esta habilidad superlativa puede aprenderse; lo demuestran las muchachas del sur de la India. Por desgracia, nunca se ha descrito cómo logran aprenderla; por esto la primera mujer que enseñe correctamente esa técnica a sus semejantes poco expertas en ese sentido hará una verdadera fortuna. No sabemos si puede servir de algo ese adminículo que se vende por ahí, compuesto de un cilindro de goma con un pequeño indicador de presión; lo único que podemos decir es que nuestra hembra posee ese dispositivo a medias, aunque ya incorporado de manera natural. La técnica que debería probarse exigiría la colocación en la vagina de una pera de goma conectada con una luz o un manómetro exteriores para tener conocimiento constante de la corrección o inoportunidad de las contracciones o movimientos internos en curso. Cualquiera puede aprender a mover las orejas en todas direcciones en media hora, si tiene ocasión de observarlas de cerca mediante un circuito cerrado de televisión. Por eso creemos que quizá valga la pena probar el adminículo comercial a que acabamos de referirnos. Si la mujer que haga el ensayo "concentra su mente en la parte que interese" con el aparato puesto en su lugar, probablemente conseguirá dominar su funcionamiento y el hombre podrá decirle en qué momentos lo hace

EJERCICIOS
Cada nuevo truco o
habilidad requiere una
sesión de prueba para su
puesta a punto.

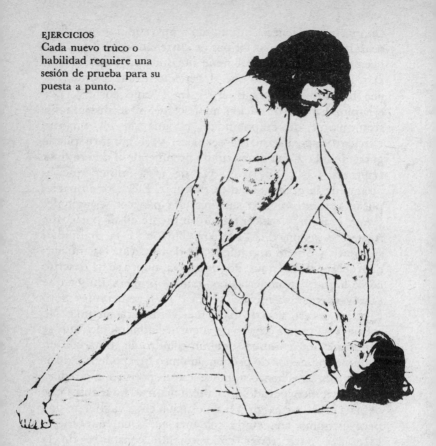

bien o mal. El ejercicio consistente en introducirse en la vulva un tubo de ensayo de pyrex, grande y fuerte, sin ayuda de las manos, es también muy recomendable. Cuando se ha aprendido a hacerlo, se convierte en un automatismo totalmente involuntario que no requiere ningún esfuerzo.

Sugerimos que antes de poner en práctica un nuevo truco o habilidad se le dedique una sesión de prueba para

216

su puesta a punto. No es en el salón de baile ni en la pista de patinaje donde se aprenden nuevas figuras. La causa más común de que un nuevo juego sexual decepcione a la pareja que intenta practicarlo, tanto si se trata de una postura de fantasía como de alguna astucia del tipo *esclavitud* (que debe llevarse a cabo con rapidez y eficacia), es el intento de realizarlo en un estado de excesiva excitación, partiendo de cero: por esto los dos amantes se enredan en un lío, pierden el hilo de lo que están haciendo y maldicen el momento en que se les ocurrió meterse en aquel embrollo y a quien lo sugirió. El resultado es que nunca volverán a intentarlo.

No queremos decir con esto que deba hacerse el ensayo a sangre fría y dejando completamente aparte el amor sexual. La ilusión de lo que se espera que suceda es hermosa por sí misma. Bueno es, pues, sentarse juntos, hacer planes y luego ensayar lo proyectado. Después hay que saber alternar los momentos de práctica con los de espera entre clímax y clímax, es decir, cuando el grado de excitación alcanzado por ambos miembros de la pareja ha llegado a "ponerlos tontos" por lo que están haciendo, pero sin hallarse todavía dispuestos a dejarse llevar completamente por la pasión: hágase la prueba prevista mientras se espera una nueva erección. Recuérdese que incluso Menuhin necesita practicar el violín diariamente, con una ventaja para los que practican el amor sexual: cuando han aprendido una cosa, nunca más la olvidan y están ya siempre a punto para las grandes representaciones. Si lo que se desea probar da resultado la primera vez, la señal será la erección que experimentará el hombre: en tal caso, la pareja puede dejarse llevar adonde los lleve el capricho o el instinto.

Esto significa que puede ensayarse algo nuevo para una ocasión especial procurando dominar a la perfección cada movimiento, pero refrenándose deliberadamente y no entregándose por completo a ello hasta el momento previsto. La espera mejorará ese momento.

Para practicar cosas que requieran una erección completa, y en el caso de que en conseguirla por el hombre no acabe de convencerle, recomendamos a éste que haga el esfuerzo necesario para probar la nueva postura, si es eso lo que debe intentarse, tanto si puede salvar la situación concediéndose un momento de inmovilidad, como dejándolo para después tras una sesión de caricias estimulantes. Por supuesto, si la erección es mejor de lo que se esperaba y es ella la que domina la situación, sígase adelante y pásese sin más preámbulos del ensayo a la realización. La mayoría de las posturas pueden probarse con el "eslip indiscreto" puesto; así podrán hacerse todos los movimientos sin un contacto genital directo, con la ventaja adicional de que algunas personas encuentran excitantes de por sí los juegos realizados con la semiocultación que facilita la mencionada prenda.

Esclavitud

La esclavitud, servidumbre o, como lo llaman los franceses, *ligottage* es el arte exquisito de atar a vuestra pareja de juegos sexuales. No, entiéndase bien, para forzarla a algo que no desea, sino para estimular el orgasmo. Se trata de una técnica sexual para la que no hay normas fijas y que muchas personas encuentran muy excitante sin atreverse empero a ponerla en práctica. Es, asimismo, un venerable recurso humano para aumentar las sensaciones sexuales, en parte porque constituye una expresión inofensiva de agresividad sexual —algo que necesitamos de veras y no podemos ejercer por lo rígida que se muestra nuestra cultura al respecto—, pero aún más a causa de sus efectos físicos: un orgasmo lento obtenido por una persona que no puede moverse es una experiencia casi enloquecedora para todo aquel que no se asuste del lado agresivo de nuestra personalidad y se decida a probar esa técnica.

"Cualquier restricción de la actividad muscular y

emocional tiende generalmente a elevar el grado de excitación sexual", escribió Havelock Ellis. Tanto a los hombres como a las mujeres, siempre les ha entusiasmado la idea de poder obtener el máximo placer el uno del otro. Por eso la "esclavitud erótica" siempre ha sido un estimulante sexual muy popular: toda heroína del folklore que se respete un poco, y casi todos los héroes populares, tienen que ser atados de pies y manos periódicamente para que luego puedan ser rescatados. En las bodas de los bereberes, el novio ata a la novia si se resiste, y ella casi siempre se resiste para que la aten. La literatura pornográfica ha difundido siempre relatos e imágenes basados en fantasías de esta clase (la mayoría de ellas totalmente irrealizables, y destinadas por tanto a ser contempladas, pero nunca para experimentarlas en la propia carne), que son un sustitutivo para las personas que reprimen su agresividad o que necesitan vivir imaginariamente una violación para disfrutar de tales excesos, sobre todo sin sentirse luego culpables. Muchos de nosotros tenemos residuos de estas necesidades, por lo que nos gusta "dominarnos" unos a otros de vez en cuando, o ser dominados (con todos los respetos para el Movimiento de Liberación de la Mujer, porque esta necesidad es mutua). Pero los juegos de esclavitud son practicados también por muchos amantes que desean verdaderos estímulos, no sustitutivos, para sus sesiones sexuales. Al principio, procuren aprender un poco las técnicas adecuadas (los primeros esfuerzos suelen ser dolorosos, o sirven de poca cosa, malgastándose por ejemplo más de una erección), pero con voluntad y habilidad pueden obtenerse rápidos y eficaces resultados. Son muchas las personas de mentalidad alejada de tales juegos que los consideran una estupenda experiencia ocasional..., aunque sólo sea porque la masturbación lenta realmente profesional no es posible si quien pretende disfrutarla no se halla muy bien atado.

En realidad, los juegos de esclavitud practicados con habilidad actúan sexualmente como una bomba en casi

ESCLAVITUD
Es el arte exquisito de
atar a vuestra pareja para
estimular el orgasmo.

todos los hombres exentos de timidez, tanto si dan como si
reciben sus efectos (como suele suceder con cualquier otro
truco sexual que implique estímulos y simbolismos al
mismo tiempo, un "esclavo" sexual bien atado parece y se
siente sexy), y lo mismo puede decirse de una gran
proporción de mujeres, cuando se han acostumbrado a
estas prácticas. Los principiantes en ellas, ya se trate de

hombres o de mujeres, quizá necesiten, si se sienten atemorizados por el simbolismo agresivo, una paciente y suave preparación, aunque este tipo de fantasía sólo asusta a las personas que tienen una idea desorbitada de la ternura. Algunas mujeres sienten a veces la necesidad de verse "dominadas". Otras se aferran al signo de la dominación y prefieren erigirse en agresoras desde el principio. Lo que se pretende es que uno de los dos amantes ate al otro de pies y manos, con firmeza, pero cómodamente, para que el "esclavo" pueda revolverse cuanto quiera sin conseguir soltarse, y con el fin de llevarlo al orgasmo en esa situación. Aparte de ser una experiencia sexual formidable, la esclavitud permite alcanzar un alto grado de deleite al que no podría llegarse de nigún otro modo. Esas personas pueden gritar y amenazar horriblemente en el momento crítico, pero gozan de un modo increíble (es importante que el "dominador" aprenda a distinguir los ruidos que suponen verdadero dolor o angustia —erosiones en las muñecas, calambres y cosas por el estilo— de los gemidos normales de éxtasis; los primeros quieren decir: "¡Detente en seguida!", y los segundos: "¡Por favor, sigue y hazme terminar cuanto antes!").

Los juegos de este tipo son un complemento ocasional que puede añadirse a toda clase de esparcimientos y cópulas sexuales, ya que el amante atado puede ser besado, masturbado, cabalgado o, simplemente, acariciado de cualquier manera hasta provocarle el orgasmo, pero nada es comparable a las sensaciones insoportablemente intensas de que puede disfrutar el "esclavo", producidas por un lento y hábil trabajo manual. La "restricción" que sufre el receptor le da algo que hacer de tipo muscular mientras permanece indefenso y sin poder influir en la marcha de los acontecimientos o en el ritmo y velocidad de los estímulos que recibe (lo que Theodor Reik llamó "factor de expectación"), y permite al miembro activo de la pareja llevar a la mujer a irresistibles niveles de placer (ella, cuando le llegue el turno, podrá poner frenético a su compañero prolongando a capricho y al máximo su goce).

Los amantes expertos y decididos sabrán descubrir en seguida el contexto más adecuado para los juegos de esclavitud. Son algo casi natural en esa especie de combate amoroso a que se entregan algunas parejas alborotadoras en las que la mujer se resiste como si su oposición fuese verdadera. De todos modos, este juego puede programarse de muy distintas maneras entre los amantes. Por ejemplo: si el hombre consigue sujetar a la mujer desprevenida —o viceversa, aunque eso es menos probable— y logra atarla, puede continuar la sesión sexual a su gusto desde aquel momento; en cambio, si ella sigue aguantando los ataques de su compañero cuando suena un despertador preparado de antemano de mutuo acuerdo, ella adquiere el derecho de atar a su compañero. O se puede jugar con menos dureza echando a suertes quién será el esclavo o alternando los papeles. Otro modo de entregarse a ese juego no apto para menores consiste en dejarse llevar por el impulso de cada cual. El uno o el otro dice: "Ahora me toca a mí", o el más decidido de los dos se pone a actuar y realiza lo que más le viene en gana. Él puede despertar y advertir que ella está acabando de atarle las muñecas: el hombre deberá reconocer que ya es demasiado tarde para protestar (algunas mujeres pueden hacer aún más que eso con un hombre de sueño muy profundo). O él puede tender una emboscada a su compañera al salir ésta de la ducha.

Para que esto no deje de ser lo que es —un juego—, obviamente resulta necesario que sea eficaz, pero nunca doloroso o peligroso. La técnica de la "esclavitud" merece algunas palabras explicativas por ser una fantasía sexual muy popular que no se incluye en los libros "serios" y que requiere un mínimo de habilidad y cuidado. Puede usted atar firmemente a su pareja en una cama que tenga cuatro postes, dejándola apoyada en una o más almohadas. Es el método empleado tradicionalmente en los burdeles, probablemente porque no requiere la menor destreza. A muchas personas, el quedar tendidas de ese modo les dificulta la obtención del orgasmo. Otras resultan más sensibles con las piernas abiertas, pero con las muñecas y los codos sujetos firmemente a la espalda, ya atadas a una silla, ya a un poste en posición erguida. Las zonas críticas en que la compresión produce sensaciones sexuales son las muñecas, los tobillos, los codos (no se intente juntarlos por la fuerza bruta en la espalda del "esclavo"), las plantas de los pies y los dedos gordos de las manos y los pies (hay mujeres experimentadas que, en el momento que creen más oportuno, interrumpen la sesión para atar éstos últimos con un cordón de cuero como los de los zapatos: si dudan ustedes de su resultado, pruébenlo). Hay diferentes gustos sobre lo que debe usarse para atar al compañero o compañera. Dejando aparte extravagancias como las camisas de fuerza y las jarreteras que usan los exploradores, hay parejas que usan, según los casos, tiras de goma o de cuero, cintas, fajas de tela, cinturones de pijama, o cuerdas gruesas, pero suaves. Las tiras de goma o de cuero con hebilla son más fáciles de usar por las mujeres que no tienen mucha fuerza o que no pueden hacer nudos marineros. Estas tiras deben tener agujeros cada dos o tres centímetros. Las bandas triangulares pueden ser muy adecuadas para el atado rápido de pies y manos, pero su aspecto es poco sexy (es preciso tener en cuenta que una de las cosas que excita al compañero activo son las sugerencias estéticas y simbólicas que se desprenden del "esclavo"). Las medias viejas son uno de los recursos favoritos de muchas personas, pero resultan muy difíciles de desatar en caso de urgencia. Las cadenas, las esposas y otros sujetadores por el estilo pueden ponerse y quitarse rápidamente, pero no oprimen en absoluto y pueden lastimar al apoyarse. Si se cierran con llave, no se puede contar con abrirlos a toda velocidad. Los extraños aparatos destinados a este fin que venden los fabricantes de juguetes para mayores sólo sirven para pescar incautos, a no ser que se adquieran para hecerse fotografías. Si lo desean, pueden cofeccionarse ustedes mismos el material necesario para atarse. Bastará con un rollo de cuerda para tender la ropa. Córtese en cuatro o cinco trozos de un metro y medio, salvo dos de ellos, que deberán medir dos metros cada uno. Al hacer las ataduras, dense varias vueltas, pero no se aprieten demasiado las cuerdas al anudarlas, pues podrían producirse magulladuras.

Hay personas enérgicas a las que también les gusta que las amordacen. Como dijo cierta dama, es un modo de "conservar las burbujas en el champán". El amordazar y dejarse amordazar excita sobre todo a los hombres: muchas mujeres dicen que detestan esta práctica, aunque sólo en teoría, pues la expresión de asombro erótico que aparece en la cara de una mujer bien amordazada al advertir que sólo puede emitir algún ligero maullido resulta irresistible para los instintos de violador que la mayoría de los hombres llevamos dentro. Aparte del simbolismo y de la sensación de "desamparo" que siente la persona amordazada, la mordaza le permite gritar y morder durante el orgasmo, lo que le deja liberar sus instintos. A casi todos los hombres excitados por esta clase de juego les gusta que los silencien totalmente. A algunas mujeres no reprimidas por la timidez llega a gustarles esta variante después de probarla algunas veces, sobre todo si son de las que muerden o adoran la sensación de desamparo. Otras no pueden resistir que se las amordace y no consiguen ningún orgasmo con la boca tapada. Y a unas cuantas les gusta que les venden los ojos además de que las amordacen.

En realidad es muy difícil amordazar a una persona con el ciento por ciento de probabilidades de éxito (tal como sucede en el cine, donde unos pocos centímetros cuadrados de seda sobre el rostro de la heroína bastan para que el protagonista pase por su lado sin oír los gritos que ella intenta dar). Hemos de señalar aquí que esto no debe sucederle nunca al "esclavo" de nuestro juego sexual: *nunca* debe resultarle imposible hacer alguna señal si algo anda mal. Una larga tira de tela apretada y colocada entre los dientes, o una pequeña pelota de goma fijada a una tira de goma de dos o tres centímetros de anchura mediante un tornillo y una tuerca (la *poire* de la tradición prostibularia francesa), constituyen una mordaza suficientemente segura y "real". Con esparadrapo o cualquier otra cinta adhesiva es fácil silenciar a cualquiera, pero la verdadera tortura empieza cuando hay que desprenderla de la piel. Nada de lo que se introduzca en la boca deberá quedar fijo o atascado en ella, ni impedir la respiración o ser difícil de retirar si el "esclavo" corriera algún peligro o diera muestras de alguna molestia o indisposición. Deberá establecerse previamente una señal para estos casos (y esto se refiere a *todos* los juegos en que se ate o amordace a alguien). Nunca deberá abusar de ella la persona prisionera ni ignorarla la que permanezca libre: el castigo que podría inflingirse por el uso ilícito de dicha señal podría consistir en dos orgasmos más. Una clave de gruñidos estilo Morse "corte de pelo y afeitado, dos toques", podría ser una buena idea. Antes de dar comienzo a este juego sexual, debiera fijarse, en un lugar bien visible de la habitación en que fuese a desarrollarse, el siguiente Código de Seguridad:

1) Nunca se atará nada al cuello de una persona, ni que sea holgadamente, aun cuando ésta lo pida.

2) Nunca se pondrá en la boca de nadie nada suelto o blando que pueda ir a parar a la garganta de la persona atada o amordazada. Tampoco se pondrá nada en la cara del "esclavo", excepto la mordaza según las normas establecidas; y los nudos, lo mismo que la mordaza, deberán ser fáciles de deshacer.

3) Nadie que se halle atado, y por lo tanto desamparado, deberá quedarse nunca solo, ni siquiera un instante, especialmente si se encuentra boca abajo o sobre una superficie blanda como, por ejemplo, una cama. Nadie se dormirá nunca dejando atado a su compañero o compañera, especialmente si alguno de los dos ha bebido. No se mantendrá a nadie atado durante más de media hora.

4) Sólo se jugará a la esclavitud con personas conocidas entre sí, no sólo social, sino también sexualmente; nunca con conocidos casuales, y tengan cuidado con los juegos en grupo. Eso vale tanto para las parejas como para los compañeros conocidos pero ocasionales. Hay que tener presente que existen personas descuidadas, y también sádicas.

Aparte de esto, las crueldades, sean de la clase que sean, como atar a alguien que esté realmente asustado ante la perspectiva de verse inmovilizado, el empleo de cuerdas demasiado apretadas, la introducción de objetos inadecuados en la boca del "esclavo", las ocurrencias estúpidas —como la de colgar a una persona por cualquier parte de su cuerpo— y otros actos de sadismo demasiado corrientes hoy día, pertenecen a la psicopatología y no al amor sexual (además de ser dolorosos y con frecuencia frustrantes para las parejas normales).

La "esclavitud", tomada como un placentero juego sexual, nunca es dolorosa ni peligrosa. Puede practicarse, por supuesto, como agresión simbólica, pero es preciso señalar que el placer que experimentan al menos la mitad de los amantes que se dejan atar es de tipo físico, pues ese juego supone la obtención de toda una serie de estímulos cutáneos y musculares. Tampoco hay que olvidar la descarga de todo un sustrato de represiones infantiles que provoca el hecho de que se haga gozar al "esclavo" con independencia de su voluntad. Y, además, esa práctica ayuda a vencer el tabú cultural relativo a las sensaciones extragenitales, que pertenecen, aunque no se quiera, a la misma esfera sensual que las sexuales.

Eslip indiscreto (G-String)

Es un accesorio sexual de gran utilidad (véase la forma de usarlo en *Vestimenta*). Resulta muy útil a las parejas que desean copular relativamente vestidas, y es fácil de

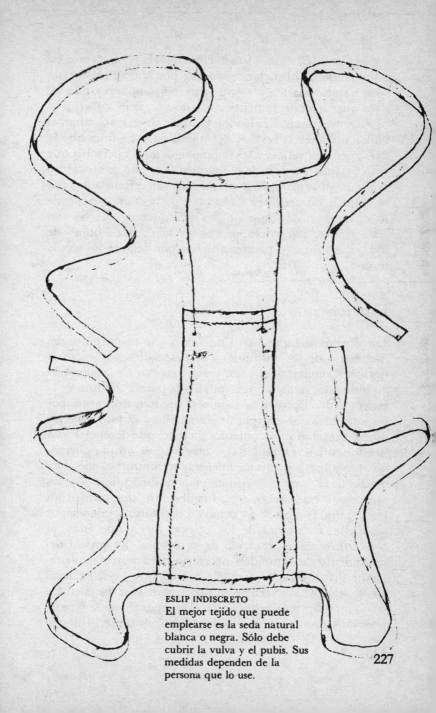

ESLIP INDISCRETO
El mejor tejido que puede
emplearse es la seda natural
blanca o negra. Sólo debe
cubrir la vulva y el pubis. Sus
medidas dependen de la
persona que lo use.

227

confeccionar en casa. (Véase el modelo que ofrecemos en estas páginas.) El mejor tejido que puede emplearse es la seda natural blanca o negra. Este eslip, una vez puesto, debe quedar perfectamente ajustado a la piel y cubrir sólo la vulva y el pubis. El algodón también sirve; en cambio, el nailon no posee la textura apropiada para los fines que se persiguen: dar relieve a los órganos genitales y permitir que sean besados a través de la fina tela. Por esto se descartan también otros materiales que, si bien son estimulantes por su aspecto, no permiten dicha clase de beso. Si, a pesar de todo, quiere usted usar un "eslip indiscreto" hecho con estos tejidos, póngaselo encima de la clásica "hoja" de seda. Las bragas o panties abiertos por delante no son lo mismo.

Espejos

Los espejos siempre han sido una parte importante del mobiliario de los dormitorios no destinados por entero a dormir. Convierten el amor en una especie de *autovoyeurismo* íntimo, al tiempo que ayudan a la puesta a punto de la pareja a nivel práctico. También resultan excitantes por las imágenes que reflejan de los amantes: él puede ver su propia erección y movimientos sin tener que detenerse; ella puede sentirse estimulada al observar su propio cuerpo, observándose a sí misma mientras se masturba, viéndose atada a la cama o contemplando cualquiera de las fantasías a que ambos se entreguen. Los dos pueden así gozar tanto como actores como espectadores. Quienes, por contraste, no gustan de los espejos, dicen que éstos, al convertirlos en espectáculo de sí mismos, los privan del sentimiento de intimidad necesario para apreciar plenamente sus sensaciones, y que la habitación en que hacen el amor, lejos de convertirse en una matriz con dos mellizos en su interior, más bien parece el escaparate de la famosa joyería Tiffany's de Nueva York. No obstante, si nunca

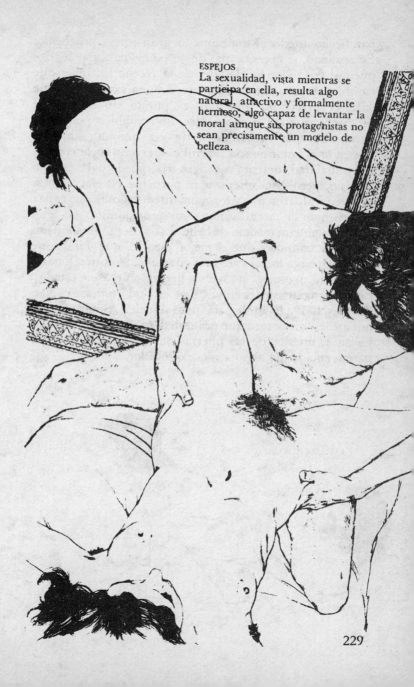

ESPEJOS

La sexualidad, vista mientras se participa en ella, resulta algo natural, atractivo y formalmente hermoso, algo capaz de levantar la moral aunque sus protagonistas no sean precisamente un modelo de belleza.

229

han hecho ustedes el amor ante un gran espejo, pruébenlo. En realidad, se necesita más de un espejo para que los dos puedan ver todos los detalles de la escena sin tener que cambiar de sitio constantemente. Es una experiencia que vale la pena, no sólo por el puesto de *voyeur* que proporciona a sus participantes, sino también porque la pareja tiene la oportunidad de ver que dos amantes haciendo el amor no son tan ridículos como suele creerse. La sexualidad, descrita a sangre fría, puede parecer algo indigno, pero vista mientras se participa en ella, resulta algo natural, atractivo y formalmente hermoso, algo capaz de levantar la moral aunque sus protagonistas no sean precisamente un modelo de belleza. Y si llega un momento en que se considere que es mejor "sentir" que mirar, que cada cual haga lo que crea más oportuno. Nosotros, a pesar de nuestra madurez, no hemos llegado aún a ese estadio. Lo que tengan ustedes en su casa y en su dormitorio es algo de su exclusiva incumbencia, pero si suelen recibir muchos huéspedes, mejor será que disimulen los espejos colocándolos en el interior de las puertas de los armarios o en la pared, encima de alguna mesa o tocador.

ESTILO CHINO

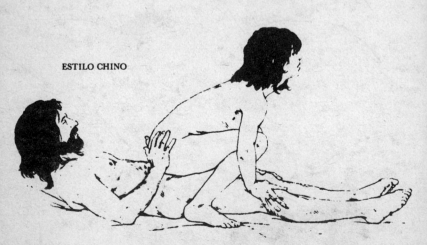

En los burdeles de lujo de otros tiempos, había habitaciones con más de cien espejos. Gastos aparte, esto puede dar resultado o no; cien parejas copulando al unísono pueden ser un gran excitante, pero también pueden convertir el dormitorio en un Primero de Mayo en la Plaza Roja o en una improvisada orgía romana, cosas muy distintas de lo que suele perseguir una pareja en la intimidad de su cama.

Estilo chino

En los tratados clásicos de la China, la práctica sexual no dista mucho de la que se conoce habitualmente entre los amantes europeos sin inhibiciones, pero hay en cambio en esos libros algo que los distingue de cualquier otro. Se trata de los deliciosos nombres que se dan en ellos a las distintas posturas: "Mono sollozante abrazado a un árbol", o "Gansos salvajes volando boca arriba", sólo para mencionar dos posiciones de las más corrientes con su correspondiente denominación (ambos sentados de frente; la mujer encima y de espaldas al hombre). También son notables tales tratados por la complicada mezcla de caricias profundas y superficiales, basadas a menudo en números mágicos: 5 caricias profundas y 8 caricias superficiales, por ejemplo. Se habla en ellos de la cópula con ambos participantes desnudos en una cama china, al aire libre o en el suelo. La mujer es tratada mucho más como una igual que en la erotología india. Las escuelas místicas chinas eran partidarias de evitar la eyaculación (véase *Karezza*).

Estilo de los eslavos del sur

Es una práctica muy bien documentada gracias a la abundante literatura que existe sobre las canciones populares eróticas de lo que hoy es Yugoslavia. La cópula tiene lugar con la pareja desnuda, y se da mucha importancia al perfume genital como estímulo, así como a varias posturas "nacionales" consideradas excelentes. El acoplamiento a la servia *(Srpski jeb)* es una violación fingida: el hombre arroja al suelo a la mujer, le sujeta un tobillo con cada mano y los levanta por encima de la cabeza de ella para penetrarla luego con todo su peso (se aconseja que esto se haga sobre una superficie blanda, pues el duro suelo nada tiene que ver con unos juegos que puedan llamarse amorosos). El acoplamiento a la manera de los croatas *(Hrvatski jeb)* es un trabajo casi exclusivamente femenino: un baño de lengua a conciencia, con el hombre atado o libre, seguido, tras varios estímulos pausados, del coito con la mujer cabalgando al hombre a horcajadas (algo que tiene fama de "agotador", según los más sabios del lugar). La postura "del león" es un método de masturbación masculina: hay que agacharse con los talones contra el escroto, colocarse el pene entre los tobillos, descansar sobre las nalgas con las manos apoyadas en el suelo y mover las dos piernas juntas y a la vez. Es un estilo apasionado y cariñoso, como corresponde a una raza de guerreros raptores de sus novias, que fueron —y han seguido siendo hasta hace muy poco— guerrilleros por naturaleza: una fascinante mezcla de rudeza y ternura.

Estilo florentino

Coito *à la florentine:* cópula en que la mujer sujeta el pene del hombre con la piel bien echada hacia atrás (y el prepucio, si lo tiene), lo que se consigue manteniéndola en todo momento tensa con los dedos índice y pulgar colocados en la base del pene, tanto cuando éste penetra como cuando retrocede. Es un método que, además de hacer más intensas las sensaciones del hombre, resulta excelente para acelerar la eyaculación, a condición de que se sepa conservar la tensión adecuada en la forma descrita.

ESTILO FLORENTINO
Hace más intensas las
sensaciones del hombre a
condición de que se sepa
conservar la tensión
adecuada.

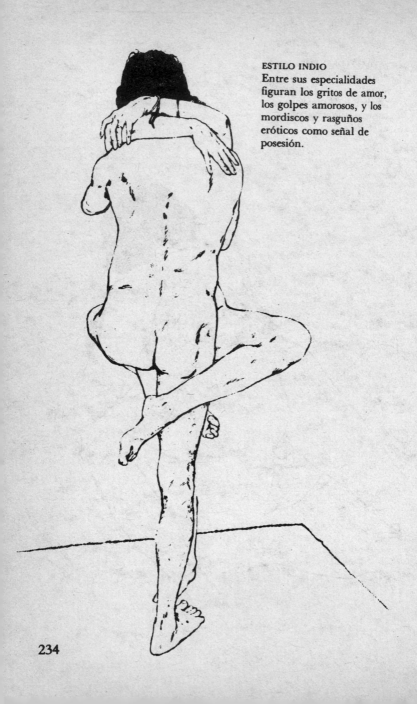

ESTILO INDIO
Entre sus especialidades
figuran los gritos de amor,
los golpes amorosos, y los
mordiscos y rasguños
eróticos como señal de
posesión.

Estilo indio

Estilo muy conocido en la actualidad gracias al *Kama sutra*, el *Koka Shastra* y otros tratados indios sobre el amor sexual. El acoplamiento se realiza sobre una cama o encima de almohadones, con la pareja completamente desnuda, pero conservando puestos la mujer todos sus ornamentos. Comprende posiciones muy complicadas, entre las que se cuentan algunas (destinadas a evitar la eyaculación) derivadas del yoga (véase *Karezza*); hay también posturas de pie y posturas con la mujer encima *(purushayita)*, a las que se da gran importancia religiosa, pues, según el hinduismo tántrico, la mujer es la Energía y el hombre la Inmanencia. Todo ello, practicado según el espíritu que lo originó, y no sólo por ganas de variar, está íntimamente relacionado con la aspiración india de vivir el amor a distintos niveles. Así pues, no se trata sólo de sexualidad, sino también de una técnica de meditación cuyos seguidores intentan ser, subjetivamente, hombre y mujer al mismo tiempo con propósitos místicos, o de una danza modificada cuyos ejecutantes, además de hacer el amor, interpretan una escena de la hagiografía de Vishnú y sus avatares o de la vida de Rama. En el tratado principal de danza clásica hay una parte dedicada a la técnica sexual: las danzarinas eran muchachas del templo *(devadasis)* que se entregaban a los devotos en lo que formaba parte de una práctica religiosa. Es algo muy difícil de recuperar y comprender por nuestra parte, pese a nuestro convencimiento de que buena parte de la intuición hindú guarda una estrecha relación con el psicoanálisis moderno. Las especialidades de la sexualidad hindú incluyen gritos de amor (véase *Canto de los pájaros por la mañana*), golpes amorosos (el golpeteo mutuo, con las puntas de los dedos, del pecho, la espalda, las nalgas y los órganos genitales), mordiscos cariñosos como señal de posesión, y rasguños eróticos (muchos estímulos cutáneos con las uñas, dejadas crecer hasta una longitud considerable con dicho fin).

Estos estímulos van desde las caricias más suaves hasta los arañazos de amor (clásicamente confinados al "sendero circundante", es decir, toda la zona que tapan nuestras bragas y que suelen cubrir por completo las ropas de calle indias, no permitiendo que queden a la vista las señales dejadas por la agresividad amorosa). De todas las técnicas hindúes, las más aprovechables para nosotros pueden ser las relativas a las posturas de pie, siempre que la mujer no pese demasiado. Además, hay que tener en cuenta que sólo las mujeres que —excepcionalmente— hubieran sido entrenadas desde la más tierna infancia podrían, por ejemplo, echarse hacia atrás, boca arriba, y quedar arqueadas sobre los pies y las manos, o ponerse los brazos alrededor de las piernas y meterse la cabeza entre los muslos para poder recibir el pene en la boca y la vagina alternativamente, o mantenerse de pie con una sola pierna y rodear al mismo tiempo la cintura del hombre con la otra (posturas cultivadas por las muchachas del templo). El mejor logro sexual hindú, el pleno *pompoir*, procede del sur del estado de Tamil Nadu, y es una lástima que no se enseñe en ningún texto. Sólo las *devadasis* transmiten su técnica de madres a hijas. (Véase *Pompoir* y *Ejercicios*.)

Estilo japonés

Cópula en el suelo o sobre almohadones, como en casi todos los estilos orientales; desnudez sólo parcial, numerosas posiciones en cuclillas o con la pareja semiagachada, mucha "esclavitud" y gran preocupación por los aditamentos y artilugios extravagantes. Hablamos aquí de las costumbres sexuales mostradas por las famosas estampas japonesas del siglo XVIII y principios del XIX, más bien que de la versión occidentalizada de la "chica de bar", que cae ya dentro de lo internacional. Lo que sí sería difícil de imitar es la mezcla, esencialmente japonesa, de violencia y serenidad. Otras características de ese estilo son la

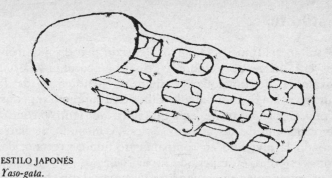

ESTILO JAPONÉS
Yaso-gata.

complicada estimulación digital de la mujer, la introducción del pulgar en el ano con los demás dedos en la vagina y, asimismo, una larga serie de adminículos más o menos mecánicos: una caperuza de material duro para cubrir el glande *(kabuto-gata)*, tubos en los que se inserta todo el pene *(do-gata)*, algunos de ellos agujereados artísticamente en toda su extensión *(yoroi-gata)* o provistos también de la citada caperuza *(yaso-gata)*; "consoladores" *(engi)*, que suelen fijarse a un talón de la mujer y cuyos movimientos de penetración en la vagina se ven facilitados tirando de una cinta atada al respectivo tobillo y que, por el otro extremo, da la vuelta al cuello de la que usa esta clase de estímulo; unas tiras de cuero *(higozuiki)* con las que se envuelven apretadamente el cuerpo del pene para darle mayor aspereza y una erección permanente lo bastante rígida como para efectuar la penetración en el momento deseado; y *merkins* que se sostienen entre las manos para hacer las veces de vagina *(azuma-gata)*. Hay posturas para todos los gustos, pero las preferencias de los amantes del "mundo flotante" se inclinan sobre todo por cuanto recuerde la violación —lo que George Moore llamaba "fornicaciones furiosas"—, por las grandes demostraciones artísticas y las secreciones copiosas: es una tradición sexual en la que se practica la Sexualidad, así, con mayúscula.

Estilo turco

El sultán del Imperio Otomano, lejos de vivir disolutamente, era un hombre sobre el que pesaba una enorme pirámide de funcionarios siempre pendientes de la conservación de la salud y la vida de su supremo superior. Total, que el pobrecito tenía que sufrir un riguroso control de cada uno de sus actos sexuales. A menudo, se había pasado la juventud en compañía de fulanas reconocidas como estériles, en espera de saber si llegaría a reinar o si sería estrangulado para facilitar las cosas al otro heredero. Las mujeres de su multitudinario harén recibían lecciones sobre el arte de complacer y gustar. ¡Lástima que esas enseñanzas no quedaran registradas para las futuras generaciones! Aun así, disponemos de suficientes datos para afirmar lo siguiente: la odalisca elegida entraba desnuda en el dormitorio de su dueño, y debía abrirse paso en plena oscuridad, buceando por debajo de las sábanas y demás ropas de cama que cubrían el lecho, hasta lograr situarse al lado del hombre y esperar allí el momento de dar placer o de recibirlo. Las recién llegadas recalcitrantes eran convencidas de sus deberes por el gran eunuco, que les ataba fuertemente los pulgares uno con otro contra la espalda y les azotaba con frecuencia las plantas de los pies. Por otra parte, las mujeres que cometían el delito de concubinato eran echadas al agua dentro de un saco para que se ahogaran, con el consuelo de que el saco era de seda si la culpable pertenecía a la alta nobleza. A pesar de tan dura realidad, las escenas eróticas turcas fueron una de las principales fantasías de la Europa cristiana del siglo XIX. La imaginación no tenía por qué favorecer exclusivamente al hombre: también hubo una sultana que recibió a un joven cristiano elegido por ella misma. Sí, hay que alternar las cosas.

Ferrocarriles

Los ferrocarriles han sido siempre uno de los lugares elegidos por los amantes para practicar un estilo de sexualidad "diferente". De todos modos, esto tiende ahora a desaparecer, pues no es de esperar que dejen volar a los miembros de la pareja tan unidos como ellos desearían. Al decir amor en ferrocarril nos referimos, por supuesto, a los *wagons-lits* o coches-cama al estilo antiguo. Aún no ha podido aclararse por completo si es la aceleración y el movimiento, o la asociación con la idea de hacer el amor sobre ruedas, lo que excita sexualmente a los usuarios de esa clase de trenes. Lo cierto es que en otro tiempo estuvo de moda, en los burdeles de lujo de París y Viena, tener una habitación decorada y ambientada como un compartimiento de tren, con efectos sonoros y vibratorios conseguidos por un motor y un mecanismo que imitaba el traqueteo del vagón. Puesto que son probablemente el movimiento y las variaciones de aceleración que experimenta el cuerpo lo que estimula a quienes viajan en tren, escójase, cuando se emplee este medio de locomoción, un lecho duro y un recorrido en que abunden las curvas, los cruces de vías y los cambios de agujas. Y en caso de emergencia, siempre queda sitio para copular de pie en el lavabo.

Feuille de rose

Se trata de la estimulación lingual del ano y el perineo tanto del hombre como de la mujer. No es desagradable ni antiestético si ambos amantes se lavan cuidadosamente antes de hacer el amor y si de modo natural se llega a esa zona con la lengua durante una sesión de juegos sexuales. Sin embargo, no lo hagan ustedes si no les gusta la idea o si, aun gustándole a uno de los dos, el otro no se atreve a sugerirlo.

Flagelación

Palabra que suele designar la técnica sexual consistente en azotarse mutuamente los miembros de la pareja.

Existe una venerable superstición, que comienza en las escuelas privadas inglesas y se ve apoyada por una vasta literatura que parte del libro *De Usu Flagrorum,* de Meibom, según la cual los azotes son una especie de "Tabasco sexual", el condimento erótico más picante, y no hay orgía verdadera ni pornografía que pueda preciarse de tal si no incluye algunas escenas de flagelación. Esta creencia se debe en parte al hecho de que los especialistas no sufrieron las persecuciones que siempre afectaron, por ejemplo, al "sesenta y nueve" e incluso a la práctica sexual corriente: siempre hubo quien consideró, y hay quien sigue haciéndolo, que flagelar es un acto decente —¡incluso se puede hacer en una iglesia!—, pero que la sexualidad no lo es en absoluto.

Los azotes son un estímulo sexual que puede o no "funcionar". Depende de cada caso. No funciona con el autor de este libro ni con su compañera. Lo que sigue, pues, parte de la inexperiencia más absoluta y se basa en conocimientos teóricos o experiencias narrados por otras personas. Se trata de una estimulación violenta de la piel. Freud se interesó a fondo por el simbolismo del castigo que acompaña a esta práctica: sus conclusiones van precedidas de extensas y complejas argumentaciones sobre qué estímulos cutáneos son desagradables y cuáles no. Dejando aparte a los fantaseadores y a los charlatanes, que se sienten más excitados por la idea en perspectiva o por las imágenes retrospectivas que por la puesta en práctica de la flagelación, hay gente que se excita hasta el paroxismo con ella. Para otros, difíciles de excitar, la flagelación puede ser necesaria para "ponerlos en marcha". La estimulación de la piel y algunos azotes ocasionales en el momento oportuno son algo que se incluye en el repertorio sexual de muchas parejas. Pero la mayoría de la gente piensa que rebasar estos límites resulta decepcionante en comparación con los demás estímulos y sensaciones de una sesión erótica normal (exageración que puede conducir entre otras cosas, a la maliciosa idea de que las mujeres gozan más que los hombres recibiendo azotes).

Sin embargo, como hemos dicho, es incuestionable que la sola idea de la flagelación excita a muchas personas; si es usted una de ellas, puede probarla. Cuando, de dos amantes, uno prefiere ser el que recibe, el otro no deberá temer que surja la bestia que puede llevar dentro si coopera con los deseos de su pareja. Si uno de ustedes quiere azotar al otro y éste no se siente entusiasmado por la sugerencia o nota que se enfría se deseo sexual, la cosa se vuelve problemática. Quizá la solución más adecuada, cuando se trata de dos personas que se aman, sea la de fingir una gran azotaina sin llegar a una verdadera flagelación. Es éste un caso claramente demostrativo de que si los amantes no pueden comunicarse sus fantasías, es mejor que no pretendan serlo. Juegue usted a zurrarse con su pareja durante la cópula y exprese con duras palabras lo que sólo realiza en broma (véase *Canto de los pájaros por la mañana*). Si el que recibe se excita de veras con ese ritual, exagérese cuanto se pueda la comedia. Por otra parte, no hay que avergonzarse de pedir lo que se necesita, ni tampoco de darlo. En este caso, lo que importa es jugar: puede fingirse que uno de los amantes es un niño o una niña que se ha portado mal y que recibe el castigo merecido, o interpretar la escena del esclavo y su dueño, o cualquier otra cosa por el estilo. Si la fantasía de su pareja no lo excita a usted, siga el juego a pesar de todo y disfrute del placer que él o ella obtenga. Cuando se trata de gozar de la sensación física de la flagelación, el ritmo y el estilo importa mucho más, al parecer, que la fuerza, a lo cual puede añadirse la exasperación y el elemento sorpresa cuando se modifica o se rompe súbitamente la cadencia de los azotes.

Debe comenzarse con suavidad, a un ritmo aproximado

de un azote cada uno o dos segundos; no más. Gradualmente, auméntese la fuerza hasta llegar a un punto en que la "víctima" desee y no desee al mismo tiempo que la flagelación se detenga. Si la azotaina tiene lugar en ambas direcciones (de ella a él y de él a ella simultáneamente), y se la añade una lucha o persecución traviesa y fingida, deberá procurarse que la escena tenga más de sexy que de cruel. Los azotes con una ramita de sauce, a nivel de sauna, suelen bastar a la mayoría de parejas corrientes, pero quienes gozan realmente con la flagelación, necesitan que ésta sea lo suficientemente fuerte como para marcar la piel. Los azotes pueden concentrarse en las nalgas o extenderse a toda la superficie del cuerpo, es decir la espalda, el vientre, los pechos, el pene (¡cuidado!) y la vulva (a la mujer hay que ponerla boca arriba, con los pies atados a los postes de la cama por encima de su cabeza y las piernas bien abiertas. Conviene comenzar por las nalgas y seguir con un par de azotes ligeros en los muslos para terminar en la vulva). También se puede atar a la víctima en el caño de la ducha con las manos por encima de la cabeza y azotarla de la manera descrita mientras el agua corre sobre su cuerpo. Para lograr una sesión de genuinas sensaciones europeas decadentes, se necesitan verdaderas ramitas de abedul. Hay que cortar varias de ellas, procurando que sean rectas y de setenta centímetros a un metro de longitud antes de que les crezcan las hojas, atarlas formando un manojo y mojarlas antes de usarlas. Si se desea que la cosa parezca verdaderamente ruda, cómprense látigos que inspiren temor y paletas que hagan mucho ruido, pero que no causen daño alguno. De todos modos, las personas que gozan más con el estímulo físico prefieren casi siempre las ramitas de árbol. No usen el bambú: corta como un cuchillo. Tampoco practiquen este juego con desconocidos. Y —éste es el principal problema que presenta la flagelación— no mezcle usted nunca la flagelación puramente erótica con el mal humor o la irritación de verdad: el juego podría resultar peligroso.

Fricciones y masajes

Constituyen la operación para la que fue creado el champú: acariciar todo el cuerpo con un lento y suave masaje. Resulta mucho más agradable si, olvidando toda inhibición adulta, se masajean el uno al otro con cualquiera de las lociones perfumadas, pero no pegajosas, que se venden hoy día con dicho fin: un truco de la perfumería que demuestra mucha más estucia que las duchas aromáticas y cosas por el estilo. Siéntese sobre algo resistente al agua y a estos productos y practíquense mutuamente el masaje descrito, ya los dos a la vez o por turno: si no se dispone de un preparado especial, los aceites antisolares o la espuma de jabón dan también buenos resultados. Es uno de los mejores caminos hacia las manipulaciones genitales, la cópula y el baño común. El semen sería el lubricante especial para estos masajes, pero suele ser insuficiente y, además, llega demasiado tarde. Las lociones embotelladas son también un buen sustitutivo para esa fantasía. La mujer puede masajear los músculos del hombre con los dedos o con un vibrador, si le gusta; en cambio, él deberá concentrarse en los pechos, las nalgas, el cuello y la región lumbar de la mujer. Las salas de espera de los llamados salones de masaje pueden estar siempre llenos de personas que esperan ser atendidas, pero en ellos no se obtiene nada que no pueda conseguirse en casa, aparte, claro está, de que dichos salones están pensados para los hombres, que los masajes no son untuosos y que suele haber más de una chica para cada hombre. Pero siempre cabe la posibilidad de que una mujer complaciente llame a alguna amiga, o de que un hombre complaciente haga lo mismo con algún amigo, con lo que podría contarse con un juego de dos parejas, que incluso podrían intercambiarse si ello fuera de su gusto.

Gamahuche

Término francés con el que se denomina una larga sesión de besos en la vulva. (Véase *Música bucal*.)

Goma

Es un estimulante para algunas personas, y para otras un fetiche en todo momento. Sus efectos dependen, al parecer, de la sensación de una segunda piel que da la goma en combinación con su tirantez y olor. El olor de la goma de látex excita a mucha gente, que lo asocia con el uso de los preservativos; también realza el perfume natural de la mujer. Hay que lavar los artículos de goma con agua y jabón y guardarlos espolvoreados con talco; esto incluye los preservativos, los adminículos para cosquillear, los "eslips indiscretos" y las prendas u objetos de mayor tamaño. El negro parece ser el color preferido desde el punto de vista sexual. Los preservativos de color rosa claro que se venden en algunos lugares no parecen tan buenos como los normales, de tipo translúcido.

Las prendas de goma son uno de los pocos excitantes sexuales que, por alguna razón (dejando aparte el buceo o el esquí acuático), nunca han tenido gran aceptación entre las mujeres. Quizá se debe a que tales "ropas" no son muy elegantes y a que la goma da sensación de calor.

Grope suit

El *grope suit* —que, en inglés, significa algo así como "traje táctil"— es un artilugio diabólicamente ingenioso que apareció por primera vez en el mercado escandinavo y cuyo objeto es el de provocar un orgasmo continuo en la mujer. A diferencia de la mayoría de artificios de esta clase, el "grope suit" da buenos resultados, al menos en las mujeres a las que no les desagrada su condición de cosa mecánica. Consiste en un "eslip indiscreto" muy ajustado al que se ha añadido un "espárrago fálico" que encaja en la vagina y una áspera protuberancia que presiona el clítoris. El sostén que se vende con este eslip tiene en cada copa unas pequeñas coronas dentadas que se agarran a los pezones, y la tela de toda la prenda está cubierta interiormente de pequeñas puntas de goma. Cuando se llevan puestas las dos piezas, cualquier movimiento excita una zona sensible: el resultado es a veces insoportable. Se aconseja llevarlas debajo de la ropa de calle, siempre que puedan soportarse. Cuando funcionan, los efectos que producen en la mujer pueden enloquecer a cualquier hombre que la contemple. Es un conjunto costoso, pero divertido. Sin embargo, creemos que puede atrofiar la sensibilidad normal si se usa con demasiada frecuencia. Su principal atractivo es la originalidad. Puede ser un buen regalo de cumpleaños. No hay ningún equivalente para los hombres.

El uso de prendas menos extraordinarias, pero que mantiene una excitación sexual continua, es un antiguo recurso humano que vale la pena probar. La mayoría de ellas están destinadas a las mujeres, no para favorecer un exclusivismo femenino, sino simplemente a causa de las diferencias fisiológicas existentes entre los dos sexos: una excitación continua aumenta la capacidad de respuesta sexual de la mujer, pero en cambio resultaría excesiva para el hombre, hasta el punto de que lo volvería incapaz de actuar sexualmente. Tradicionalmente, estos artículos van orientados a aumentar la sensación de ser "sexy" para quien los usa, y de parecerlo a los ojos de la respectiva pareja. Muchos de ellos podrían servir para el reaprendizaje del uso apropiado de la piel. Van desde los grandes y pesados pendientes hasta los cintos, corsés y cinturones muy ajustados. También pueden incluirse en esta categoría las texturas ásperas o rugosas (camisas de pelos de animales y de pequeños aros de bambú), las cadenas para los tobillos, que actúan sobre el empeine y causan estímulos sexuales por el mero hecho de andar; y, ahora, los *hot pants,* pantalones que se ajustan perfectamente a la anatomía y que encajan con la entrada de la vulva. (Véase la historia de tales artificios en el libro de Bernard Rudofsky *El anticuado cuerpo humano.*)

La mayoría de estas prendas excitan a las mujeres por sus efectos directos sobre la piel y los músculos, pero también hay parejas que consiguen un estímulo especial cuando la mujer se pone algo extravagante debajo de su ropa corriente en aquellas ocasiones en que el hombre no puede llegar temprano a casa. Hay algunas prendas comerciales de este tipo que se cierran con llave, y siempre es un aliciente suplementario el buscarla en algún lugar de la casa. Algo parecido podría hacerse para uso de los hombres, aunque sólo fuese por aquello de la igualdad de oportunidades. Cualquiera de estos medios de excitación continua hacen interesantes muchas ocasiones que, de otro modo, podrían resultar insulsas y, sobre todo, garantizan un pleno éxito sexual al regresar finalmente al hogar. (Véase *Vestimenta, artefactos y chismes diversos* y *Bromas y locuras.*)

Hielo

Es el último material que podría considerarse como estimulante sexual; sin embargo, quizá por lo fácil que es obtenerlo, uno no para de oír que la gente lo usa para provocar efectos estimulantes en la piel. Cierto libro de sexualidad sugiere que, justo antes del orgasmo, la mujer debiera aplastar un puñado de hielo machacado en la espalda de su marido. Hay quien usa un cubito de hielo para deslizarlo lentamente sobre la piel de su pareja en un excitante viaje que no debe excluir las plantas de los pies. También puede colocarse un cubito, por ejemplo, en el ombligo de ambos amantes durante los juegos sexuales.

Algunas mujeres nos han dicho que usan los cubitos de hielo para masturbarse y que más de una ha llegado a congelar agua en forma de falo empleando un preservativo como molde. La cosa no debe extrañar por poco que se piense en ella: el frío es un poderoso estimulante cutáneo. No tenemos nada que objetar a los experimentos de este tipo: es muy difícil que una persona llegue a resfriarse con el contacto de un simple cubito de hielo. De todos modos, no use hielo supercongelado; emplee sólo hielo seco: se adhiere fácilmente a las superficies húmedas y quema como un hierro al rojo vivo. Para evitar sorpresas desagradables por exceso de frío, pruebe los cubitos con la lengua antes de ponerlos en contacto con cualquier otra parte del cuerpo.

Juegos en grupo
(para cuatro personas o más)

Es un culto actual que nosotros no profesamos. Por lo tanto, hablaremos de él ateniéndonos a lo que nos han contado.

La sexualidad en grupo se está haciendo cada día más extendida y, gustos aparte, no vemos ninguna razón suficientemente poderosa para que algunas parejas de amigos no puedan hacer el amor juntas: son muchas las que lo hacen ahora. El cambio de parejas ya es una cuestión de gustos y criterios. Para practicarlo, los participantes deberán ser o muy amigos o completamente desconocidos. Aun así, me temo que estas cosas funcionen peor en la práctica que en la fantasía: suele registrarse un alto porcentaje de impotencia en las pruebas iniciales de esta clase, pues nuestras inhibiciones se hallan más despiertas de lo que creemos. Algunas parejas experimentadas muestran un verdadero entusiasmo por los juegos sexuales en grupo. Otras lo encuentran inoportuno porque, según ellas, desbarata los hábitos sexuales y la

JUEGOS EN GRUPO
Algunas parejas experimentadas muestran un verdadero
entusiasmo por los juegos
sexuales en grupo.

armonía existentes entre dos amantes. Y también hay personas que no lo prueban porque no quieren exponerse a la extraordinaria reciprocidad que se crea con la comunicación íntima y total que supone esa práctica. Esto sólo se refiere al tipo de proximidad que no implica el cambio de parejas. Sin embargo, también es natural que cuando un grupo de amigos ha empezado a hacer sugerencias y comentarios sobre tal intercambio, el próximo paso sea la demostración práctica, y es mucho lo que uno puede aprender mirando, aparte de lo estimulante que resulta observar la excitación de los demás. No obstante, las escenas contempladas a través del famoso cristal de dirección única sólo son para *voyeurs* que no toman parte en el juego o para tipos solitarios que no quieren comprometerse. En realidad, dejando aparte a los mirones, son muy pocos los juegos sexuales en grupo necesarios para hacer perder la cabeza a muchas personas y hacerles olvidar de cuanto las rodea, hasta el punto que alguna de ellas tenga que lamentar luego algún chichón. La mayoría de los hombres se inclinan por la práctica sexual colectiva; algunas mujeres se sienten excitadas por la idea, pero otras la rechazan decididamente.

Las "orgías", en cambio, necesitan mucha "lubricación" alcohólica, lo que no deja de ser una desventaja. Nadie puede liberarse en un momento de dos milenios de sermones respecto a la ropa interior. Por lo demás, las orgías tienden a desbaratarse por culpa de los intelectuales, que terminan hablando y sin hacer nada positivo. Los hay que llegan a caerse al suelo... de tanto hablar. Basándonos en la información recogida, podemos deducir que los mejores participantes se hallan en la clase media acomodada, entre los miembros de la *jet society* baja y los relacionados con el mundo del espectáculo. Sería interesante comprobar cómo se las arreglan, pero tenemos la sospecha de que, después de algunos "desmadres", tales fiestas se vuelven tan aburridas o tan alegres como las demás reuniones de las mismas personas (en las que la sexualidad no tiene nada que ver). Y también sospechamos que en casa lo pasarían mucho mejor, a menos que *todos* los que suelen participar en esas orgías sean unos verdaderos expertos, cosa que dudamos. Y si existiera una sociedad sexual de alta categoría, o no lograría superar la ausencia de estímulos recíprocos instintivos, inexistentes entre extraños, o se convertiría pronto en un círculo cerrado.

La novedad es un estímulo por sí misma: los clubs en que se echa a suertes el reparto de las llaves de las casas de sus miembros o en los que se procede a formar parejas por sorteo son, además de un ritual religioso en la India, algo que se practica en casi todos los países. Creemos que, por lo general, las iniciativas de esta clase parten del entusiasmo masculino. Por otra parte, no podemos objetar nada contra ellas, siempre que el juego tenga lugar entre verdaderos amigos y a condición de que las mujeres sean adultas, sensatas y se encuentren "a prueba de cigüeñas", y los hombres se propongan hacer algo más que probar que pueden superar la prueba con éxito. Lo mejor sería organizar esa clase de reuniones basándose en que las mujeres echaran a suertes el reparto de los hombres entre ellas.

Resumiendo, opinamos que los juegos sexuales en grupo están más bien relacionados con la necesidad de reafirmar la confianza en nosotros mismos que con la esperanza de experimentar deleites sensuales extraordinarios. (Con frecuencia, las personas más activas en tales círculos son precisamente las que parecen haber fracasado en las relaciones íntimas corrientes.) Es un loable empeño, pero tal práctica no ofrece la posibilidad de alcanzar una sexualidad de alta categoría. No hay razón para que la sexualidad no sea algo de tipo social, si así se desea. Que sea o no promiscua, ya es cuestión de gustos, y no hay que olvidar que ambos miembros de la pareja deberán tener siempre los mismos derechos de decisión al respecto, pues si una orgía ocasional puede ser un importante recurso antropológico para los humanos, también puede crear serios problemas entre las parejas que tomen parte en ella. Generalmente, la mujer se lleva la sensación de que ha sido engañada con falsas promesas. También pueden producirse complicaciones y ansiedades, pero las complicaciones se dan incluso en las partidas de bridge. Y no negamos que podrían idearse juegos realmente fabulosos para tales ocasiones. Por raro que parezca, los asiduos de las orgías y del cambio de pareja acaban por aburrirse de tales prácticas y vuelven a las relaciones íntimas con una misma persona, al menos temporalmente. Recuérdese también que algunos de los mejores amigos o amigas pueden tener enfermedades venéreas y que la píldora hace más fácil su contagio. Se da el caso de que algunos grupos han tenido que concederse una temporada de descanso, no a causa de las enfermedades venéreas, sino por culpa del incremento de pequeñas infecciones de origen no venéreo. Pruébese, contra ellas, una jalea ácida o anticonceptiva a base de acetato de fenilmercurio, además de lavarse con jabón entre cada contacto sexual.

Las personas sensatas que se entregan a actividades bisexuales en un grupo de dos parejas, no corren el riesgo, "salvo error u omisión", de aficionarse definitivamente a tal peculiaridad, sin menoscabo del importante elemento estimulante que supone la promiscuidad sexual. Todos tenemos, en mayor o menor grado, ciertas tendencias propias del sexo contrario. Expresadas de ese modo, sin ansiedades de ninguna clase, pueden incluso ser saludables. En cambio, cuando la intuición nos diga que es mejor dejarlo correr, dejémoslo correr.

Karezza

Es el tratamiento de Alice Stockham, consistente en seguir y seguir adelante, evitando en todo momento el orgasmo masculino.

En realidad, es más bien un ejercicio dirigido contra la

eyaculación precoz que una técnica coital. La cópula prolongada es algo estupendo, pero deber terminar siempre con una eyaculación. La karezza, aunque enormemente satisfactoria para la mujer —pues en esta versión de la cópula ideada por Alice Stockham el hombre no eyacula, sino que mantiene mucho tiempo la erección dentro de la vagina—, no presenta ninguna ventaja apreciable frente a un acoplamiento de la misma duración pero *con* orgasmo final. Además, se corre el peligro de que esa técnica acaba por echar a perder la respuesta "correcta" del hombre. Sin embargo, vale la pena que quien se interese por la literatura de procedencia oriental sobre la sexualidad yoga esté al corriente de dicho método. El antiguo sistema tántrico-taoísta sostenía que el semen era algo así como "gasolina espiritual": el hombre debía cuidar de conservarlo mientras extraía "virtud" de la mujer. Una sola eyaculación podía disipar esta supuesta virtud. En consecuencia, muchas posturas sexuales yoguis, en las que el movimiento era muy difícil, fueron ideadas específicamente para este tipo de maniobra: favorecer a la mujer con varios orgasmos mientras el hombre conservaba su semen y llevaba a cabo lo que, de hecho, era un ejercicio sexual de carácter meditativo. Los adeptos del yoga también se entrenaban para eyacular interiormente: una técnica nada gratificante mediante la cual se deposita el semen en la vejiga, de donde desaparece con la orina. A veces, este tipo de eyaculación se presenta espontáneamente, y es una anomalía difícil de corregir. Esto explica la escasa satisfacción que el hombre obtiene con las más complicadas posiciones hindúes. Si desean ustedes emplear la cópula como técnica de meditación, pueden hacerlo, pero no parece haber bases racionales sólidas contra la eyaculación final.

La karezza fue practicada, posiblemente con las mismas ideas, por la comunidad utópica de Oneida: este sistema también hace disminuir el número de embarazos, aunque no es muy fiable porque el semen puede escapar del pene sin que se produzca la eyaculación propiamente dicha. Hace algún tiempo, un sacerdote francés que no tenía nada de convencional abogó con el título *Continence conjugale,* por esta misma idea como respuesta a los escrúpulos del Vaticano sobre el control de natalidad. Pero su campaña fue acallada. El método consiste en un control total de los movimientos del hombre y en la limitación de los de la mujer de modo que solamente sean internos; el hombre debe moverse sólo lo suficiente para mantener la erección, y detenerse siempre que sienta aumentar la tensión. Úsese únicamente como técnica de entrenamiento para la cópula larga y pásese luego al movimiento completo y al orgasmo mutuo, para el cual la mujer ya estará perfectamente preparada. (Véase *Pompoir.*)

Máscaras

Las máscaras excitan a algunas personas. Esto puede parecer extraño, pero hay que recordar que las máscaras son el artificio más antiguo que se conoce para obtener inspiración, tanto mística como sexual, haciendo amenazador a quien la lleva puesta, dándole una personalidad distinta a la habitual (hasta el punto de que quede "poseído" por la máscara), y alterando la imagen de su cuerpo mediante privaciones sensoriales parciales.

Masturbación lenta

Las prostitutas no suelen ser muy expertas en la práctica sexual de verdadera calidad. No obstante, ésta es tal vez la única habilidad prostibularia de otros tiempos digna de ser probada. Para que dé el resultado apetecido, hay que atar al miembro pasivo de la pareja —y hay que saber hacerlo: véase *Esclavitud*— y tener un compañero al que le guste luchar contra la resistencia. De todos modos, son pocas las

veces que se obtienen malos resultados. Tradicionalmente,
es la mujer quien masturba al hombre, pero la cosa es
válida en ambas direcciones. Se necesita completa libertad
de maniobra y un compañero totalmente inmovilizado,
aunque no es preciso atarlo si la "esclavitud" enfría los
ánimos de cualquiera de los participantes. De todos modos,
en este caso el resultado será completamente distinto y no
se podrá ir tan lejos. El secreto consiste en "tocar" a su
compañero como si fuese un instrumento: llevándolo cerca
del clímax y frustrando el momento culminante alternativamente (compárese con *Relajación*).

La mujer comienza por atar al hombre a su gusto, ya
fijándolo a los postes de la cama, ya inmovilizándolo con
las muñecas atadas a la espalda y los tobillos cruzados y

también atados, abiertas las rodillas, completamente desnudo y echado boca arriba. Entonces ella "pone la firma" (lo que los franceses llaman *coup de cassolette*). Para hacerlo, se arrodilla a horcajadas encima del hombre, de cara a él, y se entrega a un insinuante estriptís que sólo se detiene ante las bragas. Después, agarrando al hombre por los cabellos, frota firmemente la boca de él contra sus axilas y sus pechos, saturándolo de su fragancia femenina. A continuación cierra cuidadosamente sus piernas alrededor del cuello de su compañero y aprieta la vulva, todavía cubierta, contra su boca. Finalmente, se quita la última prenda y da al hombre un beso genital directo (primero, sólo restregándose contra él; después, abiertamente, tomándose todo el tiempo necesario), echa hacia abajo el prepucio (si el hombre todavía lo tiene) y luego se echa unos momentos hacia atrás para aumentar la excitación masculina. Si la mujer es suficientemente experta, habrá atado a su compañero de modo que no pueda hacer el menor movimiento, pero lo penetrará de su presencia, una y otra vez, con sus besos y manipulaciones.

La mujer debe atender a dos puntos focales del hombre: la boca y el pene. El secreto de este período de calentamiento consiste en mantenerlos a ambos continuamente ocupados, sin pausas y sin provocar todavía la eyaculación. Las combinaciones que pueden hacerse son múltiples y obvias: una mano en cada uno de los dos puntos citados, una mano en uno de ellos y la boca o la vulva en el otro, con las variaciones de unos toques con los senos, las axilas o incluso el pelo. Entre estos dos polos, la mujer excitará las zonas más sensibles del hombre con las puntas de los dedos *(les pattes d'araignée)*, la lengua y la vulva; cuando emplee esta última, lo hará con una mano en el pene de su compañero y la otra, abierta, sobre su boca, sin permitir que el ritmo decaiga en ningún momento. Si la erección comienza a perder fuerza, la mujer deberá detenerse y rehacer las ataduras que se hayan aflojado (es el momento adecuado para atarle los pulgares, si tiene fuerza suficiente para dar la vuelta al hombre con facilidad). Entonces podrá empezar la masturbación lenta propiamente dicha.

Puede decirse que la masturbación lenta proporciona al hombre una de las sensaciones más enloquecedoras que puede soportar y, mientras dura, la más frustrante. Si desea usted saber, querida lectora, por qué incluimos este tipo de masturbación entre los juegos de esclavitud, intente practicarla por unos momentos con su compañero desatado. Y, siguiendo la tarea emprendida, siéntese firmemente sobre el pecho de él, con las nalgas sobre su barbilla, y ponga un tobillo en el hueco de cada una de sus rodillas dobladas. Sosténgale el pene por su base con una mano, y con la otra échele cuanto pueda la piel hacia abajo, utilizado el índice y el pulgar. Entonces comience una serie de sacudidas rápidas, vivas y nerviosas (rápida cada una de ellas, pero sin pasar de una por segundo). Después de unas veinte sacudidas de este tipo, déle al pene otras diez muy rápidas. Luego vuélvase al ritmo anterior, más lento. Y así sucesivamente. Si, por la agitación del cuerpo de su compañero y otros síntomas fácilmente detectables, nota que su pareja está a punto de eyacular, reduzca la velocidad de las sacudidas. Manténgalo en este estado preorgásmico tanto tiempo como crea que él podrá soportarlo. Es el hombre el que es excitado, pero no se trata de algo tan unilateral como parece; en estos casos, la respuesta masculina basta para estimular a cualquier mujer. En esa etapa de la masturbación lenta, podrá usted presionar fuertemente la vulva contra el esternón de su compañero, pero procurando, como en todo momento, que su atención no se aparte del fin perseguido. Diez minutos es el tiempo máximo que la mayoría de los hombres pueden resistir. Si ve que el falo da muestras de debilitamiento, líbrelo cuanto antes de su sufrimiento, ya masturbándolo rápidamente con la mano hasta llevarlo al clímax, ya haciendo lo mismo con la boca, ya dando media vuelta encima de él y cabalgándolo a horcajadas. Cuando haya eyaculado, desátelo tan pronto como pueda: una pequeña pausa después del orgasmo lo mantendrá tan envarado como si acabara de jugar un duro partido de fútbol.

La introducción de esta práctica en el propio hogar (técnica que muchos veteranos norteamericanos reconocerían como el tratamiento especial que suelen dar masajistas japonesas) podría ser la única cosa buena que los Estados Unidos hayan sacado de la guerra del Vietnam. La única dificultad que se presenta para hacerlo en casa, la misma que afectaría al *sukiyaki,* es la de que sea usted una mujer corpulenta. Además, las japonesas dominan a la perfección el arte de hacer nudos, y las expertas en masaje son suficientemente pequeñas como para sentarse en el pecho de un hombre sin lastimarle. Si es usted una Brunilda, intente atar las piernas de su compañero de modo que queden separadas, y apóyese con todo su peso sobre las rodillas con la vagina en la boca de él: se nos cuenta que Brunilda ató al rey Gunther en su noche de bodas, probablemente para seguir una costumbre similar. Nosotros hemos preferido insistir sobre la versión de la mujer pequeña. Y ahora dejemos que él le aplique a usted las mismas técnicas.

Hay tres zonas de la mujer en que el hombre debe concentrar su atención: la boca, los pechos y el clítoris. Un par de apretadas vueltas de cuerda alrededor de los pechos suele ayudar mucho (¡pero cuidado!). El hombre puede empezar igual que la mujer, es decir, con el *coup de cassolette* (usando las axilas y el glande), y restregando luego la mano sobre la *cassolette* de ella para pasársela después por la boca para que reciba su propio perfume. El hombre deberá comprobar, guiándose por los sonidos y los movimientos que observe en la mujer, el grado de sensibilidad de su clítoris para adecuar a ella sus caricias. Puede copiar la técnica femenina consistente en causar excitación demorando el orgasmo, pero en general conseguirá mejores resultados llevándola al paroxismo con la mayor rapidez posible. Si la mujer es de las que reaccionan con facilidad y no se sienten asustadas por tales procedimientos, la intensidad de sus respuestas podrá dar la medida exacta de la habilidad del hombre en complacerla. Él deberá arrodillarse a horcajadas, pero sin sentarse sobre ella ni aplastarla para mantenerla inmóvil. De todos modos, la mujer deberá estar en todo momento a merced de su compañero. Finalmente —entre amantes experimentados, esto deberá hacerse cuando ella se encuentre semiconsciente—, el hombre pasará a darle unos lametazos en la vagina para lubricarla, continuará con una cópula vigorosa, y la llevará a una nueva y más intensa sucesión de cumbres preorgásmicas antes de que llegue su propia eyaculación. Sólo por el tacto de la piel de su pareja, el hombre deberá conocer cuál es el momento más oportuno para detenerse. Esa expresión sensual de la mujer no tiene nada que ver con los quejidos y los estremecimientos, que alcanzan su punto culminante poco antes de que ella llegue al clímax. Entonces, el hombre deberá desatar rápidamente a su compañera, con habilidad y sin lastimarla, para que pueda volver a la realidad descansando apaciblemente en los brazos de su amante.

Puede usted sorprender a su compañero, querida lectora, diciéndole que va a proporcionarle el momento más delicioso de su vida. Para ello, lo atará y amordazará, tras lo cual, cuando tenga la seguridad de que no puede soltarse ni emitir el menor sonido, deberá masturbarse hasta llegar al orgasmo en su presencia. Es un juego mucho más estimulante de lo que parece para ambos: él, si sigue excitado y en espera de algo más, llegará al borde de la locura, y sus inútiles forcejeos aumentarán la excitación de usted. Después podrá masturbarlo a él, lentamente.

Mecedora

Algunas personas la utilizan como un sustitutivo, en el

MECEDORA

Es algo parecido a hacer el amor en un tren.

interior de la casa, del clásico instrumento sexual que es el columpio. En realidad, las sensaciones que se experimentan en la mecedora son muy distintas, pues no puede proporcionar la súbita aceleración que sacude el vientre, fuente de los efectos estimulantes que estos aparatos producen a las mujeres. En este aspecto, la mecedora está más cerca del tren que del columpio. (Véase *Ferrocarriles*.)

Los mejores resultados se obtienen con una mecedora poco pesada, digna de ser llamada erótica: con una docena de nudos en cada uno de sus soportes o patas, sin brazos y con cojines duros. Pero siempre es necesario que el suelo sea también duro, sin alfombras ni moquetas (claro que, de este modo, la cosa resultará tremendamente ruidosa y no podrá ponerse en práctica si vive alguien en el piso de abajo). Normalmente, los amantes deberán sentarse el uno frente al otro, ella a horcajadas sobre él, pero son posibles otras posturas. Hemos visto una banqueta con un poderoso vibrador en el cojín que la cubría. Creemos que merece ser probado, aunque las sensaciones que se obtengan habrán de ser muy distintas.

Medias

Pueden ser un buen estimulante sexual: con frecuencia, las preferidas no son precisamente las más elegantes o las que estén de moda, sino, por ejemplo, unas medias negras de estilo antiguo que recuerden las de las prostitutas de otros tiempos. Los panties actuales (medias y bragas en una sola pieza) son un obstáculo, a menos que estén abiertos por delante, y para la mayoría de los hombres sólo resultan eróticos si se llevan sin nada debajo y dejan a la vista lo que se quiere ver. En realidad, cuando una se desnuda de prisa o hace el amor sin quitarse las medias, éstas quedan inservibles. En cambio, el quitárselas lentamente, con cuidado y suavidad, constituye, además de un ahorro, un atrayente aperitivo para el hombre que observa la

MEDIAS
Con frecuencia, las preferidas
no son precisamente las más
elegantes y modernas, sino, por
ejemplo, unas medias negras
de estilo antiguo.

escena..., que puede ir seguida de otra en que los dos miembros de la pareja se desvistan mutuamente. Los guantes largos excitan a ciertas personas: sugieren la presencia de una gran dama de otra época. A no ser que los zapatos se consideren estimulantes, es mejor entregarse a la práctica sexual con los pies descalzos.

Mirones

El nombre de mirón, o *voyeur*, debe reservarse para los que consideran la sexualidad como un deporte en el que nunca toman parte y que sólo les interesa como espectadores. Esto no quiere decir que los jugadores activos no se sientan a veces fascinados al contemplar cómo se practica su juego, siempre que los jugadores lo merezcan. Y siempre vale la pena observar a una verdadera pareja de amantes en acción; en cambio, raras veces merecen tal molestia por parte del espectador quienes hacen el amor sin ánimos, con erecciones incompletas y movimientos maquinales en las películas pornográficas. La auténtica conducta copulatoria de los humanos es tan interesante como la de las aves, y mucho más instructiva. Si puede observar a otras personas mientras hacen el amor, no se prive de ello, a menos que vaya en contra de su sentido de la intimidad. Es mucho lo que nos perdemos en nuestra sociedad por no estar acostumbrados a practicar la sexualidad en compañía de otras parejas. Si lo hiciéramos, no tendrían que escribirse en el mundo tantos libros como éste.

Mordiscos

Los expertos en erotismo de la India han llevado a cabo un amplio estudio de los mordiscos. El mordisqueo suave (del pene, de los pechos, de la piel, de los dedos, de las orejas, de los labios de la vulva, del clítoris, del vello axilar) forma parte del repertorio general de la excitación. Los mordiscos fuertes en el momento del orgasmo excitan a algunas personas, aunque para la mayoría, al igual que otros estímulos dolorosos, sólo son motivo de desánimo. Las mujeres tienden a morder con más frecuencia que los hombres, quizá porque a ellas les gusta más que las muerdan. (Debe usted tener presente que, a menudo, su pareja le hará a usted lo que le gusta que le hagan a ella: estar atento a este hecho es el gran secreto de la comunicación sexual.) Las magulladuras amorosas, en el cuello y otras partes del cuerpo, que para muchos amantes son un estímulo adicional que les hace sentir ganas de copular de nuevo al verlas, no son causadas por los mordiscos, sino por la succión continuada de los besos apasionados. Los mordiscos demasiado hirientes no suelen ser eróticos.

Hay que tener cuidado al morder cuando el orgasmo está al llegar: las mandíbulas se contraen espasmódicamente y cualquiera de los dos amantes puede morder con demasiada fuerza; lo mejor es procurar que el orgasmo no pille a ninguno de los dos con un pezón, el pene o un dedo en la boca. La necesidad de morder puede desahogarse en algo insensible como el pelo o las sábanas. Éste parece ser uno de los casos en que el programa de reflejos de los mamíferos resulta demasiado brutal para que los humanos disfruten con él.

Motocicletas

Constituyen una fuente de estímulos sexuales, cada día más popular, en la que se combinan el simbolismo del caballo con la vestimenta de cuero, el peligro y la velocidad. Sin embargo, su disfrute presenta algunos inconvenientes relacionados con la seguridad: requiere el uso de casco, y no se puede confiar en que la máquina cuide de sí misma como lo haría un caballo. Lo que una pareja quiera intentar montada en una moto, sea lo que sea, es preferible hacerlo en una carretera o un camino particular: así el riesgo sólo será para ellos. No prueben ustedes nada de tipo sexual en las autopistas. Otra limitación para tales prácticas es el hecho de que la mujer suele ir sentada detrás, cosa muy comprensible, puesto que resulta imposible conducir una moto con una chica cobre las rodillas, vestida o no. Por todo ello, la motocicleta, más que ser un vehículo donde poder entregarse a juegos sexuales, proporciona, como dijimos al principio, una buena serie de estímulos conducentes a ellos. De todos modos, no permita que el placer que su compañera encuentre en la velocidad le haga perder a usted el juicio. Nadie parece muy viril con la cabeza rota.

Ostra vienesa

Se llama así a la mujer que puede cruzar los pies detrás de su cabeza, echada boca arriba, por supuesto. Cuando se halla en tal postura, uno puede sujetarla fuertemente por los dos pies rodeándole los respectivos empeines con toda la mano y apretándose contra ella con todo el cuerpo. No se intente poner nunca en esta posición a una mujer que carezca de la flexibilidad necesaria: es algo que no puede conseguirse por la fuerza bruta. El hombre obtendrá sensaciones semejantes a las que proporciona la citada postura —la única que permite el movimiento oscilante de la pelvis— con una compañera menos experta si ésta cruza los tobillos contra el estómago, echando las rodillas hacia los hombros, y él se deja caer suavemente sobre ella con todo su peso. No sabemos de dónde procede lo de "vienesa". Es una posición que sólo puede tolerarse durante poco tiempo, pero resulta de una tremenda presión genital para ambos.

Pattes d'araignée

Las *pattes d'araignée,* que literalmente quiere decir "patas de araña", son un masaje erótico cosquilleante, que se practica con las yemas de los dedos procurando que los toques sean lo más ligeros posible. Más que para estimular la piel, sirve para actuar sobre los pelos invisibles que la cubren. Estas caricias no deben hacerse en las partes genitales, sino en otras zonas del cuerpo que sin serlo propiamente las siguen en sensibilidad: los pezones y su entorno, el cuello, el pecho, el vientre, las zonas interiores de los brazos, la parte central de la espalda, las plantas de los pies y las palmas de las manos, el escroto y el espacio entre éste y el ano. Úsense las dos manos; aváncese sin descanso con una y háganse ataques por sorpresa con la otra. Esta técnica se basa en la extremada ligereza que debe darse a los toques, los cuales han de ser más electrizantes que cosquilleantes. Las plumas, los guantes de cerdas y los vibradores proporcionan unas sensaciones completamente distintas. Si se trata de personas ágiles, no hay que olvidar que también se puede actuar con los dedos de los pies además de los de las manos, y que el pelo de varios lugares del cuerpo, incluyendo las pestañas, también puede deslizarse sobre la piel para obtener el mismo resultado con matices distintos. Se puede emplear un juego de dedales de diferentes texturas, que van desde la tela más áspera hasta el visón. El auténtico estilo francés con dedales es difícil de aprender, pero inolvidable para ambos sexos. Es uno de los dos estimulantes generales de la piel (el otro es el *baño de lengua*) que dan resultado en los hombres de piel poco sensible.

Plumas

Algunos recomiendan las plumas para el estímulo cutáneo (los pechos, toda la superficie del cuerpo excepto las partes

genitales, las palmas de las manos y las plantas de los pies).
Pruébese con las más duras y rígidas (de garza o de
martinete) o con un plumero de los usados en otro tiempo
para quitar el polvo.

Pompoir

Es la más buscada de todas las respuestas sexuales
femeninas. «La mujer debe cerrar y contraer el Yoni (la
vagina) hasta que apriete el Lingam (el pene) como si lo
hubiera agarrado con los dedos, abriendo y cerrando los
labios (vaginales) a su gusto, y haciendo finalmente lo que
haría la mano de una muchacha Gopala al ordeñar una
vaca. Esto sólo puede aprenderse con una larga práctica, y
concentrando especialmente toda la voluntad en la parte
afectada de modo parecido a cuando una persona se
esfuerza para afinar su oído... Entonces el marido valorará
a su esposa por encima de todas las mujeres, y no
cambiaría su rostro por el de la más bella reina de los tres
mundos... Entre algunas razas, los músculos constrictores
vaginales están anormalmente desarrollados. En Abisinia,
por ejemplo, una mujer puede apretarlos hasta el punto de
causar dolor a un hombre y, sentada sobre los muslos de
éste, puede provocarle el orgasmo sin mover ninguna otra
parte del cuerpo. A esas artistas, los árabes las llaman
kabbazah —literalmente, "sujetadoras"—, por lo que no
debe sorprender que los traficantes de esclavas paguen
grandes sumas por ellas.» Eso es lo que dice Richard
Burton. La cosa no tiene nada que ver con la "raza", pero
sí, y mucho, con la práctica. (Véase *Ejercicios*.)

Pornografía

Nombre dado a cualquier tipo de literatura sexual por
alguna gente que quisiera suprimirla. Son muchas las

personas perfectamente normales que disfrutan examinando libros dedicados a la sexualidad o leyendo fantasías sexuales: ésta es la causa de que la gente anormal gaste tanto tiempo y dinero intentando suprimirlos. El único inconveniente de la literatura comercial de este carácter está en que las historias que ofrece se basan en la fantasía —y a menudo en una fantasía total o parcialmente desconocedora del tema—, por lo que poca ayuda pueden prestar a la mejora de la práctica sexual. La descripción de cualquiera de los comportamientos sexuales tal como la efectuamos en este libro ayuda al lector a visualizarlos, a comprenderlos con más claridad; en cambio, las historias pornográficas tienden a ser reiterativas y poco esclarecedoras, además de abusar de la credulidad de los lectores. Esta clase de literatura plantea otro problema: sus fantasías francamente antisociales sobre la tortura y otras cosas por el estilo preocupan a las autoridades, pues podrían inducir a algunos estúpidos a imitarlas. También hay quien opina que estas fábulas sadicosexuales, al permitir que las personas de pocos alcances fantaseen intensamente sobre unas necesidades totalmente inaceptables, reducen en gran manera las posibilidades de que las lleven a cabo en el terreno de la realidad. Sin embargo, no hay pruebas concluyentes sobre cuál de dichos pareceres es el más acertado.

Las parejas normales pueden usar la "pornografía" más o menos constructivamente según su grado de calidad; o sea, ésta les resultará útil cuando describa actividades sexuales factibles y agradables que aún no habían probado, o fantasías que, a pesar de no ser realizables, puedan constituir un buen estimulante sexual. Para eso se utiliza, en general, tal clase de literatura. Mucha gente, ya se trate de hombres o de mujeres, encuentran en los libros de sexualidad una verdadera ayuda cuando quieren ponerse a punto para acostarse con su pareja. Hay que usarlos, pues, de la misma manera que los entusiastas del fútbol utilizan los libros dedicados a su tema preferido: aun cuando los jugadores que intervengan en los "partidos" que se narren muestren una potencia sobrehumana en su especialidad. No es cierto que sólo los hombres se excitan con las lecturas de tipo sexual: las mujeres se sienten aún más estimuladas que ellos con ese género de literatura, siempre y cuando describa algo más que las sensaciones y sentimientos masculinos.

Si poseen ustedes habilidades literarias o artísticas, úsenlas para expresar sus propias fantasías sin traba alguna, y sólo para el uso privado de ustedes dos. Lo hicieron muchos de los escritores más serios y pudibundos, aunque, naturalmente, se guardaron muy bien de publicar esta vertiente de su producción literaria. Es un modo de enfrentarse con las cosas que uno no puede o no desea llevar a la práctica: un complemento de sus sueños y sus juegos.

El solo pensamiento de que la pornografía caiga en manos de los niños aterroriza a determinado tipo de gente. Si se trata de libros o revistas relativos a la sexualidad normal, tal temor no está justificado: lo más probable es que ese tema aburra a los niños, sobre todo si son de corta edad. La principal objeción que puede hacerse en este caso se refiere a la pésima calidad del material que produce la mafia dedicada a la especialidad: no son raras las ocasiones en que llega a asquear sexualmente incluso a las personas mayores. De todos modos, es preciso decir que si bien parte de este material "sólo para adultos" puede "herir la sensibilidad" de sus consumidores por su extravagancia o crueldad, no es menos cierto que pueden producir los mismos efectos otros materiales ajenos a la sexualidad, por ejemplo, los noticiarios cinematográficos o ciertos relatos de los libros sagrados. Si alguna vez sorprenden ustedes a sus hijos leyendo o mirando alguna publicación pornográfica, recuerden que más daño puede hacerles una reprimenda exagerada de sus padres. No está probado que la pornografía cause algún daño a los adolescentes, salvo en el caso de que la sexualidad los preocupe más de lo normal.

Postillonage

Nombre que se da al acto de meter el dedo en el ano del compañero de cópula justo antes del orgasmo. Es una práctica muy popular en los libros eróticos franceses que encanta a no pocas personas. Sin embargo, la mayoría de la gente prefiere una firme presión del dedo en la entrada del ano; esto puede bastar para provocar la erección a algunos hombres. Si se prefiere, puede usarse un pequeño vibrador en vez del dedo. Se recomienda no ponerlo en la vagina después de haberlo introducido en el ano. En algunas posturas, la firme presión de un talón detrás del escroto, o entre el ano y la vulva, da los mismos resultados.

Postura inversa

No se trata de homosexualidad, cosa que no figura en nuestro libro, sino de la cópula en que uno de los dos miembros de la pareja permanece cabeza abajo. El hombre puede sentarse en una silla o una banqueta y tomar a la mujer de frente y a horcajadas; entonces ella se echará hacia atrás hasta apoyar la cabeza en un cojín colocado en el suelo. O bien la mujer puede echarse boca abajo levantando las nalgas todo lo posible para que el hombre se coloque entre sus piernas y la penetre mientras ella descansa sobre los codos o camina con las manos (posición conocida por "la carretilla"). También puede echarse el hombre boca arriba sobre el borde de la cama y sentarse la mujer encima de él con las piernas separadas. Al llegar el orgasmo, la presión creciente de las venas de la cara y el cuello puede producir sensaciones asombrosas. Pero, a no ser que le guste encontrarse con un cadáver entre las manos, le aconsejamos, querida lectora, que no intente esto último con un ejecutivo hipertenso: recuerde el lío en que se vio envuelta la joven concubina de Atila. De todos modos, esa técnica no supone ningún peligro para los amantes jóvenes. Las posturas inversas son las adecuadas para esas locas que intentan que su amante las estrangule, o poco menos, para conseguir un orgasmo fuera de serie. Si se encuentra usted con una mujer así no se preste nunca a tal tontería; en vez de eso, enséñele a practicar este método, pues obtendrá el mismo placer y correrá menos peligro. Orientándola hacia esa alternativa, evitará usted dos muertes: la de su compañera de cama y la de su próximo amante, que podría ir a la cárcel por homicidio.

El sesenta y nueve invertido, descrito en otra parte de este libro (véase *Música bucal*), puede sustituir con ventaja todas las técnicas "estranguladoras" propuestas por este tipo de mujeres. Dará buen resultado siempre que el peso de su compañera le permita levantarla.

Postura salmón

Es el nombre que se da a la posición de dos personas desnudas y atadas juntas sobre un colchón para que hagan el amor a la manera de los peces, es decir, sin utilizar las manos. En su origen, se trató de una broma practicada en los burdeles del siglo pasado. Nada impide llevarla a cabo hoy día (si son ustedes las víctimas, intenten hacerlo por detrás o poniéndose de lado). Es una travesura clásica en la práctica del amor sexual en grupo, pero no conviene practicarla con personas desconocidas ni dejar un solo momento sin vigilancia a la pareja atada (puede verse un buen ejemplo de esta broma sexual en la película *El soldado azul*). Son muchas las mujeres que pueden llegar a un "solo" orgásmico de este modo: simplemente revolviéndose, en especial si se les pone un espejo delante. No intente atarse nunca con su pareja. Es posible que lo consiga sin ayuda de nadie, pero también podría resultarle imposible desatarse después, y ésa sí que sería una buena broma.

Prendas mojadas

Se trata de un estímulo, ya popular, que pone de relieve los contornos del cuerpo y algunas de sus partes, además de mostrarlo ceñido y brillante. Algunas personas gustan de entregarse a este juego sin trucos y con agua de verdad. Para eso hay que ducharse llevando puesta una camisa de algodón ajustada: da aspecto sexy y hace sentirse sexy a

PRENDAS MOJADAS
Dúchese llevando puesta una camisa de algodón ajustada: da aspecto sexy y hace también sentirse sexy.

quien procede de este modo. Los impermeables de plástico transparente sobre el cuerpo desnudo suelen excitar tanto a quienes los llevan puestos como a sus espectadores, con la particularidad de que son un buen excitante sexual para muchos hombres. Pídalo a su pareja, pruébelo, o ambas cosas.

Soplar

Esta palabra no tiene aquí nada que ver con los términos vulgares "soplar" (tener suficiente energía sexual), o "soplársela" (poseer sexualmente a una mujer, masturbarse), sino con su acepción común de formar una corriente de aire con los labios o —ya no tan común— con el secador de pelo sin dar el conmutador de "caliente"... sobre cualquier parte del cuerpo preferiblemente humedecida de antemano. El mejor instrumento para humedecer una zona erógena es la lengua, aunque cuando se trate de un área muy extensa podrá usarse, por razones obvias, una loción o simplemente agua. El aire en movimiento sobre una superficie sensible produce una sensación que puede hacer perder la cabeza a cualquier persona sin distinción de sexo. Experimente usted esta técnica más modestamente empleando su equipo natural (la saliva y el soplo con los labios). En el caso de los lóbulos de las orejas, hay que inhalar en vez de exhalar; de otro modo, podría dejar sordo a su compañero o compañera. En las demás zonas, haga uso de una exhalación firme y continua con los labios a dos o tres centímetros de la piel. Es el tratamiento que debe seguir naturalmente al "baño de lengua". Para operaciones de mayor envergadura úsese, como hemos apuntado, el secador de pelo: el resultado es mucho más excitante que las convencionales cosquillas con plumas, excepto en lo relativo a las palmas de las manos y las plantas de los pies. Pruébese el uso de los dos procedimientos a la vez fijando un par de plumas a la boquilla por donde sale el aire del secador. No proyecte nunca (véase *Riesgos*) una corriente de aire fuerte, y en ningún caso dentro de la vagina o cualquier otro orificio del cuerpo (se excluye la boca, pero la reanimación boca a boca, aparte de su utilidad, no tiene nada de excitante).

Sustitutivos

Las caricias manuales y el amor oral no son sustitutivos de la cópula vaginal, sino técnicas por sí mismas. Los "sustitutivos" que se citan a continuación constituyen lo que los europeos usaban antaño como técnicas anticonceptivas que hacían eyacular al hombre sin masturbación y que no estaban "marcadas" con un tabú tan severo como la sexualidad oral. Los antiguos sustitutivos tienen todavía utilidad en determinadas ocasiones —algunos, como el acoplamiento intermamario, pueden ser completamente bilaterales, y más o menos divertidos según los casos—, por ejemplo, durante el período menstrual o cuando el embarazo de la mujer se halla en un momento muy avanzado. El libro *Paradis charnels,* publicado en 1903, señala nueve partes del cuerpo mediante las cuales puede practicarse la cópula extravaginal: las manos (la mujer, tras mojarse las palmas con saliva, junta las manos con los dedos entrelazados y los pulgares cruzados para hacer al hombre una vagina: es una vieja aproximación del coito que no expone al embarazo, aunque, en realidad, no puede decirse que sea un método anticonceptivo absolutamente seguro, pues siempre se corre algún riesgo cuando hay derrame de semen durante los juegos sexuales), la boca, el espacio que dejan entre sí los muslos (véase *Cópula femoral*), los *pechos* (véase), las *axilas* (véase), y también el pliegue del codo con el brazo doblado o la corva con la pierna flexionada. Los otros dos sustitutivos de la cópula vaginal son el empleo del pelo de la mujer (los cabellos largos o las trenzas pueden enrollarse formando una

VIBRADORES

Los amantes hallan a menudo en los vibradores una fuente de sensaciones suplementarias incorporables al ritual estimulador de su piel.

vagina, o puede envolverse el pene con femeninos bucles, aunque algunas mujeres pueden poner reparos a tales juegos por lo difícil que les resulta lavarse después el pelo), y la *cópula anal* (véase).

Vibradores

El vibrador es un aparato sustitutivo, creado hace relativamente pocos años, que ha resultado de gran utilidad para enseñar a las mujeres inexpertas a estimularse y a obtener respuestas sexuales por sí mismas. Hay dos clases principales de vibradores: los que tienen forma de pene, que pueden usarse sobre la piel, los pechos, el clítoris, o introducidos hasta el fondo de la vagina (los de tamaño pequeño pueden usarse analmente), y los de tipo más grande, accionados por un motor, como los que usan las masajistas; se adaptan a la mano como un guante y pueden producir sensaciones enloquecedoras casi en cualquier parte del cuerpo. Los vibradores no son un sustitutivo del pene: algunas mujeres los prefieren al propio dedo para masturbarse, o se introducen un vibrador en la vagina mientras se acarician el clítoris con la mano. Los amantes hallan a menudo en los vibradores una fuente de sensaciones suplementarias incorporables al ritual estimulador de su piel. Las camas vibradoras que hay en ciertos hoteles, que se ponen en marcha mediante la inserción de una moneda en una ranura, han sido muy elogiadas, pero, por estar provistas de un aparato que mide la duración de su funcionamiento, pueden detenerse justo en el momento crítico, cosa muy frustrante para sus usuarios. Un cuidadoso masaje vibratorio en toda la superficie del cuerpo puede dar mejores resultados que una excesiva concentración en el pene o el clítoris, pero requiere habilidad. Los diversos tipos de chismes en forma de pene que se venden para adaptar a los vibradores no son recomendables como no sea por la novedad.

Zapatos

Los zapatos constituyen un estimulante sexual relacionado con la equivalencia existente entre el pie y la vagina que hemos mencionado en otra parte de este libro (véase *Pies*). Simbolismos aparte, es interesante señalar que el cuero de los zapatos "fija" ciertos ácidos grasos del sudor (precisamente los mismos que se hallan presentes en la vagina), los cuales actúan como excitantes en el comportamiento de los monos. Aun cuando estos ácidos huelen más bien a rancio que a emanaciones sexuales, pueden excitar subliminalmente al hombre. Los tacones altos atraen a algunos representantes del sexo masculino, sobre todo porque aumentan el balanceo del cuerpo al andar, lo que es otra manera de realzar los aires femeninos de la mujer. Es probable que los zapatos también sugieran ideas de ocultación, de algo así como el juego del escondite: las mujeres chinas de otro tiempo tenían que esconder los pies, pero en cambio podían mostrar los órganos genitales. Hasta para nosotros, los pies desnudos son símbolo de la desnudez de todo el cuerpo (motivo por el que algunas cantantes de música pop actúan descalzas).

Problemas
y cómo afrontarlos

Bisexualidad

Todos los seres humanos son bisexuales; es decir, capaces de responder sexualmente, al menos hasta cierto punto, ante personas de ambos sexos. Ser "homosexual" no consiste en reaccionar de esta manera, sino en sentir habitualmente cierta repugnancia —y, por lo tanto, ningún estímulo sexual— frente al sexo opuesto, lo que hace más evidente y predominante la respuesta ante los individuos del mismo sexo. La medida en que una persona puede actuar bisexualmente depende de muchas cosas, incluyendo la sociedad en que vive, las oportunidades que se le presenten y la intensidad de la respuesta que le provoquen las personas del mismo sexo.

Ser activamente bisexual es, en nuestra sociedad, una fuente de problemas para los adeptos de tal comportamiento, problemas —preciso es decirlo— a menudo no tan importantes como los que se derivan de las relaciones con personas del sexo contrario, aun con depender de éste, como es evidente, la parte más valiosa de la vida sexual. Incluimos la bisexualidad en este libro, a pesar de que sólo trata de las relaciones hombre-mujer, porque en las experiencias sexuales a base de tríos y en la práctica sexual en grupo —cada día más aceptadas por nuestra sociedad—, las oportunidades de entregarse a ella son inevitables, con la consiguiente preocupación de la gente llamada normal, ya por encontrarse con que no pueden responder de esta manera, ya porque temen convertirse en personas sexualmente "estrafalarias" con el paso del tiempo. Sin embargo, no es fácil que esto suceda. Los individuos con una fuerte "desviación" hacia su mismo sexo no tardan en advertirla (y es aconsejable no cultivarla si siempre les satisfizo la práctica "normal" de la sexualidad). Los hombres, por motivos culturales y razones inherentes a su propia naturaleza, se sienten probablemente más preocupados por estos problemas que las mujeres, a quienes parece resultarles más fácil la relación íntima con

BISEXUALIDAD
A las mujeres parece resultarles más
fácil que a los hombres la relación
íntima con personas de su mismo
sexo, y la contemplación de dos
mujeres excitándose mutuamente es
siempre un poderoso estímulo para
ellos.

personas de su mismo sexo; además, es bien sabido que la contemplación de dos mujeres excitándose mutuamente es siempre un poderoso estímulo sexual para el hombre. Se da el caso de que en casi todas las culturas, en ciertas circunstancias y en distintas épocas, especialmente cuando no han existido prohibiciones de tipo cultural contra este tipo de juegos sexuales, los hombres los han practicado juntos, o los practican todavía. Y no hablemos de los monos, entre los que tal actividad es cosa natural y corriente. Es muy probable que si no poseyéramos esa capacidad, los humanos jamás hubiesen llegado a formar sociedades masculinas, porque el juego erótico entre personas del mismo sexo ayuda a superar las rivalidades y las peleas que observamos en las otras especies animales. Al mismo tiempo, existe una biología de la identidad sexual humana que aún no ha sido comprendida en su totalidad, incluyendo los efectos estimulantes ("desencadenantes") de cada miembro de la pareja, tenga o no tenga pene. Esto fue ya destacado por Freud, y los primatólogos están intentando llenar ese vacío. Esta larga exposición tiene por objeto demostrar que los juegos sexuales entre personas del mismo sexo, especialmente en un grupo constituido por hombres y mujeres, no es "innatural" para el hombre. Como puede suceder con otras clases de juegos sexuales, si ése le preocupa o no le gusta, no lo practique, pero tenga presente que no se trata de magia negra, ni de nada pernicioso o propio de personas "estrafalarias". Como quiera que en toda mescolanza sexual lo más fácil es que uno —a menos que tenga prejuicios al respecto— pierda la noción de lo que hace y de lo que corresponde a cada cual, si se siente alarmado ante la bisexualidad o los juegos sexuales en grupo, mejor será que no los pruebe. La sexualidad "normal" hombre-mujer es lo único genuino para la mayoría de la gente. Los hay que necesitan algo diferente, pero sus peculiares necesidades, en contra de lo que pudiera creerse, no siempre amplían su horizonte sexual, sino que con frecuencia lo reducen.

Depilación

Es una forma de desprenderse del vello que no se quiere tener (véase *Pelos*). Las japonesas usan para ello una especie de sortija afilada, pero usted puede emplear cualquier crema depiladora (evitando usarla cerca de los órganos genitales, pues podría causar picazón) o hacerse eliminar los pelos, uno a uno, mediante la electrólisis, aunque este último procedimiento no tiene nada de barato y sólo es aconsejable para las mujeres que deseen librarse del vello facial.

Desfloración

Sorprende comprobar de qué modo la desfloración, una de las grandes obsesiones de épocas pasadas, ha dejado de ser un problema. Hubo un tiempo en que fue una constante preocupación para los hombres de mentalidad adocenada y una verdadera inquietud para la mayoría de muchachas. Este cambio no puede deberse a la actual escasez de vírgenes (tiene que haber una primera vez para todo), y ni siquiera a la invención de la vaselina: es más probable que lo haya causado el *petting* (la costumbre, entre jóvenes, de besarse y acariciarse íntimamente sin llegar a la cópula) y las profundas modificaciones que ha experimentado el folklore sexual. Casi todas las chicas pasan hoy por ese trance en manos de un experto y cariñoso amigo, y las demás no se preocupan por las historias de sangre, sudor y lágrimas que solían contar sus bisabuelas. En el siglo XVIII, toda joven desposada que no sangrara como un cerdo en su noche de bodas tenía asegurada la peor de las ignominias. En la actualidad, la mayoría de los amantes no piensan en hacer sangrar a su pareja (a menos que la mujer exprese su deseo de ser "desflorada" como en los buenos y antiguos tiempos). Pero aun en este caso, excepto cuando una anatomía anormal dificulta las cosas, el acto no debe doler más que la perforación de los lóbulos de las orejas para ponerse pendientes.

La primera noche es una situación especial a la que no creemos necesario referirnos aquí. Opinamos que, exorcizado ya el fantasma de la desfloración, cualquiera puede revivir las sensatas costumbres sexuales del siglo XVIII y jugar con su pareja a que la desflora tantas veces como desee. En el cielo, las huríes se despiertan cada mañana con un nuevo himen, lo que les permite ser vírgenes perpetuas, cosa que puede conseguir cualquier mujer con un poco de imaginación y actuando como si fuera una virgen siempre que se le antoje. Es un buen modo de celebrar un aniversario. Los verdaderos entusiastas pueden hacerlo sin omitir detalle, con luna de miel y todo en un hotel; el resultado suele ser mejor que el de una auténtica noche de bodas. Puede incluso reservarse la misma habitación que se usó la primera vez. O puede hacerse en casa y más a menudo, anunciando el acontecimiento con poca antelación. Todo lo que ella necesita hacer es decir: "Esta noche soy virgen".

Dolor

El dolor por sí mismo no es un excitante sexual, a pesar de lo que se diga por ahí. Lo que en realidad sucede es que, durante la excitación sexual, la conciencia del dolor queda reducida hasta tal punto que cualquier estímulo más fuerte, mientras no pase de ciertos límites, se suma indoloramente a la excitación en curso. Esto puede ser igualmente cierto en otros casos —un jugador de fútbol puede perder un diente durante un partido y no darse cuenta de ello hasta el final— que confirman lo expuesto, es decir: que todo estímulo doloroso recibido mientras dura la excitación sexual puede suponer un aumento de placer a condición de que aquél no sea demasiado fuerte. Sin embargo, hay un límite después del cual la estimulación excesiva causa desgana sexual en vez de aumentar la excitación. La tolerancia al dolor aumenta con la proximidad al clímax —hay quien puede soportar fuertes golpes cuando está llegando a él—, pero la transformación del dolor en excitación cesa tan pronto como se desencadena el orgasmo. Por lo tanto, no conviene conservar posturas difíciles o complicadas ni persistir en estímulos demasiado fuertes después de dicha culminación sexual y, además, hay personas que no experimentan la transformación descrita. Así pues, cuando una pareja observe que cualquier estímulo erótico-doloroso es recibido directamente como dolor no transformado en excitación, puede ocurrir que el estímulo sea demasiado fuerte o que haya sido practicado demasiado pronto en una fase de excitación no suficientemente intensa, o, también, que se haya prolongado el estímulo más allá del orgasmo. Aprender qué estímulos dolorosos pueden reforzar la excitación sexual y convertirlos en sensaciones agradables y cuáles no, es todo un arte.

Si en cualquier momento de la práctica sexual normal se nota dolor —debido, por ejemplo, a irritación o inflamación o a un posible golpe recibido por algún órgano interno—, es que alguien actuó con torpeza o algo anda mal; en el segundo caso, deberá consultarse a un médico si el dolor persiste más de dos o tres días. El primer coito puede ser ligeramente doloroso para ambas partes. Cuando la pareja se halla suficientemente excitada antes de la cópula, el efecto de transformación descrito permite que la mujer cruce entonces con éxito la barrera del dolor, aunque si ella sangra habrá que esperar que las lesiones se curen antes de una nueva cópula. Si se observa alguna complicación, habrá que acudir al doctor (véase *Desfloración*). Si el hombre actúa con suavidad y se ha conseguido un ensanchamiento previo de la vagina, el primer coito puede resultar casi indoloro para la mayoría de las mujeres.

La necesidad de experimentar dolor (mental o físico) como factor coadyuvante de la excitación sexual no es infrecuente. Por lo general, esta idea resulta intrigantemente atractiva en el plano de la fantasía, pero su puesta en práctica no hace sino enfriar la pasión, a menos que el miembro de la pareja que pueda causarlo tenga suficiente habilidad como para no superar los límites en que el dolor se transforma en excitación y no convertir la fantasía en excesiva violencia. A muchos hombres que consiguieron convencer a una prostituta no demasiado inteligente para que los "golpeara con dureza" porque la idea les parecía excitante, no les quedaron ganas de repetir la experiencia. Si su compañero, querida lectora, muestra tales tendencias, procure no ir más allá de la capacidad de transformación dolor-estímulo que él pueda poseer, y esté atenta al grado de morbosidad que pueda tener su deseo de ser maltratado. Para las personas sensatas y con sentido común, los juegos en que se imite un poco la violencia real y se haga un uso inteligente del efecto de transformación, jamás deberán rebasar la frontera de la fantasía normal.

Edad

La única relación entre la edad y la sexualidad es el hecho de que, cuando más dura el amor, más se aprende. Los jóvenes (y algunos de más edad) creen que nadie hace el amor después de los cincuenta, lo que, de ser cierto, sería una verdadera insensatez. Nuestra joven generación no es la primera en pensar de ese modo, pero tal vez sea la primera que no ha "soportado" un lavado de cerebro para llevarla a tal convencimiento.

Es posible que algunas parejas que ya hayan cumplido la treintena, y conozcan ya los preliminares sexuales y algo más, empiecen a practicar algunas de nuestras sugerencias. Sin embargo, considerando que ninguno de nosotros ha de escapar a la ley natural del envejecimiento, y que las supersticiones sobre la sexualidad no han dejado de existir, creemos que vale la pena exponer los hechos tal como son.

Ni los hombres ni las mujeres pierden sus necesidades y funciones sexuales con la edad. En los hombres, los únicos cambios importantes que se producen después de las primeras siete décadas consisten en que las erecciones espontáneas se dan con menos frecuencia (por lo que necesitan más estimulación directa de la mujer precisamente en el pene), en que la eyaculación tarda más en llegar (lo cual no deja de ser una ventaja), y en que la frecuencia del coito tiende a disminuir. No obstante, si se tiene una compañera atractiva y receptiva, se goza de un mínimo aceptable de buena salud y se hace caso omiso de la creencia de que a esa edad uno tiene que haberse quedado necesariamente sin vigor, la sexualidad activa dura toda la vida. Claro está que a menudo, en la época más avanzada de la existencia, la posibilidad y la necesidad de eyacular se hacen menos frecuentes. En esas condiciones, es una buena idea no intentar eyacular en cada cópula. Es una manera de mantenerse en forma por más tiempo sin que la pareja tenga que renunciar al placer sexual. Las mujeres pierden la fertilidad con la menopausia, pero este hecho, en vez de echar a perder la vida sexual de la pareja, suele mejorarla. En realidad, dejando aparte la frecuencia, la declinación física suele ser nula hasta los setenta y cinco años como mínimo. Entre una cuarta parte y la mitad de las parejas de esa edad siguen manteniendo relaciones sexuales regularmente, con la particularidad de que entre ellas se cuentan casi todas las que no tuvieron una vida sexual muy activa durante su juventud. Teniendo en cuenta que una actividad sexual continuada mantiene un alto nivel hormonal, es fácil calcular que el promedio de personas que han hecho a menudo el amor a lo largo de su vida y que siguen haciéndolo en edades avanzadas llega casi a un 75 por ciento. Cabe suponer que el 25 por ciento tuvo que quedarse sexualmente inactivo a causa de la artritis u otras enfermedades propias de la vejez y no por culpa de la impotencia o la frigidez. Las razones que impiden practicar la sexualidad a las personas de edad son exactamente las mismas que no les permiten montar en bicicleta (la mala salud, el temor al ridículo, o incluso la falta de bicicleta), con la diferencia de que tales causas se dejan notar más tarde en la sexualidad que en las facultades de ciclista. Después de haber cumplido los cincuenta años, lo importante es no abandonar la sexualidad durante largos períodos: persista usted en ella, aunque sea con la interpretación de "solos" si se quedó sin pareja. Es algo que, si no se practica con regularidad, resulta luego difícil de volver a poner en marcha (véase *Salud*).

Por lo que respecta a las mujeres, se puede conseguir por supuesto que sigan menstruando indefinidamente mediante las hormonas adecuadas. Es probable que, por lo general, se conceda a esto poca importancia, aunque nos consta que a algunas les refuerza la moral. Otras descubren que, después de la menopausia, disminuye su riesgo vaginal (lo cual se remedia con estrógenos), pero de hecho los resultados que se obtienen con una actividad sexual continuada y pastillas hormonales son prácticamente iguales.

Al igual que con muchas otras cosas, la última parte de la vida es la época en que, tras haberlo probado ya todo, hemos de seguir practicando sólo aquello que más momentos de placer nos dio, a ser posible, con nuestra pareja.

Enfermedades venéreas

Durante muchas generaciones, las enfermedades venéreas fueron algo vergonzoso que debía ocultarse, por considerarlo la sociedad como un castigo divino para el pecador. Dejando aparte lo que ya es historia, esas enfermedades sexualmente transmisibles siguen siendo un peligro que se corre cuando se copula o se tiene una sesión de caricias íntimas con una persona desconocida. Las hay de dos tipos.

La sífilis es una enfermedad que puede llegar a ser mortal. Su primer síntoma es una especie de ardor relativamente indoloro, en el sitio donde se produjo la infección (en los órganos genitales, el ano o la boca), seguido poco después por una erupción cutánea generalizada y, años más tarde, por una serie de secuelas a cuál más desagradable; la sífilis puede ser transmitida de la madre al feto. La gonorrea o blenorragia (vulgarmente, "purgaciones") suele manifestarse en el hombre al cabo de una semana de haberse contraído por dolorosas secreciones de flujo purulento del pene. En la mujer puede causar flujos semejantes, así como inflamación de las glándulas, pero también puede presentarse sin ningún síntoma, por lo que suele pasar más inadvertida que en el hombre. En ambos casos se puede tratar fácilmente y con éxito si se acude a tiempo al médico. *No intente* usted curarse por sus propios medios empleando antibióticos, ni trate de ocultar su dolencia; al contrario, advierta a cualquier persona a la que pueda haber infectado. En realidad, si no fuera por el aura mágica que la rodea, sería preferible contraer una gonorrea que el sarampión. Existe una tercera enfermedad "venérea" menos común (linfogranuloma inguinal), y también es posible pegarse las ladillas de un compañero, o compañera, de cama sucio. Las personas que duermen en cualquier parte y con cualquiera, y también las que no, pueden contagiarse y transmitir la tricomoniasis: no sospeche que su pareja le es infiel si observa que se infectó con ella, pero ambos —lo mismo que cualquier otra persona que hubiera tenido contacto íntimo con ustedes— deberán ponerse en tratamiento.

Cuando se teme correr algún peligro de este tipo, lo mejor será lavarse a conciencia con agua y jabón inmediatamente después de la cópula. Los preservativos también son una buena protección, pero debe recordarse que la sífilis puede transmitirse con un simple beso. Evítese la cópula con toda persona que tenga flujos o llagas. De todos modos, un millón de unidades de penicilina tomadas por vía oral una o dos horas después del contacto es una protección segura prácticamente en un ciento por ciento de los casos, incluso ahora, cuando algunos gérmenes se están haciendo relativamente resistentes a los antibióticos. Si se sabe de antemano que se va a correr un verdadero riesgo de esta clase, es mejor tomar la dosis por anticipado. Los moralistas tienen mucha razón al decir que el mejor profiláctico consiste en evitar a las personas que se entregan con demasiada facilidad a los juegos sexuales, pero aun siguiendo este consejo no se consigue el ciento por ciento de inmunidad.

Las enfermedades venéreas podrían ser totalmente eliminadas en el curso de nuestra generación si la gente dejara de tratarlas como un caso especial y si nadie estuviera interesado en esgrimirlas como un arma contra la "disipación" y la "amoralidad". Las prostitutas no son la principal causa de infección: los mayores riesgos se corren con las aficionadas ignorantes. Los homosexuales pillan las enfermedades venéreas con la misma facilidad que los heterosexuales; de hecho, con más frecuencia. Las mujeres que toman la píldora están mucho más expuestas a esta clase de contagios, pues ese anticonceptivo frena la acción de un mecanismo antiséptico natural.

En todo este asunto, es mejor que no se fíe usted de nadie. Lo más probable es que alguno de sus mejores amigos o amigas tenga alguna enfermedad venérea.

Esterilidad

Es una bendición si se desea, pero una maldición si no se busca. La esterilidad puede deberse a que la mujer no ovule, a que los óvulos no lleguen al útero por hallarse obstruidos sus conductos, o a cualquier malformación o enfermedad de los órganos genitales femeninos. En el hombre, la causa de la esterilidad puede ser la ausencia parcial o total de espermatozoides, o bien la incompatibilidad química entre los dos miembros de la pareja. Este último obstáculo puede a veces superarse siguiendo las indicaciones del especialista, tales como la de concentrar la práctica sexual en los períodos fértiles, la de someterse a una intervención quirúrgica o la de seguir un tratamiento hormonal. Es aconsejable que los dos miembros se hagan un reconocimiento médico en la misma visita al doctor. Suponiendo, por ejemplo, que el hombre tenga insuficiencia de espermatozoides no será necesario buscar en la mujer la causa de la esterilidad. También el exceso de ansiedad erótica puede a veces trastornar la fecundidad; las eyaculaciones demasiado frecuentes son menos abundantes; por lo tanto, a veces hay que frenar un poco la avidez sexual. Las ropas muy ceñidas y de mucho abrigo en contacto con el escroto pueden actuar sobre los espermatozoides, que, para desarrollarse, necesitan una temperatura inferior a la del cuerpo humano. Y, volviendo a la mujer, el hecho de que disfrute de grandes orgasmos no facilita en modo alguno la concepción. La esterilidad puede a veces cesar de repente, al cabo de muchos años, y entonces el mérito corresponde el tratamiento o al cambio de vida. La carencia pertinaz de espermatozoides es difícil de tratar, aunque se pueden concentrar los pocos que el hombre tenga e inseminar artificialmente a la mujer. La esterilidad masculina no tiene nada que ver con el rendimiento sexual que, en otros aspectos, pueda dar un hombre. No hay que considerarse estéril si no se tienen pruebas evidentes de ello. Por lo que respecta a la mujer, debe tenerse cuidado en no dejar de tomar la píldora en la época de la menopausia. Para la esterilidad voluntaria, véase *Niños* y *Vasectomía*.

Excesos

Puede decirse que, desde el punto de vista cuantitativo, los excesos sexuales no existen. La propia naturaleza los controla: cuando se pasa de cierto límite, la mujer se siente agotada y dolorida, y el hombre sin ganas de continuar. Las viejas charlatanas de la moral y el curanderismo se han pasado siglos enseñando que la actividad sexual desmesurada debilita, y, en cambio, nunca se mostraron tan severas respecto al exceso de trabajo o de ejercicio, y muy raramente en cuanto al exceso de alimentación, que es uno de los abusos más peligrosos de nuestro tiempo.

Lo cierto es que la práctica sexual es el menos agotador de los deportes si se considera el poco gasto de energía que requiere. El agotamiento que pueda notarse después de una sesión sexual se debe generalmente a la actitud de los participantes ante la sexualidad o a las horas restadas al sueño. Los amantes masculinos suelen olvidar que las mujeres que trabajan, que llevan una casa o que hacen ambas cosas a la vez, no pueden mostrarse tan frescas y bien dispuestas, por grande que sea su voluntad, como las ociosas odaliscas de un antiguo serrallo otomano. Las mujeres, por su parte, han de tener presente que, aun siendo la práctica sexual el mejor relajante de la tensión para ambos sexos, puede aparecer de pronto la impotencia, más a causa de la preocupación que del agotamiento físico, sobre todo cuando se desea obtener o superar récords olímpicos, haciendo de ello una cuestión de orgullo personal. Las distintas necesidades de sueño entre los amantes y el diferente horario de cada uno para satisfacerlas puede amenazar —si no se les presta atención y no se procura adaptarlas de común acuerdo a cada situación— la buena marcha de la más prometedora relación sexual. Sí, lo mejor para solventar estos problemas es hablar de ellos, discutirlos y convenir lo que se considere más oportuno: a veces, una verdadera necesidad de dormir puede confundirse con un rechazo o con una prueba de mal humor, en especial cuando se trata de personas demasiado inseguras e incapaces de comunicarse entre sí.

La práctica sexual suele dejar a la mujer en un estado de languidez próximo a una completa sedación. A los

293

hombres, puede producirles el mismo efecto, o despertar en ellos momentos de frenética actividad. Cuando éste sea su caso, querido lector, levántese, gaste su exceso de energía en lo que sea y deje dormir tranquila a la mujer. Para dormir bien por la noche, no hay ningún somnífero tan eficaz como un violento orgasmo compartido: los amantes activos no precisan barbitúricos.

Si alguna vez usted y su pareja quedan realmente exhaustos, recuerden que el agotamiento desaparece con unas horas o unos días de descanso. Al contrario de lo que suele creerse, la abundancia de sexualidad hace que ésta sea mejor, y además frena el orgasmo demasiado rápido sin reducir la intensidad de los momentos culminantes: el tremendo clímax que se produce después de una separación más o menos prolongada de los amantes no depende de la continencia, sino de la excitación que lleva consigo el reencuentro. Tenemos la prueba de esto en el hecho de que ambos pueden masturbarse todos los días mientras estén separados sin que al volverse a reunir dejen de alcanzar dicha cima de placer. Como ya hemos apuntado en otro lugar de este libro, la frecuencia de la práctica sexual conserva este tipo de funciones hasta una edad muy avanzada, no por convertirse en un hábito, sino porque el mantenimiento de niveles hormonales relativamente altos depende de tal continuidad; y lo mismo sucede con el vigor y el buen aspecto físico.

Exhibicionismo

La mayoría de las personas sienten, durante la infancia, un placer especial (aunque no frente a los adultos) mostrando los órganos genitales a criaturas del sexo contrario. Al fin y al cabo, esas cosas figuran entre nuestros mejores atributos, y exhibirlas ante otros niños o niñas puede ser el inicio de algo mejor. La etiqueta de exhibicionista se pone a las personas que, por diversas razones, sólo pueden practicar la sexualidad de esa manera, es decir, enseñando los órganos genitales a personas desconocidas. Esta actividad, poco gratificante porque quienes se entregan a ella son personas taradas que no pueden ir más allá en el terreno de la sexualidad (entre esas personas, siempre de carácter tímido, no hay violadores), sería inofensiva si la gente no se indignara o asustase.

Nuestro extraordinario sistema social recompensa a esos desdichados con la repulsa pública, la cárcel y otras cosas parecidas. Ninguna mujer debiera de asustarse al ser sorprendida por un exhibicionista. Se cuenta que cierta famosa dama francesa de otros tiempos, cuando un hombre le enseñó sus más preciados atributos, exclamó: "¡Oh, *monsieur*, va usted a pillar un resfriado!". Por lo general, los exhibicionistas no atacan a los niños, y éstos no debieran asustarse si fueran debidamente educados al respecto; sin embargo, los adultos, con sus ridículas observaciones o su comportamiento inoportuno, no hacen más que desconcertarlos. Los niños son conservadores y cualquier novedad los desconcierta. Si su hija se ve sorprendida por un exhibicionista, dígale que es un infeliz cuyo cerebro no pasó de la niñez y que la cosa no tiene importancia, pero que la próxima vez que le suceda algo semejante procure esquivar al individuo en cuestión.

Eyaculación precoz

Así se llama a la eyaculación que se produce antes de lo que desean ambos componentes de la pareja.

La eyaculación precoz puede tener dos causas: la avidez desmesurada o la ansiedad. La avidez desmesurada es a veces deliciosa, pero, por lo común, sólo significa que uno no practica la sexualidad con la frecuencia necesaria para hacer un buen papel durante la cópula. El problema se puede vencer masturbándose con frecuencia, aprovechando la ocasión para habituarse a una respuesta cada vez más lenta, pero todo esto puede venirse abajo ante estímulos procedentes de una mujer excitante. La ansiedad en el momento del coito puede convertirse en un hábito fisiológico como el tartamudeo o la impotencia. Puede desbaratar la sexualidad de gran categoría, así como la mayor parte de nuestras sugerencias.

Hay un procedimiento para vencer la eyaculación precoz que casi siempre da buenos resultados. Póngalo en práctica sin demora:

1) Averigüe, con la colaboración de su amante, cuánto tarda usted en tener otra erección después de eyacular, bien mediante la autoestimulación, bien autoestimulándole ella. Durante esa segunda erección, procure contenerse todo lo posible sin llegar al orgasmo, tratando de comprobar cuánto tiempo puede mantener la rigidez del pene. Hágalo a menudo.

2) Si el intervalo de tiempo entre una erección y otra es demasiado largo, o pierde en seguida la segunda de ellas, necesita usted hacer ciertos ejercicios específicos. De vez en cuando, destine el tiempo necesario a su práctica y decídase formalmente a no copular durante estas sesiones de entrenamiento. Haga que su compañera le ponga rígido el miembro, si es necesario, y que comience a practicarle una masturbación lenta sentada a horcajadas sobre su pecho. Lo único que tendrá que intentar será mantener su erección, aun cuando tenga que reducir el ritmo de sus sacudidas a una cada tres segundos. Deben convenir que si usted le dice "para", ella se detendrá. La mujer no deberá controlarlo, y usted tendrá que hacer lo posible por mantenerse inmóvil. No se preocupe si la primera vez que lleva a cabo la prueba eyacula en seguida: inténtelo media hora más tarde. Hágalo tan a menudo como pueda, pero intercalándolo con cópulas normales, aunque sean cortas (su objeto no es alimentar el apetito sexual). Tanto en la cópula como en las sesiones de práctica, las gelatinas de anestesia local son una ayuda para algunas personas, y puede usarlas si le resulta difícil proseguir los ejercicios. Al

cabo de unas tres semanas de práctica regular será probablemente capaz de mantener una segunda erección, o tal vez una primera, por lo menos, durante cinco minutos, duración que podrá prolongarse cada vez más. Entretanto, intente alargar las sesiones de cópula normales. Emplee todos los complementos estimulantes para provocar a su compañera los orgasmos que necesite, aunque ella deberá evitar cualquier técnica demasiado excitante —o, mejor, ninguna— antes de la penetración. Intente mantenerse inmóvil dentro de la mujer durante períodos —controlados en minutos— cada vez más largos.

3) Si esto no da resultado y sigue sintiendo ansiedad, consulte a un especialista. Es muy probable que le dé un tratamiento satisfactorio. Lo importante es que la pareja acuerde de antemano sesiones no dedicadas al coito, para que pueda usted entrenarse en el control del orgasmo. Ambos saldrán beneficiados, y no por eso la mujer deberá quedarse en ayunas: aprenda a usar sus manos y su lengua y no olvide los pechos de ella. Dedicar algunos ratos a la sola satisfacción de su compañera le ayudará a aflojar la tensión causada por sus problemas de virilidad. Pero si éstos persisten, será mejor que siga el consejo de un experto antes de que su eyaculación precoz se convierta en un hábito. Casi todos los hombres de experiencia sexual limitada se muestran demasiado ansiosos por empezar el plato principal. A ninguno de ellos le iría mal el "entrenamiento" que hemos descrito.

En la primera sesión sexual con una mujer muy deseada, al menos un cincuenta por ciento de los hombres eyaculan con demasiada rapidez o no consiguen la erección. En tal caso, asegúrese de que podrá pasar una noche entera con ella, lo que, si es necesario, le permitirá efectuar una segunda intentona, pero no se esfuerce demasiado por conseguir la repetición a toda costa. Es muy fácil que si le vence el sueño, se despierte luego con una gran erección.

Fetiches

El fetiche es algo que se necesita en vez del compañero o compañera, o como complemento de él o de ella, para alcanzar una plena respuesta sexual. No suele requerirlo tanto la mujer como el hombre, por lo menos en lo tocante a objetos y hábitos, aunque la mujer puede convertir en fetiches la seguridad, el miedo o sutiles detalles ambientales. Los fetiches pueden ser de muchas clases: todos tenemos inclinación por algún fetiche, aunque sea en estado embrionario, y satisfacerlo forma parte a un tiempo del arte amatorio y de la función sexual. Muchos hombres copulan más a gusto y con mejores respuestas, por ejemplo, con las mujeres de grandes pechos, de mirada infantil y con el pelo de una longitud y color determinados, pero son menos sinceros respecto a otro tipo de estímulos. Luego vienen las preferencias en cuanto a ciertas prendas de vestir, calzado o adornos: la mujer puede ser más deseable con medias, o con zapatos, o con pendientes. Úsense estos objetos estimulantes aprovechando al máximo los de mayor eficacia (véase *Vestimenta*).

Puede darse a algo el nombre de verdadero fetiche cuando una persona lo necesita imprescindiblemente como estimulante para una buena práctica sexual. Y el fetiche se convierte en un problema cuando lo invade todo y llega a ser por sí mismo un motivo de ansiedad obsesiva (sólo los zapatos, por ejemplo, y no una mujer con zapatos), o cuando resulta ser una fantasía que lo estimula a usted y, en cambio, desagrada y enfría a su pareja, o cuando la sesión sexual va complicándose hasta el punto de tener que interrumpirse. El juego sexual de un matrimonio puede satisfacer todas estas necesidades (o casi todas) siempre que exista una verdadera comunicación entre sus miembros y ambos encuentren gusto o diversión en satisfacerlas, pero la persona ansiosamente obsesionada por determinado ritual puede ser un serio problema que ni siquiera el agrado fingido de su pareja podrá resolver.

Para empezar, señalaremos que una persona realmente obcecada por una fijación de este tipo, por más que pueda actuar según sus deseos al respecto, está expuesta a no interesarse por nada que no sea su obsesión. Se llegará a un punto que requerirá la asistencia médica, y lo mejor será pedirla. Se trata de un problema emparentado con uno de tantos trastornos de la personalidad cuyo síntoma principal es la pérdida del interés por el amor. A todos nos afecta ocasionalmente esta anomalía en mayor o menor grado: todos mostramos, a algún nivel, nuestra preferencia por uno o más estímulos sexuales determinados y, si la comunicación con nuestra pareja es superficial o inexistente, nos harán sentir cada vez más culpables y sensibles a ellos. Si conseguimos descargar tales necesidades en forma de juego, esto no sucederá, pero si eso no es posible habrá que pedir ayuda al especialista. Téngase en cuenta que estamos hablando de obsesiones persistentes y poco comunes que dificultan la cópula ordinaria: rechazar cualquier otra postura que no sea la llamada "del misionero" es una actitud tan fetichista como la de no lograr la erección si uno no lleva puesto un casco de buzo. La sexualidad normal implica las preferencias dictadas por la fantasía de cada cual y la variedad, y es precisamente de esta diversidad de lo que el limitado ritualista no puede disfrutar. Nada puede reprocharse a quien quiera probarlo todo, siquiera sea una vez.

Lo que vamos a decirle puede parecer banal, pero, repetimos, no pretenda usted hacerse cargo de una persona que sufra un problema sexual grave —como, por ejemplo, la homosexualidad— con el propósito de "curarla mediante su amor". No debe usted hacerlo porque nada conseguirá. Sin embargo, si esa persona se pone en manos de un especialista y, además, cuenta con el amor —o como mínimo, la amistad de usted—, la solución del asunto puede ser mucho más sencilla. Si se ha hecho ya cargo de un problema de esta clase —repetimos que la forma de calibrar su importancia consiste en comprobar hasta qué punto causa ansiedad y frena el goce sexual—, lo mejor que pueden hacer es hablar entre ustedes sin miedo y sin recriminaciones y luego consultar a un especialista. Es un problema tan médico como cualquier dolencia de carácter físico.

Fidelidad

Fidelidad, infidelidad, celos, etc., etc. Deliberadamente, no hemos tocado el tema de la ética de los estilos de vida. Los hechos demuestran que son muy pocos los hombres —con una ligera diferencia a favor de las mujeres—, que, en nuestra cultura, pasan por la vida limitando su experiencia sexual a un solo compañero o compañera. Lo más adecuado para cada pareja está en función de sus necesidades, situación, ansiedades y cosas por el estilo. Estas necesidades son particularmente delicadas en lo relativo a la comunicación: si la comprensión mutua es completa y progresiva, ambos amantes pueden considerar-se dichosos. Los engaños persistentes siempre dañan cualquier relación humana. La franqueza completa que a veces se persigue con el fin de evitarse sentimientos de culpabilidad, puede dar el mismo resultado que un acto de agresión contra el otro miembro de la pareja. El verdadero problema deriva del hecho de que las relaciones sexuales pueden ser cualquier cosa según las personas que intervengan en ellas o las distintas ocasiones en que tengan lugar; pueden ir desde un puro juego hasta una entera fusión de dos identidades. Los sufrimientos empiezan cuando cada uno de los dos amantes ve las cosas de una manera diferente.

No existe ninguna relación sexual que no implique responsabilidades; ello es así porque siempre intervienen dos o más personas en la misma: cualquier cosa que excluya como parte activa a uno de los dos componentes de la pareja es dañina y dolorosa; por otra parte, sin embargo,

FIDELIDAD
Lo más adecuado para cada pareja
está en función de sus necesidades,
situación, ansiedades y cosas por el
estilo.

hay que tener en cuenta que, si queremos conservar nuestra identidad, hemos de evitar hasta cierto punto la fusión total con otra persona: "Yo soy yo y tú eres tú, y ninguno de nosotros dos ha nacido para vivir totalmente pendiente de los deseos o necesidades del otro". Las personas que se comunican sexualmente deben encontrar sus propias fidelidades. Todo lo que podemos sugerir es que hablen del asunto entre sí y lleguen por lo menos a saber en qué posición se halla cada uno.

Frigidez

La frigidez no significa siempre incapacidad congénita para gozar de la sexualidad. No es frígida la mujer que no puede disfrutar con los juegos eróticos cuando está muerta de cansancio, cuando los niños están aporreando la puerta del dormitorio, cuando se encuentra en la calle más concurrida de la ciudad o, por lo general, cuando su pareja no es el hombre adecuado, cuando no copula con él en el mejor momento y están ausentes las imprescindibles vibraciones de armonía. Los hombres que confunden a la mujer con una máquina tragaperras (se mete una moneda en la ranura y sale un orgasmo) debieran tomar nota de esto. Tampoco significa un fracaso no conseguir un orgasmo enloquecedor en cada coito. Si lo fueran todos los ejemplos citados, todas las mujeres serían frígidas. Y la frigidez tampoco tiene nada que ver con la falta de respuesta erótica si el hombre es torpe, impaciente, o tiene la obsesión de introducir el falo cuanto antes y sin preliminares. Suponemos que nuestros lectores y lectoras sabrán todo eso. La verdadera frigidez se da cuando una mujer que ama a su compañero y no se siente asustada por ningún aspecto de la sexualidad no consigue disfrutar plenamente de ella aunque ambos hagan todo lo posible para lograr dicho goce. Esta anomalía, a diferencia de la impotencia masculina, puede eliminarse a menudo (aunque no siempre) haciendo que el hombre recupere la seguridad en sí mismo, pero poco pueden hacer los libros en este sentido. La sexualidad femenina es mucho menos lineal que la del hombre: cuando una mujer tiene dificultades de esta naturaleza, éstas deben ser tratadas partiendo de una base individual.

Algunos casos de falta de goce sexual son fáciles de explicar: la píldora, por ejemplo, puede causar altibajos en la libido. Las mismas variaciones pueden afectar a la química interna del cuerpo femenino, cuyos procesos son cíclicos, a diferencia de los del hombre, que soportan cambios más bruscos. Si la cópula resulta dolorosa para la mujer, la solución es muy simple: consultar a un ginecólogo para que resuelva su caso. El embarazo y el hecho de dar a luz a un hijo pueden influir en la respuesta sexual, tanto física como psicológicamente. Suponiendo, querida lectora, que no sea éste su problema, que tenga usted un compañero con el que pueda hablar y fantasear cuanto quiera, que haya superado todos los inconvenientes que podían hacerle sentir desgana por la práctica sexual —como, por ejemplo, tener encima a un amante excesivamente pesado— y que, a pesar de todo, nada la deje plenamente satisfecha, lo mejor que puede hacer es recurrir a alguien capaz de brindarle asesoramiento de carácter personal. Las causas físicas y psicológicas que producen esa insatisfacción son demasiado complicadas para exponerlas en un libro como éste.

La única técnica que vale la pena probar, si después de todo su respuesta a los estímulos sigue siendo insuficiente o nula, es —aunque le resulte difícil—, la de autoeducarse mediante una gradual exploración íntima del propio cuerpo en estado de completa relajación. En las mujeres, la automasturbación es, mucho más que en los hombres, un proceso de continuada exploración corporal, por lo que son muchas las que pueden enseñarse a sí mismas —y que lo hacen— a responder sexualmente de dicha manera. Según una opinión muy extendida, el uso de un vibrador

FRIGIDEZ

Póngase tan cómoda como pueda y empiece a explorar su propio cuerpo.

puede ser útil en este caso, pues los vibradores casi siempre producen alguna sensación sexual a las mujéres que los emplean. Cuando haya encontrado usted un estímulo que la haga sentirse sexualmente satisfecha, tanto si lo ha descubierto usted o con la colaboración de su amante, incorpórelo en seguida y a fondo en sus sesiones sexuales. Si lo que necesita es una caricia en el clítoris, o besos genitales, procure que no le falte nada de eso en la medida adecuada: la propaganda sobre el "orgasmo vaginal" no es más que eso, propaganda, y está lejos de ser cierta la afirmación según la cual no es usted una mujer si no se siente plenamente satisfecha con una penetración profunda y nada más. Esto satisface totalmente a algunas mujeres, pero a otras no. Hay mujeres que consiguen muchos orgasmos en una sola sesión sexual —algunas en una sucesión tan rápida que puede confundirse con un solo clímax—, y otras solamente uno, como los hombres. Otras sólo gozan con la estimulación de los pechos, o con las caricias genitales. Descubra cuál es su caso. Si no ha probado varias posturas, hágalo, aunque es de suponer que a estas alturas ya lo habrá hecho. Y busque nuevas sensaciones con el juego y la fantasía. Si ninguna de estas cosas le ofrece un punto de partida hacia una mayor sensibilidad, el único camino a seguir será entrevistarse con un asesor personal (o, mejor, a quien pueda asesorarlos a los dos como pareja y en presencia el uno del otro).

Para entrenarse en la exploración de sí misma, comience por ponerse tan cómoda como pueda (desnuda o no, frente a un espejo o no, a su gusto). Piense y fantasee aprovechando la imagen o recuerdo de todo aquello que despierte en usted cualquier clase de respuesta sexual. Será el momento de empezar a explorar su propia anatomía, dejando que su mano se dirija a donde el cuerpo le pida: a los pechos, a cualquier punto de la superficie cutánea, a los labios vaginales o al clítoris. Haga lo mismo con el vibrador si opta usted por usarlo. No busque el orgasmo; procure sólo descubrir lo que le gusta o lo que cree podría gustarle. Si lo ignora por completo esta búsqueda puede requerir bastante tiempo. A veces, si a una no la asusta o no le repugna la idea, otra mujer puede ser más útil que un hombre en el descubrimiento de su punto sensible. Eso no quiere decir que vaya a convertirse usted en una lesbiana. No suponga, sin embargo, que otro hombre podría comportarse sexualmente mejor que su amante. Podría ser así, pero eso no es más que una suposición por demostrar. Es, pues, mejor que no haga pagar los platos rotos a su compañero. Si puede usted imaginarse una situación capaz de excitarla, procure ponerla en práctica con su amante —como un juego, si no es posible hacerlo en serio—, recordando que la violación imaginaria no es una verdadera violación o que la crueldad imaginaria no es auténtica crueldad. Observe si alguna de nuestras sugerencias le produce un principio de excitación. Hable de ello con su compañero.

Nuestra ayuda no puede ser mayor dentro de los límites de unas páginas impresas. La libido de la mujer, cosa increíble, está controlada por hormonas masculinas. (Véase *Impotencia*.)

Impotencia

Son muchas las sandeces y ansiedades que podrían evitarse poniendo un poco de orden en las ideas sobre este tema.

1) Pocos hombres pueden decir que no hayan sufrido de impotencia alguna vez. Es algo muy corriente en una primera sesión, o en una sesión rápida con una mujer muy deseada a la que se quiere impresionar. Los riesgos son proporcionales a la madurez del individuo. El incidente también puede ocurrir inesperadamente y sin previo aviso en la cama matrimonial: con frecuencia, eso se debe a algún elemento inhibidor de la excitación del que uno no tiene conciencia. Lo único importante de estos casos es no dejarse vencer por ellos. La fantasía masculina convencio-

nal según la cual el hombre se halla a punto de copular con éxito en cualquier lugar y ocasión, es una ilusión neurótica totalmente reñida con la realidad.

Sólo los hombres completamente insensibles pueden actuar como máquinas de copular en constante funcionamiento o como sementales (y aun los sementales tienen sus días de desánimo). Tómese usted una noche entera cuando se trate de la primera noche con una mujer, sobre todo si es una chica muy deseable. Échese ante todo un sueñecito: verá como despierta con una tremenda erección.

2) Hay factores físicos responsables de la impotencia; esto es indudable. Los principales son la diabetes, la obesidad, el alcohol y algunos medicamentos destinados a combatir la depresión y la hipertensión.

3) Aparte de éstas, la única causa común de impotencia que puede existir es psicológica. Por ejemplo, cuando uno no logra la erección por aprensión respecto al acto sexual que va a realizar. Es el mismo caso del viejo que, según se cuenta, no podía dormir tratando de recordar si la última vez se había acostado con la barba dentro de las sábanas o encima de ellas, cosa que le volvió loco de remate; o también el caso de los pianistas que tocan mal al pensar en los movimientos de sus dedos.

4) El mejor modo de asegurarse que no tiene usted ningún defecto o impedimento en los conductos responsables de la erección del pene es el de comprobar si alguna vez consigue una erección (ya sea masturbándose, dormido o al despertar).

5) La edad no tiene nada que ver con la impotencia; sólo la provocan las enfermedades que trae la vejez. En cambio, la creencia de que perderá la virilidad al envejecer, contribuye en gran manera a la impotencia. En el hombre, la potencia normal dura toda la vida. El único cambio consiste en que, con los años, las erecciones espontáneas son cada vez menos frecuentes, la estimulación directa de la piel se hace imprescindible y el orgasmo tarda más en llegar. En los hombres viejos, la impotencia se debe a

factores que reducen su apetito sexual, como la falta de salud, y el no poder contar con una compañera suficientemente atractiva, a los intentos de hacer el amor con demasiada frecuencia o a las exigencias de una mujer más joven empeñada en hacerles pasar pruebas de virilidad, cosas que provocarían la impotencia, al menos temporalmente, a cualquier persona normal de cualquier edad.

6) Por consiguiente, la impotencia crónica puede obedecer a dos causas principales: que uno esté luchando contra algo que le desanima y no le permite entregarse normalmente a la práctica sexual —ambiente inadecuado, mujer inapropiada, vibraciones inarmónicas, intentos de batir récords—, o que esté contribuyendo a su propia desgana sexual al comportarse como espectador de sí mismo y no como un participante, preocupado por el éxito de su actuación. Esto puede comenzar si uno se halla en cualquiera de los días malos mencionados en el párrafo primero y quiere hacer el amor a pesar de todo. Hay que tener en cuenta que, en este caso, la impotencia puede convertirse en un hábito. Para eliminar esta posibilidad, es aconsejable proceder igual que con la *eyaculación precoz*, con la excepción de que entonces ambos participantes deberán hacer uso de la máxima excitación accesoria, aunque con el firme propósito de no copular: en el libro de Masters y Johnson se describe detalladamente la técnica que puede emplearse en esta ocasión. Es fácilmente adaptable a cada caso particular. Cuando dicha técnica no dé resultado, deberá acudirse a un especialista. Si todo el mundo conociera los hechos aquí expuestos, la tarea de los terapeutas sexuales se vería al menos apoyada o facilitada por la comprensión de sus pacientes.

En algunos hombres propensos a la impotencia se aprecia un bajo nivel hormonal, pero esto puede ser un efecto y no una causa. No se aconseja tomar hormonas masculinas, pues pueden mermar la propia producción de las mismas y empeorar las cosas. Algunas hormonas sintéticas evitan la desgana sexual. La testosterona es una gran ayuda en los casos que presentan importantes e inexplicables oscilaciones de la líbido, sobre todo después de los cincuenta años, pero debe tomarse bajo control médico para evitar problemas: la gonadotropina también da buenos resultados en algunos casos, pero en la actualidad sólo podría suministrarla algún grupo de investigadores científicos. Es cierto que existen algunos nuevos fármacos que estimulan la erección y que, eventualmente, pueden ser útiles; sin embargo, su principal función es la de levantar la moral, y algo más, por sugestión: cuando un hombre está convencido de que puede conseguir erecciones a voluntad, el problema, sea cual sea su origen, puede darse por resuelto.

Los japoneses han puesto en el mercado un "electro-erector" que, según pretenden sus creadores, es capaz de actuar con éxito en un cuasi cadáver: no lo hemos visto. En modo alguno es aconsejable jugar con chismes electrónicos de construcción casera o con la línea de suministro eléctrico.

Como explicación final, diremos que tal vez no es totalmente cierto que se puedan provocar las erecciones a voluntad. Casi todos los procesos corporales involuntarios pueden hacerse controlables mediante una técnica llamada "condicionamiento operante": con su empleo, uno puede reducir la frecuencia del ritmo cardíaco o alterar las ondas cerebrales. Tendría que ser posible hacer lo mismo con la erección eliminando voluntariamente cualquier freno de tipo psicológico: los yoguis son capaces de provocarse erecciones instantáneas a voluntad sin recibir el menor estímulo; por lo tanto, es posible. Sin embargo, hasta que esta técnica no haya alcanzado un grado de perfección que la haga válida para todo el mundo, sólo podrá recurrirse a grupos de investigadores que la apliquen en su fase experimental.

Interrupción del embarazo

En una vida sexual bien llevada, la interrupción del embarazo no debiera ser necesaria en absoluto. Aparte de las consideraciones éticas, ni usted como hombre, ni el médico como asesor sexual, pueden saber cómo reaccionará psicológicamente una mujer —o una pareja— ante una proposición de este tipo. El presente auge del aborto se debe menos a la tolerancia de las leyes actuales que al hecho de que muchas mujeres —que, asustadas por alarmismos deliberados, dejaron de tomar la píldora y han tenido ocasión de experimentar los efectos de un control de natalidad relativamente seguro y libre de peligros— no quieren volver a los antiguos expedientes ni ponerse a criar hijos que no desean tener.

Basándonos exclusivamente en los hechos, podemos decir que el aborto temprano (dentro de los primeros tres meses), llevado a cabo por un especialista cualificado en una clínica u hospital bien equipados, es una operación menor que no presenta riesgo alguno desde el punto de vista físico. Practicado por una persona no cualificada, por un curandero o siguiendo el método "hágaselo usted mismo", el aborto es muy peligroso y psicológicamente demoledor. Cuando se efectúa demasiado tarde (y hay algunos médicos que, siendo contrarios al aborto por principio, lo demoran deliberadamente y luego pretextan que ya es demasiado tarde), causa la muerte de una criatura que en potencia podría nacer y llegar a adulta.

Si se planifica adecuadamente la vida sexual y se toman precauciones anticonceptivas a conciencia, sólo en casos excepcionales deberá interrumpirse un embarazo. Es curioso y extraño que quienes hacen las declaraciones más catastrofistas sobre el aborto sean también los que más esfuerzos han hecho para impedir que se ponga en práctica un control de natalidad apropiado y para recortar al máximo los presupuestos destinados a la investigación y educación con él relacionados.

Médicos

No hay ninguna razón especial que obligue a los médicos a asesorar a sus pacientes respecto a las técnicas sexuales, pero, por tradición, suelen hacerlo. Avicena escribió que tal asesoramiento era una parte muy importante de la labor del médico, porque el placer sexual "está relacionado con la generación". Nosotros podríamos decir que dicho placer tiene también mucho que ver con el hecho de que una persona pueda considerarse "completa" o no. Teniendo en cuenta la abundancia de temores que hemos heredado sobre la salud sexual, el doctor podría ser un excelente asesor sobre la materia, siempre que fuese lo bastante competente en ella. En otros tiempos, y particularmente en la era victoriana, los médicos eran unos superconformistas con todas las ansiedades y supersticiones de su época, a las que añadían una especie de moralidad de fabricación casera que, en ciertas ocasiones, todavía se manifiesta entre nosotros (véase el caso del aborto y la píldora). Sin embargo, esto no debe justificar el hecho de que muchas personas no sólo con problemas, sino con necesidad de hacer preguntas sencillas sobre cuestiones sexuales, prescindan de su médico y busquen ayuda escribiendo a las revistas especializadas o a asesores a quienes no conocen en absoluto.

El problema está, simplemente, en que la conducta sexual normal del hombre se enseña muy poco y en que, antes de que aparecieran investigadores como Kinsey y Masters y Johnson, no podía enseñarse porque lo único que había para transmitir era poco más que folklore. Hace varios lustros, cuando éramos estudiantes de medicina, el control de natalidad era algo que ni siquiera figuraba en el temario, y sólo nos quedaba el recurso de leer a Havelock Ellis. Además, buena parte de lo que nos ofrecían los libros de texto no era más que bazofia tendenciosa. La especie de sentido común que mostraban a veces algunas baladas y relatos folklóricos había desaparecido, y lo mismo había sucedido con la sabiduría mundana de algunos médicos del siglo XVIII, como John Hunter. Por lo tanto, un médico que quisiera aconsejar sobre problemas sexuales a sus pacientes, aun estando provisto de la mejor voluntad, no podía hacerlo sin hacer antes las pertinentes investigaciones por su cuenta, o buscando información en algún libro. También podía basarse en lo vivido por sí mismo, tal vez la solución mejor de cara a dicho asesoramiento, siempre y cuando sus experiencias al respecto fuesen abundantes y variadas (pues podían ser limitadas, excéntricas o inexistentes).

No obstante, es indudable que todo esto ha cambiado, especialmente con la llegada de la última generación, del mismo modo que han cambiado muchas actitudes de tipo cultural. Pero, eso sí, hay todavía algunos médicos de cabecera demasiado escrupulosos que, exagerando su falta de conocimientos especializados, envían al psiquiatra a muchos pacientes cuyos problemas, por sencillos, no necesitan ser resueltos necesariamente por doctores mejor cualificados.

Sin embargo, los problemas sexuales, especialmente cuando afectan a la salud o a la ansiedad, o cuando su solución no se encuentra en los libros, sólo pueden consultarse al médico. Si se puede elegir, el más adecuado será un médico joven que emplee el lenguaje actual o un doctor o doctora de más edad con experiencia personal sobre el tema (suponiendo que los consultantes puedan tener conocimientos de este particular). Si tiene usted un problema de este tipo y considera que es grave —por ejemplo, el de no gozar en la práctica sexual— persista en su deseo de ponerle remedio. En caso de que el doctor elegido se muestre hostil a sus preguntas o se declare incompetente para darles respuesta, acuda a otro, y a un tercero si es necesario. Entre los representantes de la medicina, como entre los de cualquier otra profesión, hay muchas clases de personas con diferentes criterios, que vienen determinados por condicionantes de tipo social, político o religioso. Asegúrese, pues, de que no se pone en manos de un mal seguidor del juramento hipocrático.

Menopausia

Este término —en otro tiempo denominado corrientemente "climaterio"— indica la época en que la mujer deja de menstruar. En el siglo XVIII, un doctor conocido por John Fothergill el Cuáquero escribió lo siguiente: "Hay un período en la vida de las mujeres cuya llegada se les ha enseñado a esperar con cierto temor: las varias y absurdas opiniones relativas al cese del flujo mensual, propagadas a través de épocas sucesivas, no han hecho más que amargar las horas de muchas mujeres sensibles. Algunos profesionales, en otros aspectos capaces y juiciosos, aun cuando no han favorecido estas equivocadas y aterradoras ideas, parecen no haberse esforzado por corregirlas con la diligencia y la humanidad que el tema merece". Esto, poco más o menos, resume el problema.

Los cambios menopáusicos son complejos. El fin de la ovulación significa el fin de la fertilidad, lo que afecta a la autoestima de algunas mujeres, dejando de lado las repercusiones físicas de la readaptación del equilibrio hormonal. Para otras, representa una traba menos en su vida sexual, puesto que podrán dejar de preocuparse por las medidas anticonceptivas. Mientras que ciertos síntomas, como las pérdidas de sangre irregulares y los flujos calientes, son hormonales, los cambios como la irritabilidad y la depresión pueden deberse tanto a factores hormonales como al hecho de que se dejó atrás un hito de la vida, y con él la juventud. Los hombres, si bien están libres de la menopausia o de cualquier cambio hormonal repentino, sufren a veces la llamada "andropausia", coincidente con el momento en que se percatan de que no han llegado a realizar todas las fantasías imaginadas en su juventud y de que lo mejor será llevarlas a cabo lo antes posible. Esto puede conducir a imprudentes excesos sexuales, a verdaderas enfermedades o, simplemente, si uno se toma la cosa con más calma, a una reconsideración de objetivos y oportunidades más acordes con la realidad actual, con miras a lo que podría llamarse una segunda adolescencia. (Véase *Edad.*)

Niños

Los niños son una consecuencia natural, aunque no necesaria, de la práctica sexual. Imponen responsabilidades y preocupaciones (no menores que las que afectan a las parejas que, con el deseo de permanecer juntos sin complicaciones, retrasan su venida al mundo con restricciones, durante varios años, en su espontaneidad sexual). Para muchas personas, vale la pena soportar estas restricciones a cambio de evitarse ciertos problemas, pero si no está usted en condiciones de aceptarlas es mejor que no se sujete a ellas.

La vida sexual plena no es una exclusiva de las parejas sin hijos. Por esto, si han optado ustedes por tenerlos, deberán saber aislarse siempre que lo requieran las circunstancias. No debe involucrarse nunca a los niños en las actividades sexuales de los adultos: los militantes de la liberación sexual y los liberales exhibicionistas que intentan inculcar a sus hijos la naturalidad de la sexualidad dejándolos participar abiertamente en su vida íntima, les hacen más daño del que pudo hacerles aquella generación represiva que mantenía el lema "la sexualidad es una porquería". Los hijos de ustedes podrán comprobar que el amor y la sexualidad son cosas buenas si tienen ocasión de ver que sus relaciones fuera del dormitorio no pecan de ansiedad ni desmedidas exhibiciones (si, por el contrario, sus relaciones son poco discretas, no harán más que transmitirles su intranquilidad). Lo que sucede al respecto en otras culturas no puede servirnos aquí de guía, porque nuestra sociedad carece de sus mecanismos de control social y educación, muy distintos de los nuestros.

La mayoría de los niños están biológicamente programados para interpretar la contemplación o los ruidos del coito como pruebas de un asalto violento (advierten estas cosas ya desde muy pequeños, mucho antes de lo que los adultos suelen suponer; así pues, no tenga criaturas en el dormitorio) y, además, la sensibilidad de los niños respecto a las relaciones sexuales de sus padres es algo demasiado importante como para jugar con ella en beneficio de los experimentos de Wilhelm Reich. Permitir que los niños desarrollen su sexualidad a su manera (la masturbación, el creciente interés por el sexo opuesto y cosas por el estilo), y aceptar con naturalidad su conducta sobre el particular, es algo muy distinto. Por lo tanto, no conviene animarlos hasta el punto de establecer una interferencia incestuosa en la intimidad de su vida, ya se trate de niños de corta edad o de adolescentes. Sería lamentable que los padres acabaran por transmitir a sus hijos las fantasías eróticas que ellos no pudieron realizar (haciéndoles correr el riesgo, con ello, de que aborrecieran la sexualidad a causa de una mala interpretación de actos y significados sólo comprensibles por personas más maduras). Una buena educación sexual comienza por unos padres que sean despreocupados, pero no exhibicionistas, que respeten el pudor de sus hijos, que respondan con acierto a las preguntas que éstos les formulen y que les hagan ver con naturalidad que ciertas cosas son necesarias para conseguir determinados tipos de placer, y que si bien estas cosas requieren intimidad no hay motivos para que sean un secreto. Es aconsejable que los padres se las compongan para aislarse sin perder de vista la posibilidad de que los niños de corta edad consideren a su padre o a su madre como un verdadero rival. No se limiten, pues, a cerrar con llave el dormitorio dejando a las criaturas fuera. En tales ocasiones, hay que obrar con mucho tacto.

Las características de las viviendas modernas hacen

315

inútiles estos consejos, a menos que se trate de personas de alto nivel social. Por eso repetimos nuestro consejo de que si una pareja no está dispuesta a hacer las concesiones necesarias, es mejor que se limite a la sexualidad sin riesgos de descendencia. La desnudez es otra cuestión con que los militantes de la liberación sexual pueden desconcertar a sus hijos. Hay que tener en cuenta que el niño lleva incorporada toda una biología respecto al modo de reaccionar ante los órganos genitales de sus padres; por eso hemos de insistir en el consejo de que no abusen de ciertas exhibiciones. Los niños debieran verse desnudos unos a otros y también a sus padres, siempre que éstos tuvieran la costumbre de ir a veces desnudos por casa con toda naturalidad y sin ansiedades. Sin embargo, cualquier demostración o exhibición sexual intencionada con fines educativos puede resultar contraproducente. Una de las cosas buenas que tiene la asistencia de toda la familia a un club nudista es el hecho de que allí, por lo general, la desnudez de la gente no lleva aparejadas las insinuaciones de ansiedad biológica y psicológica que pueden observarse en los padres desnudos, pero tampoco hay que exagerar en este aspecto de la cuestión, ni a éstos debe sorprenderles que sus hijos tengan pudores que no sienten los adultos. No debe olvidarse que el pene del padre es un signo de dominación, y que la vulva de la madre es un objeto ambivalente para el niño normal de tres a siete años de edad. Mostrarse deliberadamente emancipado al respecto es extralimitarse con todas sus malas consecuencias.

A los niños preadolescentes hay que explicarles todo lo referente a los fenómenos sexuales normales, tales como la menstruación o la masturbación antes de que aparezcan y antes de que otros consejeros más ansiosos (como pueden ser los sacerdotes, los profesores u otros niños) se anticipen a sus padres. Hay que presentarles estas cosas como lo que son: parte del proceso y del privilegio de nacer y crecer. Toda ilustración *completa* sobre el fenómeno sexual, incluyendo la explicación de cómo vienen los bebés al mundo y la naturaleza de la cópula, resulta siempre provechosa, pero paradójicamente, aún lo es más cuando el niño recibe esa información antes de estar en condiciones de comprenderla. De este modo crecerá sabiendo lo que es cada cosa, irá completando su conocimiento y sentido al correr del tiempo y estará a prueba de quienes siembran la alarma y ocultan la verdad.

Incitar a los adolescentes a la realización de experiencias sexuales es patológico. A esa edad, lo que hay que comprobar es si confían en sus padres y si ven en ellos suficiente madurez como para pedirles consejo. De todos modos, los padres no deberán preocuparse demasiado si, después de todo, sus hijos siguen haciendo lo que mejor les parece. Si los padres están ansiosos o preocupados porque algo no anda bien en sus hijos, deberán decírselo con entera franqueza, sin rodeos, pero, también sin brusquedades. Suponiendo que éste sea el caso de ustedes, y que hayan procedido adecuadamente y que sus hijos tengan una personalidad razonablemente sana, tendrán, si no tanta experiencia como ustedes, una buena dosis de sentido común que les inclinará a seguir los consejos de sus padres. Un amigo nuestro descubrió que su hija de trece años guardaba unos preservativos y telefoneó a los padres del mejor amigo de la chica para prevenirles. Al ser interrogado por su padre, el muchacho dijo: "Sí, ya lo sabía. Yo mismo se los compré. ¡Esa tontuela iba con un chico sin tomar ninguna precaución, y no quise que se viera en un apuro!".

Los padres con una vida sexual verdaderamente libre de ansiedades sabrán comportarse bien a este respecto, pero en nuestra cultura no abunda esa clase de personas, y poco es lo que las demás pueden hacer para eliminar sus ansiedades. De nada sirve ocultarlas (la mayoría de ellas son circunstanciales al hombre) fingiendo cosas que no se sienten, aunque sea en nombre de la moral, y ello sólo conduce a una mala educación de los hijos. Además, éstos suelen darse cuenta del engaño, lo que no hace sino

317

agravar el problema. Lo mejor es actuar con sinceridad y que los hijos le vean como una persona de sentimientos y palabras honestas.

Por último, diremos que quienquiera que se proponga utilizar la presencia de una criatura en el hogar o el embarazo de la esposa para probar algo, "para salvar el matrimonio", para fortalecer su propio yo o con cualquier otro fin egoísta, necesita pensarlo dos veces. Los hijos fortalecen el yo, por supuesto, y tenerlos forma parte del desarrollo natural de una persona, pero hay que tener en cuenta que ellos también son personas y no meros recursos psiquiátricos. Las agencias que se encargan de facilitar niños para su adopción cuentan entre sus mejores clientes a las personas que necesitan una criatura porque la ven como una medicina o como un objeto que poder lucir con orgullo.

Obesidad

En nuestra cultura, la obesidad se considera antiestética. Sabemos de alguien cuya hermosa —y también gorda— hija sólo puede salir con muchachos originarios del Oriente Medio a causa de ese concepto de la belleza femenina. Las mujeres que pintó Renoir y que, desnudas, parecen ideales para practicar la sexualidad, vestidas se verían más llenitas, por lo que tampoco tendrían mucho éxito en nuestra sociedad.

En cuanto a los hombres, muchas veces no se tiene en cuenta que el exceso de peso puede ser una causa física de impotencia. Si nada de esto le preocupa a usted, algo tendrá que idear para seguir adelante a pesar de su gordura. El rey Eduardo VII de Gran Bretaña ("Tum-Tum") tenía un diván especial, parecido a una mesa ginecológica, con la forma adecuada para reclinarse en él y poder dar en el blanco cuando usaba armas de fuego. Casi todos los hombres robustos se las arreglan en este sentido haciendo que la mujer se coloque a horcajadas sobre ellos, de cara o de espalda. Si esto no es posible o no da resultado, el hombre puede echarse boca arriba sobre el borde de la cama con los pies en el suelo mientras la mujer permanece de pie con las piernas separadas sobre él. De todos modos, un hombre demasiado pesado es siempre un serio problema. Cierto que Cleopatra dijo: "¡Oh, feliz caballo, poder cargar con el peso de Antonio!" pero Marco Antonio no pesaba cien kilos. Si pesa usted demasiado, querido lector, haga lo posible por adelgazar, tanto por una mejor práctica sexual como por su vida. Y esto también es válido para las mujeres. Las muchachas modernas, aunque flexibles y adaptables a cualquier posición, tienden a ser demasiado livianas consideradas desde el punto de vista sexual de otros tiempos, especialmente en lo que se refiere a las posturas de penetración por detrás y para hacer el amor sobre una superficie dura.

Orina

A los niños les fascina observarse mutuamente mientras orinan. Lo mismo les sucede a algunos adultos. No hay ningún motivo especial para avergonzarse de ello; se trata, simplemente, de otro juego infantil.

A algunas mujeres les desconcierta el hecho de que, a veces, cuando se hallan muy excitadas sexualmente, "se les escapen algunas gotas" involuntariamente. Esto, que también ocurre a algunos animales, puede evitarse vaciando antes la vejiga. La práctica sexual violenta y prolongada puede dañar la vejiga de la mujer y originar algo muy parecido a un ataque de cistitis que algunos llaman "vejiga de luna de miel". Pero la cosa no es grave y suele curarse con algunos días de descanso. Las mujeres propensas a la inflamación de la vejiga pueden evitar casi siempre este contratiempo orinando inmediatamente después de la cópula.

La mayoría de los hombres obtienen una erección mayor —y resultan más sensibles a los estímulos sexuales— con la vejiga por vaciar, pero también puede darse el caso de que encuentren algunas posturas molestas o dolorosas en caso de que la vejiga esté demasiado llena. Nunca hemos sabido de una vejiga que reventara, pero los hombres de edad avanzada que tienen problemas prostáticos procederán muy bien absteniéndose de utilizar esta técnica. Normalmente, un hombre no puede orinar con el miembro en erección: posee una válvula bidireccional que se lo impide. En las mujeres, el extremo inferior de la uretra es casi tan sensible como el clítoris, pero es una idea muy desacertada la de introducir horquillas, velitas o cerillas en dicho lugar para masturbarse: no es raro el caso de que luego el médico tenga que extraerlas del interior de la vejiga.

Peleas

Las peleas ocasionales que tienen todos los amantes, incluso las de carácter físico, no tendrían nada que ver con la sexualidad si algunas parejas no se excitaran peleándose y golpeándose, a veces hasta sin darse cuenta de ello. Hay quien está convencido de que el verdadero furor tiene efectos eróticos, pero se trata de una creencia puramente folklórica. Una muestra de ella la tenemos en una canción francesa (que, extrañamente, se refiere a personajes ingleses). Dice así:

Eh, míster Copper,
Colin está pegando a su mujer,
pero déjelos, míster Copper,
todo terminará con besos.

En cambio, una mujer me confesó cierta vez: "Nos encontramos con que la rutina de la vieja ternura no nos bastaba: a él le gusta usar la violencia y a mí me excita resistir sus ataques. El dolor me estimula, pero él ha empezado a herirme en ciertos puntos y estoy asustada porque no sé adónde va a llegar esto". Existe el problema de que, tal como hemos indicado ya varias veces, nuestra imagen del amor es poco tolerante respecto a los elementos de agresión real presentes en la sexualidad normal. Esto nos inclina a mezclar la violencia erótica con el desprecio o el furor verdaderos, y nos lleva asimismo a confundir dos cosas completamente distintas: la riña que desahoga y la estimulación sexual. No nos referimos aquí a los que se hallan en el límite del sadismo. Hay mujeres que, inconscientemente, tienen necesidad de violencia, y en caso de que sus amantes sean tímidos, los provocan hasta enzarzarlos en una pelea sin saber por qué. Es una mala mezcla de temperamentos que no suele terminar bien.

La necesidad de cierta dosis de violencia en la práctica sexual, frente al meloso amor no físico propagado por la tradición, es estadísticamente normal. Pero el modo de satisfacer esta necesidad no consiste en organizar zipizapes para alimentarla, sino en aprender y practicar bien este aspecto del juego sexual. Cierto es que el marido extremadamente amable y cariñoso tiene la mente bloqueada en cuanto a la agresividad física, y quedaría perplejo si su mujer le pidiera: "Ahora intenta violarme". A ese hombre le enseñaron que no se pude tratar a las mujeres de semejante manera, e incluso puede suceder que sienta una gran necesidad de complacer en tal sentido a su compañera y no lo haga por impedírselo su exceso de gentileza. En cambio, si se tiene inmediatamente una aclaración con ella, o con él, sí se le puede enseñar cómo hacer un uso adecuado de los juegos sexuales —razón por la cual hemos incluido en este libro algunos juegos de apariencia verdaderamente violenta a nivel de "guía para matrimonios"—, y ello sin necesidad de mezclarlos con los enfados y las frustraciones cotidianas, cosa muy fácil si su pareja no es la adecuada. Si se trata de una persona suave y cariñosa, es mejor no aguijonearla; más vale enseñarle lo que no sabe.

En otras palabras, no deben avergonzarse ustedes de pelear de verdad (la mayoría de la gente lo hace), pero no utilicen esas riñas reales como estimulantes sexuales o como un medio para excitar la agresividad del compañero o compañera. Para esto usen el juego, y manténganlo siempre en el terreno sexual. Recuerden también que hay grandes diferencias de una persona a otra y que, en la actualidad, la agresión física es para nosotros algo mucho más desconcertante que la sexualidad. Así, un ojo morado puede ser la huella de una expresión de cariño para una pareja y un motivo de divorcio para otra. Cultiven lo que podríamos llamar conversaciones de almohada: ayudan a dar rienda suelta a la fantasía. Háganse, poco antes del orgasmo, preguntas como ésta: "Y ahora, ¿qué te gustaría hacerme, qué te gustaría que te hiciese?". Siempre sin pasar de puros juegos. (Véase *Canto de los pájaros por la mañana*.)

Además, en las relaciones sexuales, el simbolismo suele ser un excitante más eficaz que las actuaciones demasiado "literales". Sin embargo, algunas parejas disfrutan mucho entregándose a intensas luchas, ya sea premeditadamente o por sorpresa ("lucha amorosa", según la vieja tradición atlética vienesa). Los entusiastas de esta práctica incluso se rigen por normas: limitar el tiempo, no morder, no arañar, etc. La mayoría de los adictos a tales juegos consideran que basta con una pelea vigorosa de intensidad y duración razonables; otros practican juegos más bien estudiados, como los que se basan en zurras y otros castigos por determinadas faltas cometidas durante la sesión sexual (estas faltas sólo serán violaciones de un "reglamento" establecido de mutuo acuerdo; nunca faltas reales). Las mujeres a las que la violencia produce sensaciones especiales y/o de desamparo se dividen en dos tipos: las que gozan más permaneciendo atadas y las que obtienen mayor deleite si se las sostiene manualmente. Los hombres pueden liberarse de buena parte de sus fijaciones de agresividad y violencia con la simple mecánica de la penetración y de la búsqueda del orgasmo. Una vez comprendidas y aceptadas por ambos estas necesidades agresivas, ninguno tiene por qué causar miedo, pues mediante su satisfacción en el plano sexual no hace sino desahogar la crueldad que puede llevar dentro en un momento dado y descargar los resentimientos que suelen existir entre dos personas que viven juntas.

Nada de lo que hemos dicho excluye la ternura. Si ustedes, como pareja, no saben todavía que la violencia sexual puede ser tierna y que la ternura puede ser violenta, mal podrán decir que practican la sexualidad como verdaderos amantes, a menos que pertenezcan a la categoría de personas (que las hay) cuya ternura es pura y sin mezcla alguna. Las peleas no constituyen ninguna preocupación para las parejas formadas por esta clase de personas.

Si alguna vez tienen ustedes una riña auténtica, procuren terminarla en la cama. Cualquier otro lugar sería peor para darle fin.

Perversión

Este término englobaba, en los libros anteriores a 1970, todas las conductas sexuales con las que el autor de la presente obra no disfruta. Más exactamente, esta palabra significa cualquier comportamiento social que las personas taradas o degeneradas empleen como sustitutivo de la sexualidad normal, una sexualidad de la que sus propios trastornos los mantienen apartados. En nuestra cultura, las perversiones más comunes son un vehículo para adueñarse de ciertas áreas del poder y utilizarlas para poder fastidiar o perjudicar a los demás, dedicarse a la caza del dinero como actividad principal, tratar a quienquiera que sea —sexualmente o de otro modo— como simples cosas de fácil manipulación, e interferirse en la vida sexual de los incautos para hacer que esas personas se vuelvan tan rígidas o ansiosas —según los casos— respecto a la sexualidad como las que se entrometen en sus vidas. Las perversiones tradicionales, como desenterrar cadáveres o cometer asesinatos por lujuria, están confinadas casi por entero a los psicópatas y, aun siendo evidentemente un problema grave, tienen menor importancia social que las perversiones de tipo "respetable", porque son raras y desaprobadas por todo el mundo. Una medida del prestigio que tienen las perversiones socialmente aprobadas la da el hecho de que la mayoría de manifestaciones públicas, ya sean legislativas, penales o de otro tipo, admiten —si no las elogian— actitudes que son básicamente perversas, con el agravante de que, a menudo, quienes así se expresan son personas privadamente sanas y que no viven de acuerdo con lo que dicen.

Las reacciones morbosas de este tipo, cuando no son sólo de palabra, resultan difíciles de curar, tanto si conducen a la mutilación sádica, a la pureza del cruzado, a Bergen-Belsen o al Vietnam. Por dignos de lástima que sean esos infelices, no hay que olvidar que son gente peligrosa y, menos aún, que hay que evitarlos como asesores o como pareja en el terreno sexual. No puede usted imaginarse los problemas que tendría si les hiciese caso o aceptara relaciones íntimas con cualquiera de ellos.

Priapismo

Término derivado de Príapo, originariamente dios griego de las viñas y los jardines. Su particularidad más revelante era la posesión de un gran pene de madera siempre rígido y erecto. Se llama priapismo a la erección no deseada y difícil de vencer que, por si fuera poco, no va acompañada de la menor sensación de placer sexual.

Las erecciones dolorosas que no ceden con facilidad son

raras, pero casi siempre pueden considerarse prueba de que algo anda mal. Lo mejor es consultar a un médico. Lo que ya es más corriente, aunque no demasiado, es despertarse por la noche a causa de erecciones dolorosas y desagradables aun después de haber gozado de una eyaculación completa, cosa que obliga a quien sufre este contratiempo a levantarse y dar vueltas por la casa o a ducharse —el coito o la masturbación no dan ningún resultado—, con la consiguiente pérdida de horas de sueño. Mencionamos aquí esta anomalía porque es un problema que desespera a quien lo padece. No se conoce la causa del priapismo. Quizá sea de origen psicológico (con frecuencia, la erección cesa si se sale de casa). Todos los hombres normales tienen repetidas erecciones mientras duermen, pero casi siempre van acompañadas de agradables sensaciones sexuales, no de dolor. Al parecer, no hay ningún medio fiable para esta disfunción. Los fármacos capaces de eliminarla también pueden eliminar la potencia sexual del paciente. Afortunadamente, el priapismo acaba por desaparecer más o menos pronto por sí mismo, y el tratamiento que se está siguiendo en aquel momento se lleva el mérito de la curación. No deja ninguna secuela que afecte a la sexualidad.

Prostitución

Por lo general, las prostitutas no practican, contra lo que pudiera creerse, un tipo de sexualidad de técnicas muy avanzadas. También es raro el caso de que gocen alguna vez en el ejercicio de su profesión. Esto no es así en todas las culturas, pero en la nuestra uno de los motivos más comunes para que una mujer se convierta en una trotacalles profesional es la aversión hacia los hombres. La atracción que ofrecen las prostitutas, tal como persiste hoy día, es en parte mitológica, y se debe también a su comprensión sin remilgos de las necesidades sexuales más extravagantes, cosa que permite al hombre tener la certeza de que podrá practicar con ellas la sexualidad sin traumas sociales y con el estímulo de sentimientos derivados del hecho de compartir una mujer con otros hombres. Si tratáramos a las profesionales como lo han hecho otras culturas —al mismo nivel que un concertista que hace doméstico su arte—, este tipo de relaciones sexuales tendría muchas probabilidades de mejorar y de perder su actual psicopatología, cosa que beneficiaría tanto a los clientes como a las propias chicas. De todos modos, está visto que la libertad generalizada tiende a desplazar por completo la sexualidad por dinero, excepto para aquellos hombres cuyas necesidades inconscientes les exigen seguir usando el tipo tradicional de prostitución.

Aparte de la atracción que hemos mencionado, toda mujer que esté dispuesta a comprender la sexualidad, a gozar con ella y a satisfacer las necesidades de la pareja con la plenitud de una profesional, y con amor por añadidura, puede superar a cualquiera de las que venden sus favores sexuales. Una mujer corriente puede aprender muchas cosas de épocas y culturas en que la cortesana era una especialista en el arte de complacer y hacer gozar, además de emplear algunos "trucos de prostituta" actuales que en realidad debieran llamarse "trucos de amante". La mujer capaz de hacer el amor con cariño y variedad no tiene por qué temer la competencia comercial.

Si su compañero, querida lectora, recurre a una prostituta, es porque las circunstancias lo mantienen lejos de usted, o porque tiene necesidades sexuales que usted no conoce, o porque le gusta la irresponsabilidad que siente el hombre ante la mujer compartida (motivo que puede ser muy poderoso por enamorado que esté un hombre de su mujer), o, simplemente, porque se deja llevar por un impulso que él mismo no comprende. Aunque se sienta usted herida por tal comportamiento, haga lo posible por descubrir cuáles son las razones de él, porque conocerlas podría ser una buena ayuda para los dos.

Riesgos

Al contrario de lo que podría hacer creer la superstición, muy pocas técnicas sexuales son actualmente peligrosas, siempre y cuando se haga uso de ellas con acierto y precaución. Una penetración torpe con la mujer encima puede causar lesiones en ambos, y una cópula anal violenta siempre supone un pequeño peligro de uretritis en el hombre, y de vaginitis en la mujer si se combina la penetración anal con la vaginal. Las mujeres propensas a abortar (véase *Interrupción del embarazo*) deben ser tratadas cuidadosamente durante el embarazo, y las mujeres *muy* propensas al aborto harían muy bien en evitar el orgasmo durante su período de gravidez. Aparte de estos riesgos, hay algunas cosas que son peligrosas por sí mismas. Ninguna de ellas es verdaderamente popular, pero dada la tendencia de las falsas maravillas a extenderse, hay personas que las prueban.

1) Nunca debe estrangularse a nadie aunque sea en broma, y menos aún durante el orgasmo. Muchos "asesinatos" sexuales son accidentes que sobrevienen a mujeres que admiten el estrangulamiento parcial como estímulo de categoría: pueden conseguir exactamente la misma sensación copulando cabeza abajo. Nunca deben bloquearse las vías respiratorias de nadie, y toda precaución es poca en los juegos de *esclavitud:* cualquier persona puede morir por sofocación sobre una superficie blanda.

2) No debe soplarse nunca hacia el interior de la vagina. Esta jugarreta puede provocar una embolia de aire y originar una muerte repentina.

3) A pesar de lo que dicen ciertos escritores sobre el uso de los utensilios domésticos como chismes estimulantes, lo mejor es no bromear con los aspiradores o instrumentos basados en el aire comprimido. Una bomba de aire para hinchar neumáticos reventó cierta vez el intestino de una persona como consecuencia de haberle introducido la boquilla del aparato en el ano (se trató de una broma,

pesada, por supuesto). Las lesiones en el pene causadas por los aspiradores son sorprendentemente comunes, y muy difíciles de curar. El agua del grifo echada a presión no ofrece peligro, pero debe dirigirse al clítoris y no a la vagina: cualquier cosa que tenga presión puede penetrar en las trompas de Falopio y causar graves lesiones.

4) La cantárida no es un afrodisíaco, sino un veneno irritante casi tan potente como el gas mostaza. La dosis necesaria para conseguir una erección —dolorosa y por lo tanto inútil— tiene que ser mayor que la dosis soportable por los riñones sin sufrir daños irreparables y, por lo tanto, fatales. Los caramelos con cantárida han causado la muerte de más de una muchacha.

5) Nada que se inhale constituye un estímulo seguro: los productos químicos orgánicos que aturden en el acto pueden causar la muerte con la misma rapidez. El nitrato de amilo (usado para el tratamiento de los ataques de angina de pecho) produce ardores epidérmicos y otras sensaciones sexuales, pero es muy peligroso. No debe jugarse con él. Si desea atontarse o perder la cabeza, escuche música a todo volumen a través de sus auriculares estereofónicos.

Considerando la extensa gama de experimentación sexual de que son capaces los seres humanos, se puede asegurar, sin compartir los temores convencionales e infundados que existen sobre el tema, que sólo los experimentos o trucos estúpidos son peligrosos. Practicados con cautela y dulzura, los juegos sexuales son, con mucho, el deporte más vigoroso y seguro. Ejemplo: un golpe de pelota de golf puede matar a una persona.

Salud

Cuando una persona está gravemente enferma, se queda sin ganas de practicar la sexualidad. Su mismo cuerpo le indica lo que más le conviene. De todos modos, son pocos los estados patológicos que justifican la prescripción médica de una abstención sexual prolongada, como puede suceder después de un ataque cardíaco, una operación de hernia, o, por supuesto, si se padece alguna enfermedad venérea contagiosa como la sífilis o la tricomoniasis, o si la mujer está embarazada y existe la posibilidad de abortar. La mayor parte de los especialistas están al día y se comportan sensatamente sobre el particular dando los consejos más adecuados en cada caso, pero algunos alarman y fastidian todavía a sus clientes con instrucciones poco meditadas sobre la necesidad de no practicar la sexualidad. La mayoría de las veces tal postura médica se debe a que quien así prescribe da poca importancia, por el motivo que sea, a su propia vida sexual.

Si el especialista aconseja a una mujer que se abstenga de la práctica sexual, será mejor que ésta averigüe por qué. Puede suceder que el quedar embarazada sea peligroso para la paciente en cuestión. También es posible que esté expuesta a alguna complicación genética grave si sigue practicando la sexualidad. En este punto, el miembro masculino de la pareja, si es consciente de sus responsabilidades, deberá considerar la necesidad de someterse a una *vasectomía* (véase) para eliminar su parte de culpa en posibles complicaciones que afectarían a la mujer si quedara embarazada. Fuera de estos casos, las únicas indicaciones que deberán tenerse presentes son las que hemos dado más arriba. Si es el hombre quien, según el médico, debe abandonar la práctica sexual, hablen ustedes de ello y decidan lo que más convenga hacer. Ni siquiera una grave enfermedad cardíaca o de los riñones puede ser un impedimento para practicar la sexualidad, siempre que no se cometan abusos de ninguna clase. La hipertensión tampoco lo es. En estos casos, todo lo que hay que hacer es evitar las actividades violentas o las que provoquen tensión, del tipo que sean. La excitación es más intensa, y el número de bajas mayor, en contextos extramatrimoniales que en el matrimonial. Los *boudoirs*, los burdeles y los

salones de "masaje" han presenciado muchos más accidentes fatales que las camas de matrimonio. Puede presentarse
algún problema relacionado con el cáncer de próstata o la
alta presión sanguínea, porque la mayoría de los medicamentos que se usan para tratar esos males pueden causar
impotencia, y si los demás fármacos que no la provocan no
resultan suficientemente eficaces, la persona afectada
deberá elegir entonces lo que crea más conveniente. Lo
importante es no aceptar el "no" del médico como una
respuesta definitiva, a menos que se pueda contar con una
explicación convincente a la luz de un conocimiento real
de las verdaderas necesidades sexuales de la pareja
(algunos doctores todavía creen que el cincuenta por
ciento de la sexualidad es innecesario o inexistente. Véase
Edad). Todo especialista debe saber que la interrupción de
la práctica sexual por un período de tiempo excesivamente
prolongado es difícil de soportar por una persona normal, y
que puede perjudicar la respuesta sexual del hombre que
sigue esta medida si alcanzó ya cierta edad (lo más
probable es que reanude con dificultad sus relaciones
sexuales o que quede impotente para siempre). En cambio,
los consejos bien fundamentados de un médico capaz y con
suficiente experiencia, pueden ayudar a la pareja que sufra
estos problemas permitiéndole la práctica sexual dentro de
los límites estrictamente necesarios —o sin límite alguno—, evitando así enfermedades o traumas causados por
una abstención mal administrada. Son ustedes y el
especialista quienes deben encontrar la solución del
problema. Hay personas que creen que si se les prohíbe lo
que más desean, lo único que deben hacer es obedecer y
conformarse, sin tener en cuenta que la depresión y la
ansiedad engendradas por la privación de la práctica
sexual pueden hacerles más daño que el moderado
ejercicio que requiere la cópula. (Véase *Médicos*.) Está
incluso probado que una vida sexual ordenada puede
reducir la hipertensión cuando es debida a tensiones.

Tabaco

Es indudable que fumar cigarrillos en exceso acorta la vida de modo considerable. Tal abuso puede también mermar notablemente la potencia sexual, además de hacer desagradables, o como mínimo insulsos, los besos boca a boca. Pero, por otro lado, hay mujeres que asocian el olor del tabaco de pipa o de los cigarros con la masculinidad. A otras no les gusta. Aún no ha podido demostrarse biológicamente por qué disfrutamos inhalando humo de tabaco: la nicotina actúa, hasta cierto punto, como una droga, pero también se da el caso de que algunas aves y mamíferos se sienten "estimulados" por el humo del tabaco. Los cuervos incluso recogen las colillas de los cigarrillos encendidas y se las pasan por encima del plumaje. Y el fuego, con el humo consiguiente, fue un descubrimiento prehumano. Además, el acto de chupar es para el hombre un estímulo universal al que se muestra sensible durante toda la vida. También existe toda una antropología relacionada con quién fuma y qué se fuma según se trate de uno u otro sexo: el uso de la pipa entre las mujeres, por ejemplo, nunca caló demasiado hondo en nuestra cultura.

Por suerte, no tenemos necesidad de hacer hincapié en nuestra postura al respecto. Nos consta: las personas que con más facilidad dejan de fumar cigarrillos son los amantes y los sibaritas, tanto por considerarlos peligrosos como por el problema que supone el mal aliento y los dedos manchados. Las pipas y los cigarros son menos nocivos y no presentan tantos inconvenientes. De todos modos, como ya hemos apuntado, el exceso de nicotina puede afectar físicamente a la erección. Si tiene usted el propósito de dejar de fumar, hágalo de forma rotunda. Elija para ello un día y una hora determinados y cumpla a rajatabla su decisión. Como actividad de sustitución, entréguese más a menudo a la práctica sexual, al menos mientras dure el bache.

La marihuana tiene acciones farmacológicas muy complejas, pero en nuestra sociedad actúa principalmente como un "irritante" social, pues produce una sensación de agradable desafío en los que la usan y la inhibición de los pensamientos racionales en los que no la usan y pretenden enfrentarse con los adictos al "té". Los peligros de la marihuana han sido exagerados como consecuencia de dichos efectos. Los médicos, que ya tienen que luchar contra el abuso del alcohol, de la aspirina y toda clase de píldoras y pastillas, calculan que necesitamos tantos fármacos estimulantes como "huecos" se nos producen en la cabeza, aunque hay dos puntos de vista distintos al respecto. Lo que sí puede afirmarse es que la marihuana no es un afrodisíaco. Casi todos los amantes que disfrutan de veras haciendo el amor, prefieren comenzar sus sesiones sexuales directamente y procuran entonarse con las "salsas y picantes" que les es dado elegir en la cama en vez de confiar dicha tarea a los estimulantes químicos.

Travestismo y transexualidad

No son pocas las personas que disfrutan, en ciertas ocasiones, vistiéndose con las ropas del sexo contrario sin una razón bien definida. Eso no es travestismo. Un travestí —o travestido— es una persona que, sin abandonar ni un ápice su papel sexual masculino o femenino, siente a veces una fuerte compulsión que le lleva a vestir ropas femeninas si es un hombre y masculinas si se trata de una mujer, lo que le permite soltar una intensa descarga de ansiedad (sin que exista nada que pueda llamarse propiamente estímulo) cuando se entrega a tales juegos. Estas personas no son homosexuales, del mismo modo que una persona bisexual que viste ropa del sexo contrario por complacer a su pareja no es un travestí. Un transexual es una persona, en general un hombre, que desea convertirse física y activamente en una persona del sexo opuesto, mediante la cirugía si es necesario, y que se siente completamente frustrado tal como es. En algunas sociedades más simples que la nuestra existen ceremonias en que se adoptan personalidades distintas a la verdadera para ayudar a liberar este género de necesidades (a menudo, los hechiceros usan o hacen usar ropas del sexo contrario). En nuestra sociedad, esas necesidades pueden causar grandes ansiedades. Cuando un travestí tiene una esposa bien informada y poco timorata, suele comprobar que su compulsión, sea cual sea la causa, no echa a perder su vida sexual en su papel de hombre. No obstante, si el travestí tiene que mantener en secreto su tendencia o si su mujer lo supone homosexual o loco —cosa que no es—, su situación puede llegar a trastornarle gravemente. Un transexual necesita la ayuda de un especialista, y siempre está por demostrar si será o no más feliz al cambiar de sexo mediante una operación. Son muchas las desdichas que podrían evitarse si la gente conociera esta problemática y no se asustara o desconcertara ante tales seres. Si tiene usted un compañero que presente alguna de estas características, ayúdelo con su comprensión y haga lo posible para que se ponga en manos de un especialista.

Vasectomía

Es el único método anticonceptivo masculino que ofrece un ciento por ciento de seguridad. La vasectomía consiste en cerrar, mediante una pequeña operación quirúrgica, los tubos que transportan los espermatozoides desde los testículos hasta el pene. La operación se practica con anestesia local. Duele bastante menos que unos puntos dados a una pequeña herida y, una vez terminada la intervención, el paciente puede irse directamente a casa. El resultado, a largo plazo, es el de un hombre completamente viril, pero estéril. (Lo repetimos: la vasectomía, practicada con todas las garantías médicas, no presenta ningún peligro ni supone merma alguna para la erección, la eyaculación, las sensaciones sexuales o la virilidad en general. Hace tiempo, la vasectomía se efectuaba bajo el nombre de "operación de Steinach" como tratamiento rejuvenecedor y fortalecedor de la virilidad.) Cuando una pareja ya tiene todos los hijos que deseaba (los cuales, si los padres tienen un razonable sentido de responsabilidad, no deberán pasar de dos), es aconsejable estudiar seriamente esta posibilidad. Sí, más vale considerarla (y llevarla a la práctica siempre que sea posible) que esterilizar a la esposa mediante una operación mucho más compleja y molesta u obligarla a seguir tomando la píldora aunque no le siente bien.

Hay algunos otros puntos de carácter práctico a tener en cuenta:

1) El hombre operado de vasectomía no queda estéril inmediatamente después de la intervención. Pueden quedar espermatozoides en la zona uretral y mantenerse en ella durante meses, por lo que no hay que abandonar el antiguo método de control de natalidad hasta tener la seguridad de que ningún germen masculino podrá jugar a la pareja una mala pasada.

2) Una vez realizada la operación, no se puede cambiar de parecer. La vasectomía resulta a veces irreversible, pero es algo con lo que no puede contarse con seguridad. Por lo tanto, si más adelante se siente el deseo de tener más hijos y el posible padre quiere operarse de nuevo con miras a recuperar su fertilidad, deberá tener presente que se expone a un riesgo calculado. En caso de que la nueva intervención no tenga éxito, siempre quedará el recurso de adoptar una de las muchas criaturas no deseadas por otras parejas.

3) Por otra parte, uno debe asegurarse previamente de sus propios sentimientos, los cuales, como todo lo relacionado con la sexualidad y la reproducción, no siempre son perfectamente "razonables". Si el médico se niega a hacer la operación sin escuchar las razones de su paciente —que

pueden ser equivocadas—, sólo demuestra que conoce su trabajo. Si la negativa del especialista obedece a una cuestión de principios o a que no le gusta el estilo de vida del interesado, consulte a otro médico sin pensarlo más.

Si está casado, si usted y su esposa tienen ya todos los hijos que deseaban y se encuentran con algún problema relacionado con los anticonceptivos, reflexionen en serio sobre la vasectomía. Si es usted un hombre libre que quiere vivir a su antojo sin familia y sin complicaciones, escuche la voz de su sentido de la responsabilidad y hágase operar cuanto antes. Podrá comprarse luego una corbata que proclame su condición de "vasectomizado", o ponerse en la solapa algún distintivo que advierta públicamente el hecho.

Violación

Los buenos amantes nunca dejarán de entregase a juegos relacionados con la violación. Sin embargo, la violación auténtica es un traumático inhibidor sexual para la mujer que la sufre. A este respecto, y por desagradable que parezca, vale la pena saber que el método más seguro que puede poner en práctica una mujer para evitar su violación, tanto si quien la ataca va armado como si no, consiste en vaciar súbitamente los intestinos. Pocos violadores se sentirán con ganas de persistir en su intento ante un contratiempo tan inesperado. El truco no implica provocación alguna y es mucho más eficaz que cualquier vano propósito de defenderse luchando físicamente.

No provoque nunca, querida lectora, su violación. No excite deliberadamente a un hombre al que no conozca si no está dispuesta a continuar hasta el final con todas sus consecuencias.

Esta obra se terminó de imprimir,
en agosto de 1990, en
la Impresora Azteca.
Poniente 140 No. 681-1
México, D.F.

La edición consta de 3,000 ejemplares.